Gaspard Hauser ou la paresse du cœur

Jakob
Wassermann

Gaspard Hauser ou la paresse du cœur

Traduit de l'allemand par
ROMANA ALTDORF

Bernard Grasset
PARIS

Cet ouvrage a paru au Fischer Verlag en 1924 sous le titre :

CASPAR HAUSER ODER DIE TRÄGHEIT DES HERZENS

pour la version ici traduite.

Jakob Wassermann / Gaspard Hauser

Né à Fürth, près de Nuremberg, en 1873, Jakob Wassermann, issu de la communauté juive de Franconie, fut, très jeune, une sorte de rêveur blessé et tumultueux. Au collège il invente des contes pour ses camarades. A quinze ans il écrit sa première nouvelle dans le journal de Fürth. Rebelle, il fuit le négoce paternel. Pauvre, il travaille en usine, avant d'être embauché comme secrétaire par l'écrivain Ernst von Wolzogen. Juif, il cherche une patrie. Ce ne pourra être l'Allemagne.

Son premier roman, les Juifs de Zirndorf *(1897), retouche sa Franconie natale aux couleurs du songe et du cauchemar et dévoile déjà son goût pour la fiction historique (à l'instar d'autres écrivains juifs de langue allemande comme Martin Buber et Max Brod). L'innocence fracassée par la corruption, les existences cruelles et fatales, la lutte du romantisme et du démonisme, tous ces thèmes ne cessent de hanter l'œuvre de Wassermann, traversent ses romans sous des appareils différents : débauche dans l'*Histoire de la jeune Renate Fuchs *(1900), erreur judiciaire dans* Moloch *(1902), amour impossible dans les* Masques d'Erwin Reiner *(1910), suicide et folie dans* l'Affaire Maurizius *(1928), etc.*

*Ses livres surchargés, foisonnants, la multiplication des procédés et des intrigues, son « étonnante faculté de prolifération * » dont a parlé Gabriel Marcel, ont fait de Wassermann une manière de Dickens ou de Balzac allemand.*

*Assuré, après une jeunesse difficile, d'un grand nombre de lecteurs, reconnu par Rilke et Hofmannsthal, Wassermann n'a jamais eu tout à fait l'impression d'être chez lui en Allemagne. Pour lui, comme pour l'un de ses héros, ce pays fut sans doute « un fruit amer qui n'arrivait jamais à être mûr et sucré * ». Un pays qui, dans les années trente, faisait peur. En 1932, cet écrivain fiévreux, débordant, s'exila en Autriche. Il y mourut deux ans plus tard.*

*« Je veux créer des figures dont l'âme soit l'instrument le plus pur et le plus sensible du jeu incompréhensible de la destinée *. » Cette phrase permet de comprendre, mieux que nulle autre, le charme qu'exerça sur lui l'histoire sombre et quasi légendaire de Gaspard Hauser, et comment il en fit, muni des dernières recherches sur le sujet – le livre paraît en 1908 –, une pénétrante étude des passions humaines, un requiem pour une innocence bafouée, ravagée.*

En 1828, à Nuremberg, on recueille un jeune homme de dix-sept ans, saignant, hagard, cherchant ses mots. Son vocabulaire est celui d'un enfant de deux ans. Il sait, tout juste, tracer son nom : Gaspard Hauser. Étrange. D'après la police « il ressemble plus à une demoiselle noble qu'à un paysan ». Et pour cause : ce vagabond délicat est, en réalité, le fils de la grande-duchesse de Bade, parente de Joséphine de Beauharnais, enlevé pour des raisons politiques dès sa plus jeune enfance. Élevé dans d'infâmes conditions par un garde-chasse complice des criminels, Gaspard sera, dès son arrivée à Nuremberg, éduqué par le professeur Daumer. Mais la vérité sur les origines du jeune homme, longtemps étouffée, menace d'éclater en Europe. Gaspard devient gênant. Manquant de perdre la vie dans un premier attentat, toujours en danger, se réfugiant tour à tour chez plusieurs personnalités, le jeune prince sera, le plus souvent, délaissé, victime des reniements, des trahisons, de la « paresse du cœur » des uns et des autres qui le précipitèrent sous le coup de couteau fatal.

Wassermann, reconstituant sous forme romanesque l'une des plus grandes affaires politico-criminelles du XIXe siècle, donne à la brève et déchirante existence de Gaspard l'ampleur et l'attrait d'un magnifique thriller historique qui, on s'en souvient, inspira le cinéaste allemand Werner Herzog.

* Cité par Maurice Betz in préface de *Dietrich Oberlin*, Éditions Oswald, 1980.

Première Partie

CHAPITRE PREMIER

Dans les premiers jours de l'été 1828, des bruits étranges circulèrent à Nuremberg au sujet d'un jeune homme détenu à la Vestnerturm dont l'origine mystérieuse autant que la conduite intriguaient fort ceux qui l'approchaient.

C'était un adolescent d'environ dix-sept ans. Personne ne savait d'où il était venu; il était lui-même incapable de le dire. Il parlait à peu près comme un enfant de deux ans, ânonnant quelques mots dénués de sens, qu'il répétait d'une façon soit plaintive, soit joyeuse, et qui semblaient être, plutôt que des paroles, des marques de plaisir ou d'angoisse.

Il marchait comme un enfant qui fait ses premiers pas, prudemment, en posant le pied à plat, avec maladresse.

Les Nurembergeois sont gens curieux. Chaque jour, des centaines d'entre eux montaient les pentes du burg et les quatre-vingt-douze marches de la vieille tour sombre pour venir regarder l'inconnu. L'entrée de la pièce à demi-obscure où était enfermé le prisonnier était interdite et c'est du seuil que les visiteurs pressés sur plusieurs rangs apercevaient le malheureux accroupi dans l'angle le plus reculé. On le voyait le plus souvent en train de jouer avec un petit cheval de bois blanc, qui appartenait aux enfants du geôlier et que celui-ci, touché par son désir, exprimé par un informe bégaiement, lui avait donné. Ses yeux ne paraissaient pas connaître la lumière du jour; il semblait avoir peur des mouvements de son propre corps et l'on eût dit, quand il tendait les mains devant lui en tâtonnant, que l'air lui opposait une résistance.

« Quelle misère ! » Certains pensaient avoir découvert une sorte d'homme des cavernes. On prétendait qu'il repoussait avec dégoût toute autre nourriture que le pain et l'eau.

Peu à peu, on connut mieux les circonstances de son arrivée. Le lundi de la Pentecôte, vers cinq heures du soir, on l'avait trouvé tout à coup sur l'Unschlittplatz [1], non loin de Neuen-Tor. Titubant, regardant autour de lui d'un air hagard, il était allé tomber, pour ainsi dire, dans les bras du cordonnier Weikmann qui passait là. Les doigts tremblants, il tenait une lettre à l'adresse du capitaine de cavalerie Wessenig. Des passants le traînèrent avec peine jusqu'à la maison de l'officier où il s'affaissa, exténué, tandis que le sang filtrait par ses souliers déchirés.

Quand le capitaine rentra, vers le soir, sa femme lui apprit qu'un être affamé et presque animal dormait en l'attendant, sur la litière de l'écurie. Elle lui remit la lettre dont il fit sauter le cachet et qu'il lut avec ahurissement.

Le capitaine se rendit à l'écurie, réveilla l'étranger, ce qui ne fut pas facile. Aux questions qu'il lui posa, le garçon ne répondit que par une suite de sons incompréhensibles et Wessenig se décida à le faire conduire au poste de police.

Le vagabond pouvait à peine marcher, des traces de sang marquaient son passage; on dut le traîner, tel un

1. Place du Suif.

veau rétif, au grand amusement des bourgeois qui revenaient de la campagne. « Que se passe-t-il »? demandaient les gens attirés par le tumulte. « Hé! leur répondit-on, on emmène un paysan ivre ».

Au poste, le commissaire s'évertua, en vain, à questionner le prisonnier. Il ne répondait que par des mots stupides. Rien n'y fit, ni menaces, ni cris. Quand un des soldats alluma une chandelle, il se produisit une chose étonnante : le garçon se balança à la manière d'un ours, puis il voulut saisir la flamme entre ses mains, se brûla et se mit à pleurer à fendre l'âme.

Finalement, on eut l'idée de lui montrer une feuille de papier et un crayon; il les prit et traça en grands caractères enfantins le nom de Gaspard Hauser. Après quoi il se réfugia en chancelant dans un coin, s'y effondra et tomba dans un sommeil profond.

Gaspard Hauser, tel fut désormais le nom de l'inconnu. A son arrivée dans la ville, il portait des habits de paysan, un frac dont les pans avaient été coupés, une cravate rouge et de grandes bottes à tige. On en conclut qu'on avait affaire à l'enfant arriéré de paysans de la contrée.

Le geôlier fut le premier à contredire cette opinion :

— Nul paysan n'a cette allure, dit-il, en désignant l'abondante chevelure châtain clair de son prisonnier, qui avait quelque chose de pur, d'indéfinissable, et de brillant comme la fourrure d'animaux qui ne vivent que dans l'obscurité. Et ses mains blanches! Et cette peau fine, ces tempes étroites, et les veines bleues visibles de chaque côté du cou! En vérité, il ressemble plus à une demoiselle noble qu'à un paysan!

— C'est juste, reconnut le médecin légiste qui souligna dans son rapport la forme particulière des genoux et celle de la plante des pieds, exemptes de callosités. Il est évident, écrivait-il, qu'on se trouve en présence d'un être qui ignore l'existence de ses semblables, qui ne mange, ne boit, ne sent aucunement comme les autres, qui ne sait rien d'hier, rien de demain, qui ne connaît pas le temps, qui s'ignore lui-même.

La police n'en poursuivit pas moins son instruction selon son idée première. On suspecta le médecin d'avoir exagéré par amitié pour le professeur Daumer. Le gardien de prison Hill reçut l'ordre de surveiller secrètement l'inconnu. Il l'épia, chaque fois que le garçon se croyait seul, par un judas. Mais, invariablement, la même gravité triste se lisait sur ce visage aux traits détendus par le repos, parfois pourtant déformés par la peur comme devant une vision horrible. Il était vain également de l'observer la nuit, quand il dormait, de s'agenouiller près de sa couche, d'écouter sa respiration et d'attendre que sortent de ses lèvres des mots qui le trahiraient. Les gens qui nourrissent de mauvais desseins ont coutume en effet de parler dans leur sommeil; aussi dorment-ils plus souvent pendant le jour que pendant la nuit où ils poursuivent leurs pensées et leurs projets. Celui-ci sombrait dans le sommeil dès que le soleil était couché et ne s'éveillait qu'au moment où les premiers rayons du matin traversaient les volets fermés.

Une chose provoquait les soupçons : chaque fois que s'ouvrait la porte de sa prison, il sursautait. Il ne fallait toutefois pas voir en cela l'indice d'une conscience chargée, mais le fait d'une sensibilité excessive pour qui le bruit et même le moindre son était une torture.

— Ces messieurs de l'Hôtel de Ville devront encore noircir bien du papier, s'ils prétendent continuer dans cette voie, déclara le gardien Hill, le matin du troisième jour de la détention de Gaspard Hauser, au professeur

Daumer qui venait visiter le prisonnier. Je connais tous les trucs de la canaille, mais si celui-ci est un imposteur, je veux être pendu.

Hill ouvrit la porte et Daumer entra. Le prisonnier commença, comme toujours, par marquer de la peur, puis il retomba dans son immobilité habituelle et, comme il en était chaque fois que quelqu'un pénétrait dans la pièce, il parut avoir oublié ensuite la présence d'un étranger.

Mais ce jour-là, Hill écarta les volets. Alors, Gaspard Hauser sembla envahi par un sentiment qu'il n'avait jamais dû éprouver jusque-là dans sa vie. Il sortit de son hébétude morne et apeurée; son regard erra par la fenêtre ouverte, sur les lointains ensoleillés, où les toits de tuiles abrupts et irradiants se découpaient sur le fond vaporeux des prairies et des bois. Il avança la main, un étonnement sans bornes fit trembler ses lèvres; il tendit les bras vers l'image merveilleuse comme s'il eut voulu la saisir. Puis, quand il eut la certitude que ce n'était rien que quelque chose de lointain, d'insaisissable, son visage s'assombrit et il se détourna, déçu.

L'après-midi du même jour, le bourgmestre Binder vint chez Daumer et lui dit, au cours de la conversation, que la municipalité restait plutôt incrédule et hostile à l'enfant trouvé.

— Incrédule? fit Daumer étonné. Dans quel sens?

— On suppose que le garçon se joue de nous.

Daumer secoua la tête.

— Quel simulateur feindrait de vivre de pain et d'eau et de repousser le moindre mets agréable? Et dans quel but?

Binder parut indécis.

— Tout cela a l'air bien compliqué. dit-il. Tant que personne n'aura trouvé la clé de cette énigme, il sera bon de rester prudent. D'autant plus, ajouta-t-il, qu'une crédulité trop facile provoquerait les sarcasmes des gens prudents.

— Alors, vous prétendez que seuls les incrédules sont capables de juger? fit Daumer dont le front s'était plissé. Des incrédules de cette espèce, nous n'en avons que trop!

Le bourgmestre haussa les épaules et regarda le jeune professeur avec cette douce ironie qui constitue l'arme des gens d'expérience en face de ceux qu'ils considèrent comme des rêveurs et des enthousiastes. Il répondit :

— Nous avons décidé que le médecin procéderait à un autre examen. Le conseiller Behold, le baron de Tucher et vous-même aurez à l'assister. Le procès-verbal que vous établirez sera transmis avec les autres pièces à la Résidence.

— Oui, fit Daumer ironiquement, des paperasses!

Le bourgmestre lui mit la main sur l'épaule et lui dit avec bonhomie :

— Ne vous moquez pas trop, mon cher. Il est vrai que notre monde a le goût de l'encre, mais vous autres, professeurs, n'en êtes pas les moins responsables. Du reste (il tira d'une poche intérieure un papier plié) comme membre de la Commission, vous êtes prié de prendre connaissance d'un document important. C'est la lettre que notre prisonnier a remise au capitaine Wessenig. Lisez.

La lettre ne portait aucune signature :

« Je vous envoie ci-joint un gars, Monsieur le capitaine, qui voudrait servir fidèlement son roi et devenir soldat. Le garçon a été déposé devant ma porte en 1815. J'ai moi-même des enfants, je suis pauvre, j'ai de la peine à joindre les deux bouts. C'est un enfant abandonné et jamais je n'ai réussi à trouver sa mère. Il n'est jamais sorti de chez moi, personne ne le connaît, il ignore le nom de ma maison et l'endroit où elle se trouve. Je vous donne la permission de bien le questionner, mais il ne peut rien dire, car il n'est pas encore très avancé quant à la parole. S'il avait des parents, il aurait pu devenir quelqu'un de capable; mais il n'en a pas. Vous n'avez qu'à lui montrer n'importe quel objet et aussitôt il sait ce que c'est. Je l'ai emmené au milieu de la nuit et il n'a pas d'argent sur lui. Si vous ne voulez pas le garder, il faut l'assommer et le pendre dans la cheminée. »

Daumer rendit la lettre au bourgmestre et se mit à arpenter la chambre, l'air grave.

— Eh bien, qu'en pensez-vous? demanda enfin Binder. Certains d'entre nous pensent que l'inconnu aurait pu lui-même écrire cette lettre?

Daumer s'arrêta net, joignit les mains et s'exclama :

— Bonté divine!

— Certes, ce n'est pas prouvé, reconnut le bourgmestre. Il n'est pas douteux qu'une ruse a présidé à la rédaction de cette lettre pour mieux dérouter les recherches. Le ton, d'une dureté méprisante, me pousserait à croire que ce jeune homme est la victime d'une machination criminelle.

Opinion courageuse qui se trouva être corroborée le lendemain, par un fait qui se produisit peu de temps après l'entrée de la Commission dans la prison de Gaspard Hauser.

Pendant que le gardien déshabillait le garçon, le son d'une musique de foire qui passait en longeant le long du burg parvint, éclatant. Le corps de Gaspard Hauser fut parcouru d'un affreux tremblement, son visage et ses mains se couvrirent de sueur, ses yeux se révulsèrent. Puis il poussa un cri de bête et tomba sur le sol, où il resta, sanglotant et secoué de spasmes.

Tous avaient pâli et se considéraient perplexes. Enfin, Daumer s'approcha du malheureux, lui posa la main sur la tête et lui dit quelques mots consolants. Ils apaisèrent l'adolescent qui se calma. Mais l'impression, monstrueuse pour lui du son semblait avoir blessé profondément son organisme. Pendant plusieurs jours, son attitude révéla les traces de l'ébranlement; il se tenait sur sa paillasse, enfiévré, le teint jaune. Pourtant l'on voyait que les paroles compatissantes le touchaient jusqu'à l'émotion; il cherchait des mots pour témoigner sa gratitude et le chagrin de ne pas les trouver troublait son regard si limpide. A l'égard du professeur Daumer, qui venait le voir deux et trois fois par jour, il donna les signes d'une profonde reconnaissance.

Pendant l'une de ces visites, Daumer se trouva seul pour la première fois avec le jeune homme. Sur sa demande, le gardien avait fermé la porte au public. Il vint s'asseoir près du prisonnier, lui parla, le questionna, cherchant à éveiller son esprit, en pure perte du reste, malgré ses efforts de tendresse et de patience. A la fin, il résolut d'observer attentivement les faits et gestes de l'inconnu. Gaspard Hauser, soudain, proféra des sons confus, semblant demander quelque chose qu'il cherchait autour de lui. Daumer devina et lui tendit la cruche d'eau que Hill avait déposée sur le banc du poêle. Gaspard prit la cruche, la porta à ses lèvres et but. Il buvait avec félicité et les yeux brillants de joie. Il oubliait sans doute, pendant ce court moment, les choses redoutables et inconnues qui le menaçaient.

Une bizarre émotion gagna Daumer.

Rentré chez lui, il arpenta plus d'une demi-heure sa bibliothèque. Vers huit heures, sa sœur, vint l'appeler pour le dîner.

Il lui demanda vivement et d'un ton mystérieux :

— Qu'en penses-tu, Anna : 2 multiplié par 2 font 4, n'est-ce pas?

— Il paraît, répondit la jeune fille interloquée et souriante. Elle ajouta : tout le monde le dit. As-tu trouvé autre chose? Cela ne m'étonnerait pas de toi.

— Ce n'est pas tout à fait cela, mais quelque chose d'approchant, dit gaiement Daumer en entourant de son bras l'épaule de sa sœur. Je veux faire danser tous nos philistins... Oui, reprit-il, il faut qu'ils dansent et qu'ils s'étonnent.

— C'est au sujet de l'inconnu? Sois prudent, Friedrich, ne te mêle pas de ces choses, on ne t'aime déjà pas trop.

— Oui, répondit-il avec humeur, la table de multiplication pourrait en pâtir.

— Eh bien, on ne sait encore rien sur lui? demanda la mère de Daumer, une douce et vieille dame, lorsqu'on fut à table. Daumer secoua la tête :

— Pour le moment on ne peut que pressentir. Mais bientôt on saura, répondit-il, le regard fixe.

Le lendemain, *Le Courrier du Matin* publiait un article sous ce titre : « Qui est Gaspard Hauser? » Bien que personne n'eût pu répondre, l'affluence des curieux devenait si grande que la municipalité se vit obligée de régler les heures des visites. Les gens se tenaient serrés devant la porte et sur tous les visages on pouvait lire la même interrogation. « Qu'y a-t-il en lui? Quel est cet homme qui ne comprend pas les mots et qui, cependant, peut parler, qui peut rire, à peine les dernières larmes versées, qui a l'air innocent et mystérieux, et dont les yeux dans lesquels jouent la lumière dissimulent peut-être le crime et la honte? »

Le prisonnier sentait douloureusement ce que réclamaient les regards braqués sur lui. Le désir de les satisfaire fit naître en lui la première pensée qui reliait peut-être dans son esprit le passé au présent. Inquiet, et recherchant ce qui avait pu se passer, il le découvrit peu à peu avec terreur. Il aurait voulu l'exprimer et les mots lui manquaient. Alors, il regardait désespérément les lèvres de ces hommes, comme pour saisir et apprendre au passage celles de leurs paroles qui auraient pu lui servir à leur répondre.

Ici, Daumer se sentait fort. Ce que nul n'avait pu, ni le médecin, ni le bourgmestre, et encore moins les tâtonnements ridicules d'une enquête conduite selon la forme, il l'obtenait, lui, par sa patience. La personnalité de l'inconnu le préoccupa au point qu'il en oublia ses études, ses affaires, et même ses fonctions. Il se crut l'homme prédestiné, placé par le destin en face du seul événement pour lequel sa pensée et sa vie trouvaient leur justification. Parmi ses notes sur Gaspard Hauser, une des premières est celle-ci :

« Cet être qui avance en chancelant dans un univers étranger, ce regard nébuleux, cette attitude craintive, ce front dominant avec noblesse un visage dont les lignes inférieures restent encore indécises, ces traits rayonnants de pureté et de paix, sont pour moi des indications d'une portée immense. Si les présomptions qu'ils éveillent en moi se réalisent, s'il m'est donné de libérer les racines de cette existence, de faire fleurir ses branches, alors j'opposerai à ce monde fatigué le miroir d'une humanité pure et l'on verra qu'il y a des preuves évidentes de l'existence de l'âme niée avec tant de misérable passion par les idolâtres du temps. »

C'était un chemin difficile que celui où s'engageait Daumer. Ici, le langage humain était un chaos inexistant; il fallait donner à chaque mot son sens, éveiller le souvenir, dévoiler les causes, l'enchaînement de leurs conséquences. Entre une question et la suivante, il existait des mondes; un oui, un non, jetés gauchement, n'avaient pas le sens qu'on leur supposait. Chaque notion se heurtait à l'obscurité. Et cependant, une lumière venue d'un lointain passé semblait accélérer l'esprit du jeune homme, plus que n'aurait osé espérer Daumer. Il était étonné de voir avec quelle facilité l'enfant retenait ce qu'il lui avait dit et comment d'une suite de sons inintelligibles il savait faire jaillir l'image vivante qui lui était nécessaire. Daumer avait l'impression de soulever des voiles devant les yeux de son protégé, et de n'être rien de plus qu'un témoin attentif, au moment où les souvenirs affleurent. Il était le gardien de ce corps, tandis que l'esprit de l'adolescent retournait dans la région d'où il était venu et qu'il en rapportait un message qu'aucune oreille n'avait jamais perçu.

CHAPITRE II

RÉCIT DE GASPARD HAUSER TRANSCRIT PAR DAUMER

D'aussi loin que partaient ses souvenirs, Gaspard s'était trouvé dans une pièce sombre, toujours la même. Jamais il n'avait vu visage humain, jamais il n'avait entendu ni le bruit de ses pas, ni sa propre voix, ni le chant de l'oiseau, ni le cri de l'animal; jamais il n'avait aperçu, ni le rayon du soleil, ni la clarté de la lune. Il n'avait connu que lui-même et ignorait sa solitude.

La chambre qu'il habitait devait être étroite, car il se souvenait d'avoir touché une fois, de ses bras étendus, les deux murs opposés. Avant cet événement, elle lui avait semblé immense. Enchaîné, sans s'en rendre compte, à sa paillasse, il n'avait jamais quitté le coin de terre où il dormait sans rêve et où il s'éveillait. Le crépuscule différait des ténèbres; et ainsi il apprit à distinguer le jour de la nuit. Il ne savait pas leur nom, mais lorsqu'il ouvrait les yeux quelquefois dans la nuit tout était noir et les murs avaient disparu.

Il n'avait aucune mesure du temps. Il lui était impossible de dire à quel moment cette monstrueuse solitude avait commencé et il ne pensait pas qu'elle dût jamais finir. Il ne remarquait aucun changement dans son corps, ne connaissait rien, il était sans désir. L'inconnu ne le troublait pas; la vie se déroulait monotone, immobile et muette comme l'air qui l'environnait.

Le matin à son réveil, il trouvait près de sa couche du pain frais et une cruche remplie d'eau. Parfois, l'eau avait un goût différent de celui de la veille; après l'avoir bue, il perdait toute conscience et s'endormait. A son réveil, il prenait la cruche en main et la portait à ses lèvres, mais aucun liquide n'en sortait; il la remettait alors à sa place, et attendait qu'on la remplît de nouveau; il ignorait qui remplissait cet office et ne se doutait pas qu'en dehors de lui quelqu'un pût exister. Ces jours-là, il trouvait de la paille fraîche, une nouvelle chemise sur son corps, ses ongles coupés, ses cheveux taillés, sa peau lavée; tout cela s'était passé pendant son sommeil, sans qu'il s'en fût aperçu. Cela ne troublait en rien sa quiétude.

Gaspard, pourtant, n'était pas seul; il avait un camarade : c'était un petit cheval blanc en bois, objet sans nom, sans mouvement, où se reflétait cependant sa propre existence. Il lui attribuait une vie propre et toute la lumière du monde se concentrait pour lui dans la lueur terne des pupilles artificielles du jouet. Il ne s'amusait pas avec le petit cheval, ne lui parlait jamais, et, quoi qu'il fut monté sur une petite planche à roues, il ne pensait jamais à le pousser. Mais, chaque fois qu'il mangeait du pain, il lui présentait avant de l'avaler chaque bouchée et avant de s'endormir il lui caressait le dos. Pendant de longs jours, pendant de longues années, ce fut sa seule distraction.

Un jour, alors que Gaspard était éveillé, le mur s'ouvrit et une forme colossale apparut : « l'Autre » qui prononça le mot « toi » et que Gaspard appela pour cette raison « Toi ». Le plafond de la chambre reposait sur ses épaules; une légèreté, une mobilité inexplicables animaient ses mouvements; un bruit l'accompagnait qui remplissait l'oreille, un flux de paroles s'échappait de ses lèvres; l'éclat de ses yeux subjuguait, et l'air extérieur, tel un parfum enivrant, s'attachait à ses vêtements.

De toutes les paroles qui sortaient de la bouche de « Toi », Gaspard n'en comprit tout d'abord aucune; mais son esprit parfaitement éveillé saisit peu à peu que le monstre voulait l'emporter, que l'objet qui avait partagé sa solitude s'appelait « cheval », qu'il allait recevoir d'autres chevaux et qu'il devait travailler.

« Apprendre, répétait sans cesse « Toi », apprendre, apprendre ». Pour rendre plus claires ses paroles, il plaça devant l'enfant un escabeau aux pieds arrondis, y mit un morceau de papier, écrivit deux fois le nom de Gaspard Hauser et le fit copier par ce dernier en lui guidant la main. Gaspard était enchanté parce que cela faisait blanc sur noir.

Alors, « Toi » mit un livre sur l'escabeau et tout en désignant les caractères minuscules, il les prononça. Gaspard put les répéter tous, sans en saisir le sens. Il répéta aussi d'autres mots que prononça son maître, par exemple : « Je voudrais devenir un cavalier comme mon père ».

Gaspard paraissait content. En tout cas, pour le récompenser, « Toi » lui montra comment on pouvait rouler le cheval sur le plancher. Ce jeu l'amusa; de son grabat, il poussait son petit jouet en avant et en arrière, mais ce mouvement provoquait un bruit désagréable à l'oreille; aussi y renonça-t-il et se mit-il à parler au cheval en imitant les mots les plus inintelligibles qu'il avait entendus de « Toi ». C'était pour lui un étrange plaisir de s'entendre lui-même, il levait les bras et remplissait la pièce de ses bredouillements joyeux.

Le geôlier, effrayé par ce vacarme, voulut le faire taire. Tout à coup, Gaspard entendit le sifflement d'une baguette et il ressentit en même temps au bras une douleur si violente qu'il tomba en avant. Au milieu de sa frayeur, il constata qu'il n'était plus attaché à son grabat. Il se tint tranquille quelque temps, puis il essaya de se traîner en avant, mais le contact de ses pieds nus avec la terre le fit frissonner. Il atteignit à grand'peine sa couche et s'endormit aussitôt.

Trois fois le jour succéda à la nuit avant que « Toi » ne revînt se rendre compte si Gaspard savait encore écrire son nom et lire les mots du livre. A sa grande surprise il constata que le jeune homme s'en tirait sans difficulté. Il lui montra du doigt différents objets en les appelant par leur nom; il parlait lentement, les yeux dans les yeux de Gaspard, en le tenant par l'épaule. Et celui-ci, interprétant les regards, les expressions, et les gestes de son maître, répétait en balbutiant les mêmes sons.

La nuit suivante, il fut arraché à son sommeil. Il eut beaucoup de peine à se réveiller complètement. Lorsqu'enfin il leva les yeux, il vit la muraille ouverte et une lumière d'un rouge pourpre qui éclairait la pièce. « Toi » se penchait sur lui et lui parlait comme pour calmer ses craintes. Il l'assit sur sa paillasse, lui passa une culotte, une blouse, et le chaussa de bottes; ensuite, il le mit sur pied, l'appuya contre le mur, et s'approcha de lui à reculons. Il entoura ses jambes de ses bras et le souleva; Gaspard enlaça le cou de « Toi ». Alors, ils se mirent à monter, à escalader une haute montagne. — Gaspard le croyait du moins — en réalité, ce devait être l'escalier du cachot;

« Toi » respirait bruyamment. Un froid humide frappa Gaspard au visage, gonfla ses cheveux qui s'agitèrent, et piqua sa peau.

Tout à coup, la nuit disparut comme absorbée par le sol. Tout devint vaste, doux, en restant obscur; dans le lointain, on distinguait de grandes formes étranges; d'en haut, jaillit un rayon qui disparut. Une humidité alourdissait les plis de leurs vêtements, des senteurs pénétrantes flottaient autour d'eux. Gaspard se mit à pleurer et s'endormit sur le dos de son guide.

A son réveil, il se retrouva couché par terre, et le froid pénétrait son corps; « Toi » le remit debout. L'air le brûlait et une insupportable clarté lumineuse papillotait devant ses yeux. « Toi » lui fit comprendre qu'il devait apprendre à marcher, et il lui montra comment il devait s'y prendre. Il le tint par derrière, sous les bras, et lui poussa la tête en avant contre la poitrine, pour lui indiquer qu'il devait regarder ses pieds. Gaspard, chancelant, éperdu, obéit. Mais l'air et la lumière cuisaient ses paupières, les parfums de la forêt l'étourdissaient, il s'évanouit. Combien de temps resta-t-il inconscient, il ne le sut pas. Il ignorait aussi s'il avait essayé de marcher quand l'obscurité revint. Peut-être confondit-il le clair-obscur de la forêt avec la nuit.

Il ne remarquait pas le chemin, il ne pouvait dire s'il montait ou descendait, s'il y avait des arbres ou des maisons. Il lui semblait parfois que tout n'était qu'un ardent brasier; mais, lorsque revenaient la fraîcheur et l'obscurité, la terre et l'air semblaient se fondre en teintes vertes et bleuâtres. Il n'eût pu dire s'il avait rencontré quelqu'un, il ne distinguait pas le ciel, ne voyait même pas le visage de « Toi ».

Un jour, de l'eau tomba d'en haut; il se figura que

« Toi » l'aspergeait et s'en plaignit. Celui-ci montra le ciel et s'écria : « Pluie Pluie ».

Il ne savait pas depuis combien de temps ils étaient ainsi en route; il lui semblait seulement que, chaque fois qu'il s'était couché, rompu de fatigue, il s'était écoulé un jour. La peur l'entraînait, dominait sa fatigue, tendait ses muscles, redressait sa tête, tandis que ses yeux restaient fixés au sol. « Toi » lui donnait à manger du même pain que celui qu'il avait goûté dans son cachot, et le faisait boire à une bouteille. Pour surmonter la fatigue de Gaspard et la frayeur qu'il éprouvait, lorsque le vent mugissait dans les arbres, qu'une bête hurlait, ou que l'herbe bruissait à ses pieds, il lui promettait de beaux chevaux. Enfin, quand Gaspard put marcher assez longtemps seul, il le prévint qu'ils seraient bientôt arrivés au terme de leur voyage. Il indiqua un point dans le lointain : « Grande ville! » dit-il.

Gaspard ne vit rien et continua sa route en trébuchant. Bientôt, « Toi » l'arrêta par le bras, lui donna une lettre et, approchant sa bouche tout près de l'oreille de Gaspard, murmura : « Fais-toi indiquer l'adresse de cette lettre ».

Gaspard fit encore quelques pas, lorsqu'il se retourna, « Toi » avait disparu. Il sentit des pavés sous ses pieds, tenta de s'agripper de tous côtés pour se soutenir et remarqua des murailles de pierre qui flambaient au soleil. Mais ce n'est qu'à la vue des hommes que l'épouvante le saisit; d'abord un, puis deux, puis une foule. Leur approche le fit frissonner; ils l'entourèrent, l'assourdirent de leurs cris; l'un d'eux l'empoigna et le traîna en avant, au milieu du bruit et du vacarme. Il demanda qu'on le laissât dormir; ils ne le comprirent pas; il leur parla de son père, des chevaux; mais ils se contentèrent de rire et ne le comprirent pas;il se plaignit desespieds meurtris, ils ne le comprirent pas.

Il dormit dans l'écurie du capitaine de cavalerie. Alors, vinrent d'autres curieux, qui disparurent avec une hâte inconcevable, après s'être à peine montrés un instant. L'air était lourd, irrespirable; les maisons qui lui semblaient monstrueuses, l'étouffaient. Au poste de police, il fut tellement effrayé par les mines sauvages et les gestes des gens qu'il se mit à pleurer.

Il dormit de nouveau longtemps, puis on le conduisit dans la tour. L'homme qui lui fit monter le grand escalier lui parla d'une voix forte et ouvrit une porte qui rendit un son étrange. A peine se fut-il laissé tomber sur la paillasse, que l'horloge se mit à sonner, ce qui lui causa une grande surprise. Il écouta, l'oreille tendue, mais ne perçut rien. Son attention fut détournée par la brûlure de ses pieds; il ne souffrait plus des yeux puisqu'il faisait sombre. Il se mit sur son séant, voulut allonger la main vers sa petite cruche, pour étancher sa soif. Il n'y avait plus ni eau, ni pain, et le plancher était différent de celui de son ancienne cellule. Il chercha à saisir son petit cheval, et comme il n'y en avait pas, il dit : « Je voudrais devenir un cavalier comme mon père. « Cela signifiait : « Que sont devenus l'eau, le pain et le petit cheval? » Il remarqua la paillasse qui lui servait de couchette et en frappant dessus avec son doigt, il perçut le même son que celui que rendait autrefois son ancien grabat; cette constatation le rassura. Il se rendormit et ne fut réveillé pendant la nuit que par les sonneries de l'horloge; il l'écouta longtemps et lorsque le son cessa, il regarda le poêle dont la couleur verte brillait dans les ténèbres; car Gaspard pouvait distinguer les couleurs même dans l'obscurité. Il l'examina avec intérêt et dit tout bas : « Je voudrais devenir un cavalier comme mon père », ce qui devait signifier : « Qu'est-ce que c'est et où suis-je? » C'était aussi une manière de réclamer cet objet brillant.

Le matin, le geôlier ouvrit les volets des fenêtres et la clarté blessa les yeux du prisonnier. Il se mit alors à pleurer et dit : « Menez-moi où je dois remettre cette lettre », ce qui voulait dire : « Pourquoi mes yeux me font-ils mal? Ote ce qui me blesse, rends-moi mon petit cheval, et ne me tourmente plus ». Car il s'adressait mentalement à « Toi » qu'il jugeait tout-puissant. Il entendit une nouvelle sonnerie d'horloge, ce qui lui fit oublier un peu ses maux. Tandis qu'il écoutait, un homme entra dans sa cellule, lui posa toutes sortes de questions auxquelles il ne répondit pas, parce que son attention cherchait à saisir les dernières vibrations de l'horloge. L'homme le saisit au menton, lui redressa la tête et lui parla d'une voix forte. Alors Gaspard l'écouta et lui débita tous les mots qu'on lui avait appris, mais l'homme ne le comprit pas. Il le lâcha, s'assit à ses côtés et continua longtemps à l'interroger. Lorsque l'horloge retentit de nouveau, Gaspard dit encore : « Je voudrais devenir un cavalier comme mon père », exprimant ainsi son désir de posséder l'objet qui faisait un bruit si joli.

L'homme ne le comprit pas et le questionna encore. Alors, Gaspard fondit en larmes et balbutia : « Donner le cheval », ce qui était une imploration à son interlocuteur de le laisser en paix.

Gaspard resta longtemps seul. Il entendit des sons de trompettes et au même moment un homme entra. Le prisonnier répéta la formule de la lettre, ce qui voulait dire : « Sais-tu quel est ce bruit? » L'homme apporta une cruche d'eau et le fit boire, après quoi il se sentit mieux. Il dit encore une fois : « Je voudrais devenir un cavalier comme mon père »; il voulait défendre par là à l'eau de l'abandonner. Un instant après les trompettes retentirent de nouveau et Gaspard les écouta, ravi, à l'idée que si son petit cheval revenait, il pourrait lui raconter ce qu'il avait vu.

Dès ce jour commencèrent les tortures que les hommes devaient lui faire endurer.

CHAPITRE III

Des semaines s'écoulèrent avant que Daumer pût reconstituer entièrement le passé de son héros. Et il lui fallut pour cela une patience d'ange. Mais bientôt, ce qui au début avait paru rêve d'illuminé prenait réalité.

Daumer rédigea pour les autorités un rapport détaillé. On le lut et on décida de renoncer aux interrogatoires selon la forme pour adopter une méthode moins officielle et plus humaine. « Il serait utile d'examiner de plus près les particularités de l'individu », lisait-on dans une note du tribunal. Aussitôt, médecins, savants, policiers, juristes, tous ceux enfin qui prétendaient s'intéresser au sort du prisonnier défilèrent dans la tour. Ce fut le signal d'interminables controverses. Mais on eut beau faire, on en revenait toujours au même résultat, et la vue seule de l'enfant abandonné suffisait à confirmer les hypothèses de Daumer.

Quelques jours après, au début de juillet, le bourgmestre lança une proclamation qui provoqua une vive émotion dans toute la région. Tout d'abord, il relatait en détail l'arrivée de Gaspard Hauser et ce qu'on avait pu comprendre de son récit; ensuite, venait une description détaillée du jeune homme, il parlait de sa douceur, de sa bonté, des sentiments qu'il nourrissait à l'égard de son ancien bourreau dont il ne se souvenait d'abord que les larmes aux yeux, mais pour lequel il éprouva plus tard une vive tendresse; de sa docilité touchante envers ceux qui s'occupaient de lui; enfin de son ardent désir de s'instruire.

« Toutes ces circonstances, disait la déclaration, viennent confirmer ce que nous supposons de ce jeune homme et nous convaincre qu'il possède de grandes qualités de cœur et d'intelligence; elles justifient la thèse selon laquelle sa séquestration est un crime odieux; on l'a sciemment privé de ses parents, de sa liberté, de sa fortune, peut-être même des avantages d'une haute naissance, en tout cas des plus belles joies de l'enfance et des biens les plus nobles de la vie. »

Cette déclaration audacieuse, et qui pouvait être lourde de conséquences faisait honneur à la nature romanesque et compatissante du bourgmestre, mais était incompatible avec les hautes fonctions qu'il occupait.

« Il existe également des indices qui prouvent que le crime a été perpétré à une époque où l'enfant pouvait déjà parler et où on lui avait déjà inculqué les éléments d'une bonne éducation, qui brille parfois en lui comme l'étoile par la nuit sombre. Par conséquent, on engage de la façon la plus instante les autorités judiciaires, policières, civiles et militaires, tous ceux qui ont du cœur, à révéler les détails les plus insignifiants qu'ils remarqueront, les soupçons les plus légers qu'ils concevront. Ces mesures ne sont pas faites pour éloigner Gaspard Hauser. La ville, qui l'a adopté, l'aime, le considère même comme un signe favorable que lui témoigne la Providence; elle ne le rendra qu'en présence de droits indiscutables. Ces mesures sont dictées, au contraire, pour découvrir le malfaiteur et ses complices et les livrer au châtiment qu'ils méritent. »

L'auteur du manifeste était sans doute plein d'espoir, mais l'affaire devait prendre une tournure tout à fait inattendue et lui causer, par la suite, mille désagréments. D'abord, d'innombrables accusations contre les familles nobles affluèrent; on dévoila leur vie intime, on les accusa de rapt, de substitution d'enfant, car, pour le peuple, ce genre d'attentat était très fréquent dans l'aristocratie.

Mais ce qui fut pire, c'est que la Cour d'appel départementale, eut connaissance, d'une façon détournée, du manifeste du bourgmestre. Aussitôt, un conseiller aulique mal luné fit parvenir sur-le-champ à la Kreisregierung d'Ansbach un rapport fielleux. Après avoir montré que la publication du bourgmestre était irrégulière, et blâmé sa hardiesse, il lui reprochait vivement d'avoir révélé trop tôt au public les circonstances les plus importantes de l'affaire et rendu de ce fait, sinon impossible, du moins très difficile, l'enquête. Il concluait en demandant au Gouvernement de rappeler à l'ordre le magistrat et de lui ordonner d'expédier sans délai toutes les pièces du dossier à la direction du Kreis.

La Kreisregierung ne se le fit pas dire deux fois. Elle envoya un rapport au commissaire de police de Nuremberg; toutes les invraisemblances du récit de Daumer étaient soigneusement relevées, par contre, elle penchait nettement vers l'hypothèse d'une supercherie. En outre, tous les exemplaires du *Journal des Annonces* et du *Courrier de la Paix et de la Guerre*, dans lesquels avait paru l'appel du bourgmestre, furent confisqués. On songea même à engager des poursuites contre le détenu.

Les membres du conseil prirent peur. Ils se dépêchèrent de faire un paquet de tous les actes du dossier et de l'envoyer par exprès à Ansbach. Après quoi, ils purent croire que l'affaire était close; mais le conseiller bilieux ne s'en tint pas là. « Je fais des réserves sur certains interrogatoires et sur certains témoignages, pestait-il, et d'abord pourquoi toutes les personnes qui ont été en rapport avec l'inconnu n'ont-elles pas été interrogées par la police? Ensuite, le professeur Daumer aurait dû verser au dossier le résumé de ses entretiens avec le détenu pour donner une base juridique aux déclarations du bourgmestre. »

Le Gouvernement, pour faire du zèle, mit en garde le Conseil contre une enquête qui serait unilatérale. Cette observation eut le don d'irriter le Conseil, qui répliqua vertement qu'en prenant les mesures qu'on réclamait de lui, on risquait de retarder la découverte du criminel. Mais le Kreis ne tint pas compte de cette protestation et répliqua sur un ton péremptoire : « Réparez vos oublis, rédigez les procès-verbaux de vos interrogatoires, envoyez-nous des dossiers, rien que des dossiers ». A l'annonce de ces nouvelles, Daumer entra dans une violente colère. Il traita les procédés de l'autorité d'Ansbach de « paperasseries grotesques » et voulut manifester son mécontentement par une épître sévère au Gouvernement, que ses amis eurent beaucoup de peine à l'empêcher d'écrire : « Enfin, il faudrait pourtant faire quelque chose, disait-il, indigné, sans quoi on va commettre une terrible erreur judiciaire.

— Le mieux serait, lui répondit le baron de Tucher, qui assistait à l'entretien, de s'adresser directement au conseiller d'Etat, M. de Feuerbach.

— C'est-à-dire qu'il faudrait se rendre à Ansbach.

— Parfaitement.

— Et vous croyez qu'en sa qualité de Président de la Cour d'appel, il ignore ou désapprouve les mesures prises par ses subordonnés?

— En tout cas, j'espère beaucoup d'un entretien privé

avec lui. Je connais M. de Feuerbach; c'est le dernier à rester sourd à une cause juste ».

Le voyage fut décidé. Dès le lendemain, Daumer et M. de Tucher se rendirent à Ansbach. Malheureusement, le Président venait de partir pour une tournée d'inspection et ne devait rentrer que quelques jours plus tard. Les deux voyageurs furent donc obligés de prolonger, plus qu'ils ne le pensaient, leur séjour dans le chef-lieu du Kreis.

Entre temps, les mauvais jours avaient commencé pour le jeune orphelin. Sa prison devint le rendez-vous de tous les oisifs et de tous les curieux de la ville. On y allait comme à une exposition rare car, depuis l'appel du bourgmestre, il était devenu en quelque sorte chose publique. Ses protecteurs se montraient plus réservés, parce qu'après tout, on ne savait pas comment tout cela finirait et si finalement, on ne découvrirait pas qu'il n'était qu'un charlatan. Le gardien de la prison n'osait s'opposer à la venue des gens, puisque le bourgmestre avait donné l'ordre de laisser voir le prisonnier par le plus grand nombre de visiteurs possible. Souvent, il avait pitié du pauvre enfant désarmé, mais, d'une part il était flatté d'être le détenteur d'un tel objet de curiosité et d'autre part, grâce à lui, sa bourse se garnissait plus que de coutume.

A l'aube, dès que, harassé de fatigue, Gaspard quittait sa couche, et s'asseyait silencieux dans un coin de la chambre, tandis que le gardien secouait sa paillasse, et apportait sa cruche d'eau, apparaissaient déjà les premiers visiteurs, ceux que leur métier obligeait à se lever tôt : les balayeurs de rue, les bonnes, les garçons boulangers, les ouvriers allant à leur travail, les enfants même qui, sur le chemin de l'école, étaient ravis de faire un petit crochet et de monter à la prison. Il y avait même des gens à mine douteuse qui avaient passé la nuit dans les fossés des fortifications ou dans une grange.

A mesure que le jour avançait, la foule était plus choisie. Il y venait des familles entières : le caissier municipal avec sa femme et ses enfants, le commandant en retraite, le maître tailleur Bügelfleiss, le comte Rotstrumpf et les siens, M. d'Uebel et M. de Strübel, qui interrompaient leur promenade matinale pour aller regarder le phénomène.

Une joyeuse animation régnait dans la tour : on y conversait, on y chuchotait, et on y échangeait ses avis en riant et en plaisantant. Un public généreux apportait au jeune homme toute espèce de cadeaux. Celui-ci les considérait comme un chien qui n'a pas encore appris à rapporter regarde la canne de son maître. On mettait devant lui des victuailles pour exciter son appétit. C'est ainsi qu'un jour, Mme la Conseillère de la Cour Zahnlos apporta un magnifique gigot qui disparut d'ailleurs le lendemain sans que l'on sût comment, ce qui fut fort commenté.

Avant tout, on voulait voir l'énigmatique personnage dont tout le monde parlait. Mais l'enfant doux et silencieux ne faisait rien de ce qu'on attendait de lui. Alors, les gens se mettaient à pester, se prétendaient volés et se livraient à mille stupidités. Ils se croyaient très malins en lui posant toutes sortes de questions sur son nom, sur son âge et sur n'importe quoi. Ses hochements de tête suppliants, ses oui ou ses non incohérents, ses balbutiements, son attention confiante, tout cela les remplissait d'aise. Quelques-uns approchaient leur visage du sien et étaient enchantés lorsque leurs regards fixes le faisaient frémir. Ils lui tâtaient les cheveux, les mains, les pieds, le forçaient à se promener dans la pièce, lui montraient des images qu'il devait leur expliquer, et affectaient d'être tendres, tout en échangeant entre eux, à la dérobée, des clignements entendus.

Mais ces jeux inoffensifs fatiguèrent vite les plus entreprenants. On voulut savoir s'il était vrai que le prisonnier refusait toute autre nourriture que le pain et l'eau. On lui mit sous le nez de la viande et de la charcuterie, du miel ou du beurre, du lait ou du vin. On était ravi quand le dégoût que lui inspiraient les aliments ainsi présentés le mettait hors de lui. On lui criait : « Cabotin. Il dédaigne nos friandises. Il a sûrement dû trop manger dans la cuisine de quelques richards. »

Mieux encore, un jour, deux jeunes orfèvres apportèrent de l'eau-de-vie et voulurent la lui faire avaler de force. Tandis que l'un le maintenait, l'autre devait lui introduire entre les lèvres un plein verre. Mais ils ne purent exécuter leur dessein car l'odeur seule de l'alcool fit s'évanouir la victime dans les bras de ses bourreaux penauds et embarrassés. Mais ils se rassurèrent vite quand ils le virent respirer. « Ne le prenez pas au sérieux, dit un jeune freluquet, habillé en petit maître, et qui avait assisté à la scène d'un air ennuyé. Je me charge de le ranimer. » Ce disant, il tira de sa poche une tabatière en or, et la plaça devant le visage du prétendu simulateur dont les traits se contractèrent violemment, ce qui fit rire aux éclats les trois tortionnaires. Au retour du gardien, ils partirent en jurant. Ils cédèrent la place à un monsieur âgé et grave; celui-ci se mit à flairer le détenu qui reprenait ses forces peu à peu; il examina sa poitrine, son dos, lui toucha le front du doigt, se moucha, secoua la tête, adressa la parole au malade, d'abord en français, puis en espagnol, enfin en anglais, et, l'air pénétré de son importance, chuchota quelques mots au geôlier.

Gaspard se contenta de le regarder et murmura d'une voix lamentable : « Renvoyez-moi chez moi ».

— Pourquoi ne joues-tu pas avec ton petit cheval, lui demanda le gardien, après le départ du respectable personnage.

On se servait toujours de gestes plutôt que de paroles pour se faire comprendre de Gaspard; du reste lui-même, lorsque les mots étaient impuissants, interprétait très bien le langage des yeux et des mains.

Il regarda longuement son gardien et lui dit : « Renvoyez-moi chez moi. »

— Te renvoyer chez toi, répliqua le geôlier, mi-irrité, mi-attendri, mais où est ton chez toi? Où est ton pays natal, mon pauvre petit? Dans ton cachot sous terre? Est-ce cela que tu appelles ton chez toi?

— « Toi » viendra, dit Gaspard lentement, d'une voix nette et claire.

— Il s'en gardera bien, jeta Hill en ricanant.

— « Toi » viendra. Il viendra bientôt, reprit Gaspard avec insistance et il leva ses yeux graves et profonds vers le ciel du soir, comme persuadé que « Toi » pourrait franchir les airs. Puis il se leva péniblement, prit son petit cheval et essaya de le porter car, de tous les objets qu'il avait reçus en cadeaux, c'était le seul qu'il eût voulu prendre avec lui, si « Toi » était venu le chercher.

Hill comprit son intention.

— Non, Gaspard, dit-il, il te faut rester. Que ce monde ne te plaise guère, je le comprends. A moi non plus, il ne me plaît pas, mais il te faut rester.

Gaspard ne saisit peut-être pas tout le sens de ces paroles, mais il comprit la décision irrévocable qu'elles renfermaient. Alors, il se mit à trembler de tous ses membres et éclata en sanglots; et même plus tard, lorsque Hill consterné eut réussi à le calmer, il lui sembla que son cœur se brisait de chagrin. La tristesse de son âme semblait couvrir son visage d'un voile sombre, et le matin, les larmes qu'il avait versées pendant son sommeil avaient collé ses paupières.

Pour la première fois, il ne voulut plus jouer avec son petit cheval, mais resta immobile et accroupi pendant des heures entières. A chaque craquement de l'escalier il tremblait et frissonnait lorsqu'un visage nouveau se montrait sur le seuil.

Il ne regardait les hommes qu'avec crainte, leur contact lui était pénible et insupportable. Mais c'était surtout de leurs mains qu'il avait peur; c'était sur elles que se portaient ses regards; il remarquait la différence de leurs formes et de leurs couleurs. Avant même de les sentir sur sa peau, une terreur le saisissait, car elles lui apparaissaient comme des créatures indépendantes, visqueuses, rampantes, comme des animaux dangereux dont il lui était impossible de prévoir les mouvements.

Quant à la main de Daumer, la seule dont le contact lui fut agréable, elle avait disparu. « Pourquoi? pensait Gaspard, pourquoi tout cela? Pourquoi cet étrange tapage du matin au soir? D'où viennent ces étrangers aux bouches et aux yeux si méchants? » Il ne buvait plus son eau avec le même plaisir et ne trouvait plus son pain aussi appétissant. Il était tellement épuisé qu'il prenait souvent le jour pour la nuit; et cette lumière éclatante qu'on lui disait être celle du soleil n'était plus devant ses yeux qu'une vapeur pourpre. Le sifflement du vent l'effrayait car il le confondait avec les voix humaines. Il avait la nostalgie de son cachot solitaire et son unique désir était d'y rentrer.

Daumer et M. de Tucher revinrent d'Ansbach un

dimanche après-midi. Ils ramenaient avec eux le Conseiller d'État de Feuerbach qui avait décidé de voir personnellement l'enfant abandonné, et d'essayer d'apporter un peu de clarté dans cet amoncellement de dossiers et de paperasseries. Le Conseiller s'arrêta quelques instants dans l'hôtel de l'Agneau, puis se fit conduire par ses deux compagnons au château et à la tour. Il était plus de neuf heures lorsqu'ils y arrivèrent. Mais quelle ne fut pas leur stupéfaction de trouver la chambre de Gaspard vide. La femme du geôlier, très gênée, leur expliqua que son mari avait emmené Gaspard avec lui à l'auberge du Crocodile. C'était le capitaine Wessenig qui lui avait donné cet ordre, car il désirait faire voir le jeune homme à des amis de passage. Daumer pâlit et baissa les yeux; tout de suite, il eut le pressentiment d'un malheur. M. de Tucher maîtrisait difficilement sa colère; quant au Conseiller, un sourire ironique et méprisant plissait ses lèvres. Il avait l'air d'un grand seigneur que des manquements répétés auraient agacés et, se tournant brusquement vers ses compagnons, il leur dit : « Menez-moi à cette auberge».

La nuit était tombée, la lune éclairait de sa lumière blafarde le toit de l'Hôtel-de-Ville. Les trois hommes redescendirent en silence. Mais à peine avaient-ils traversé le dédale de rues tortueuses qui aboutit au Marché aux Vins que Daumer s'arrêta brusquement et murmura : « Le voici ». Et en effet, ils aperçurent Gaspard, pâle comme un mort, sortir de l'auberge en chancelant, au bras de Hill. Soudain, ils virent le jeune homme fixer le sol de ses yeux agrandis par la peur. Ils s'approchèrent, mais ne virent rien d'autre que les ombres que la lune projetait sur le pavé. Gaspard n'osait plus bouger, il regardait cette chose étrange qui reproduisait chacun de ses mouvements. Ses lèvres étaient entr'ouvertes, comme prêtes à crier, ses joues étaient blanches comme la neige, et ses jambes flageolaient. Il lui semblait, en effet, que tout ce qu'il y avait d'horrible et de mystérieux dans ce monde, où l'avait jeté la destinée, s'était comme concrétisé dans cette forme agitée de bizarres convulsions.

Daumer et M. de Tucher s'empressèrent autour de lui, tandis que M. de Feuerbach se tenait à l'écart sans prononcer une parole; mais Daumer, qui l'observait à la dérobée, remarqua sur son visage grave une émotion profonde qu'il ne cherchait d'ailleurs pas à dissimuler.

Ce fut d'abord contre Hill que se manifesta la colère du Conseiller et il s'en fallut de peu qu'il ne fût congédié sur-le-champ, mais M. de Tucher intervint généreusement en faveur du geôlier et expliqua que les vrais coupables étaient plus haut placés. De tempérament violent, Feuerbach alla trouver immédiatement le bourgmestre, et lui adressa les plus vifs reproches. Celui-ci, tout penaud, reconnut qu'il avait eu tort. Cette attitude énergique du Conseiller fit une profonde impression. Le bourgmestre reconnut avoir été négligent, mais prétexta que les tracasseries du Gouvernement l'avaient mis hors de lui. A présent que M. de Feuerbach élevait sa voix puissante en faveur du malheureux, il était prêt à faire tout son possible pour Gaspard. Il se rangea tout de suite à l'avis du Conseiller lorsque celui-ci exigea avant tout qu'on arrachât l'enfant à sa triste condition. « Il lui faut des soins attentifs, déclara M. de Feuerbach, le professeur Daumer s'est offert spontanément à le prendre chez lui, et je désire que cela soit fait. »

Le bourgmestre Binder s'inclina. « Demain, à la première heure, les dispositions seront prises.

— Mais auparavant, coupa le Conseiller, j'aurai eu

une conversation avec l'enfant; je serai à dix heures à la tour, et je prie qu'on me laisse une heure seul avec lui. »

Daumer rentra chez lui bouleversé. C'est à peine si, après son absence de plusieurs jours, il salua sa mère et sa sœur : « Ces messieurs en ont fait de belles, grommela-t-il en arpentant la pièce, cet enfant est tout à fait désaxé, voilà leur humanité, voilà leur perspicacité! Ce sont des barbares et des brutes. Et dire qu'il faut vivre avec ces gens-là.

— Mais, dis-leur donc en face ce que tu penses d'eux, au lieu de perdre ton temps à t'emporter dans ton bureau, remarqua sèchement sa sœur Anna.

— Frédéric, fit Mme Daumer en regardant son fils, es-tu sûr que tu ne vas pas une fois de plus gaspiller ta générosité pour une cause inutile?

— Ta question prouve que tu ne l'as pas encore vu, répondit Daumer.

— C'est juste, il y avait tellement de monde.

— Eh bien, l'exagération n'existe pas lorsqu'on parle de lui, les mots sont trop faibles pour le définir. Cette apparition d'une créature fabuleuse, sortant du néant, fait penser à une légende d'autrefois; la nature résonne subitement à nos oreilles, un mythe devient une réalité. Son âme ressemble à une pierre précieuse que jamais aucune main avide n'aurait touchée. Pour moi, je veux qu'il m'appartienne, et un but sublime justifie mon geste. Mais qu'en pensez-vous? Hein? En suis-je digne? »

Il y eut un long silence. Puis Anna murmura, d'un ton sec : « Tu rêves ».

Daumer sourit, haussa les épaules et, s'approchant de la table, dit doucement, comme pour prévenir un refus : « Gaspard viendra s'installer demain chez nous. Son Excellence M. de Feuerbach a bien voulu faire accepter la demande que je lui avais faite. Je pense, mère, que tu n'y verras pas d'inconvénient et que tu admettras l'importance que cette affaire peut avoir pour moi. Je suis sur la voie de grandes découvertes. »

Les deux femmes se regardèrent, effarées, mais ne protestèrent pas.

Le lendemain matin, vers dix heures, Daumer, le bourgmestre, le commissaire de police, le médecin légiste et quelques autres personnes se trouvaient réunies dans la cour du château devant la porte de la prison, attendant le Conseiller qui depuis trois quarts d'heure s'entretenait avec le prisonnier. Daumer désireux d'éviter toute conversation avec ses compagnons se tenait à l'écart et, adossé au mur d'enceinte, il contemplait le pittoresque fouillis de rues et de toits qu'il voyait à ses pieds. Enfin, M. de Feuerbach parut et tous s'empressèrent autour de lui pour connaître l'opinion de cet homme célèbre et redouté. Mais ils lurent sur son visage une telle expression de tristesse et de gravité que personne n'osa lui adresser la parole. Son regard puissant paraissait concentré en lui-même, ses lèvres étaient crispées par la colère et un pli profond barrait son front. Enfin, le bourgmestre le premier rompit le silence; il demanda à Son Excellence de bien vouloir déjeuner chez lui. Feuerbach le remercia, mais déclina l'invitation : des affaires importantes l'obligeaient à repartir immédiatement pour Ansbach.

Puis il se tourna vers Daumer, lui tendit la main et dit : « Occupez-vous tout de suite du transfert de Hauser chez vous; le pauvre enfant a un besoin urgent de soins et de repos. Vous aurez bientôt de mes nouvelles. Sur ce, Messieurs, au revoir. »

Là-dessus, il s'éloigna d'un pas rapide et décidé, descendit la colline et disparut du côté de l'église de Saint-

Sebalt, laissant ses auditeurs déçus. Tout le monde estimait en effet que l'intuition de cet homme était extraordinaire, et que lui seul était capable de démasquer les coupables. Ils furent vexés de son silence qui leur parut voulu.

Le même soir Gaspard fut recueilli par Daumer.

CHAPITRE IV

La maison de Daumer se trouvait dans l'île de Schütt, à côté de ce qu'on appelait le Jardinet d'Anna. C'était un vieux bâtiment composé de pièces assez sombres; celle de Gaspard toutefois était large, bien éclairée, et donnait sur le fleuve.

On dut le coucher immédiatement car il sembla se ressentir tout à coup des épreuves qu'il avait subies pendant ces derniers jours. Il avait de nouveau perdu la parole et aussi le sentiment de la vie. C'était vraiment pénible de le voir se rouler en délirant sur des coussins et trembler à chaque craquement du plancher, ou au bruit que faisait la pluie en s'écrasant contre les vitres. Daumer resta trois jours entiers à son chevet. Il fit l'admiration de toute la ville par son dévouement. « Il faut qu'il vive » répétait-il. Et Gaspard commença à revivre. A partir du troisième jour, l'amélioration fut constante et rapide. Maintenant, lorsqu'il s'éveillait le matin, un sourire pensif se jouait sur ses lèvres. Daumer triomphait.

— Ma parole, on dirait que c'est toi qui t'es échappé du cachot, plaisantait sa sœur.

— Oui, on m'a donné un monde. Regarde-le, c'est l'éveil d'une âme.

Le lendemain, Gaspard fut autorisé à se lever. Daumer le conduisit au jardin. Pour que la lumière crue du jour ne blessât pas ses yeux, il lui plaça sur le front une visière en papier vert. Par la suite, on préféra le faire sortir vers le soir, ou alors lorsque le ciel était couvert. Ses sorties étaient de véritables voyages où tout prenait figure d'événement. Il fallut une patience inouïe pour lui apprendre à voir et à nommer ce qu'il avait vu. Toute nouvelle impression le déconcertait; il fallut lui faire prendre confiance dans ce qui l'entourait. Lorsqu'il eut enfin la notion du ciel et de la terre, de la distance d'un chemin à un autre, sa marche devint plus facile, et son pas plus hardi. Ce qui importait était de lui donner de l'assurance.

« Voici l'air, Gaspard, tu ne peux le saisir, mais il est là cependant. Lorsqu'il bouge rapidement, il devient le vent que tu n'as pas à redouter. Ce qui se trouve derrière la nuit, est hier, et ce qui est au-delà de la nuit prochaine est demain. De hier à demain s'écoulent les heures qui sont la division du temps. Voici un arbre, voici un arbrisseau, de l'herbe, des pierres; là c'est du sable, des feuilles, des fleurs, des fruits... »

Et le mot se dégageait des sons. Le mot qu'il ne pouvait plus oublier rendait la forme claire. Gaspard donne un goût à chaque mot; l'un est amer, l'autre est doux; l'un le rassasie, l'autre le mécontente. Beaucoup de ces mots avaient des visages : ils résonnaient comme des cloches dans les ténèbres, ou brillaient comme des flammes dans le brouillard.

Mais de l'objet au mot, le chemin était long. Le mot se dérobait et il fallait le rattraper; et bien souvent, une fois qu'on l'avait atteint, il ne renfermait absolument rien; ce qui rendait Gaspard triste. Mais par ce chemin, on arrivait aux hommes. Ces hommes lui paraissaient étranges et terribles derrière un grillage; mais parvenait-on à briser le grillage, ou à se glisser derrière lui, ils devenaient beaux.

Un mot comme fleur, nouveau le matin, lui était familier à midi, vieux le soir. « Ce cœur, ce cerveau inutilisés depuis de longues années porteront des fruits et grandiront, de même que d'une terre longtemps desséchée et que l'on arrose enfin, jaillissent dans la même nuit des bourgeons, des fleurs, des fruits, notait Daumer, ce qui pour nous est devenu imperceptible à force d'habitude, se présente à lui dans toute sa fraîcheur et comme sortant de la main de Dieu. Et là où commencent les mystères, il s'arrête, insiste, et interroge avec confiance ».

Daumer était souvent effrayé de sa propre insuffisance; « Est-ce que cela s'appelle encore enseigner? se demandait-il, peut-on encore se croire jardinier lorsqu'une folle végétation se dérobe à son tuteur et lorsque cette force ne respecte plus aucune limite? Comment tout cela finira-t-il? Je suis sûrement sur la trace d'un phénomène extraordinaire, et il faudra bien que mes chers contemporains consentent à croire un peu aux miracles ».

Gaspard avait une idée fixe : « D'abord, apprendre, ensuite revenir chez moi », répétait-il avec une expression résolue.

— Mais tu es chez toi, tu es chez toi, ici, dans ma maison, objectait Daumer. Mais Gaspard secouait la tête.

Souvent, appuyé à la clôture de la propriété, il regardait dans le jardin voisin des enfants qui s'amusaient et il les observait avec une perplexité comique. « Des hommes si petits, disait-il à Daumer, un jour que celui-ci l'avait surpris dans sa contemplation, des hommes si petits ». Et il y avait dans sa voix quelque chose de triste et d'étonné. Daumer se retint de rire et pendant qu'ils revenaient ensemble à la maison, il chercha à lui expliquer que tous les hommes avaient commencé par être petits et que Gaspard lui-même avait été comme eux. Mais Gaspard ne voulut absolument pas l'admettre. : « Non,

non, s'écria-t-il, Gaspard a toujours été comme maintenant, Gaspard n'a jamais eu de jambes et de bras aussi courts, non, non ».

— Et pourtant, si, répondit Daumer. Non seulement il avait été petit, mais même actuellement il grandissait et se transformait encore tous les jours ; le Hauser d'aujourd'hui était différent de celui de la tour, et dans bien des années, il serait vieux, ses cheveux blanchiraient et sa peau se sillonnerait de rides.

A ces mots Gaspard devint pâle, il se mit à sangloter, bégaya que c'était impossible et supplia Daumer de lui épargner un pareil avenir. Ce dernier chuchota quelques mots à l'oreille de sa sœur, celle-ci courut au jardin, et revint en rapportant un bouton de rose, une rose fraîchement épanouie et une autre fanée. Gaspard toucha d'abord la rose épanouie, puis s'en détourna avec dégoût, car, bien qu'il préférât le rouge à toutes les autres couleurs, le parfum pénétrant de la fleur lui était désagréable. Daumer voulut lui expliquer en lui présentant le bouton et la fleur les différents âges de la vie, mais Gaspard lui répondit : « C'est toi-même qui as fait cela, mais c'est sans yeux ni jambes. »

— Non, je ne l'ai pas fait, répliqua Daumer, c'est quelque chose de vivant qui a poussé. Tout ce qui est vivant pousse.

— Tout ce qui est vivant pousse, dit Gaspard d'une voix haletante, en appuyant sur chaque mot. Et un trouble étrange l'envahit. On lui disait que les arbres du jardin étaient vivants et il n'osait plus les approcher. Le bruissement de leur cime le consternait. Il doutait de tout. « Qui donc a découpé toutes ces feuilles ? Et pourquoi sont-elles si nombreuses ? » — « Elles ont poussé, elles aussi » lui répondit-on.

Au milieu de la pelouse se dressait une statue de pierre. Bien qu'elle eut une forme humaine, on lui avait dit qu'elle était inanimée. Gaspard, muet d'étonnement, la fixait pendant des heures. « Pourquoi a-t-elle un visage? finit-il par dire, pourquoi est-elle si blanche et si sale? Et comment peut-elle rester debout si longtemps sans se fatiguer? » Enfin, quand il eut maîtrisé sa crainte, il s'approcha d'elle et osa tâter sa figure; car jamais il ne croyait à ce qu'il voyait, qu'après y avoir touché. Il aurait voulu qu'on lui permît de la démonter pour savoir ce qu'il y avait à l'intérieur.

Une pomme tomba d'une branche d'arbre et roula quelque temps le long de la pente rapide. Daumer la ramassa et Gaspard demanda si la pomme était fatiguée après une si longue course. Il se détourna avec horreur quand il vit Daumer prendre un couteau et couper le fruit en deux; un ver apparut, convulsant son corps frêle à la lumière du jour. « Tu vois, il était jusqu'à présent prisonnier des ténèbres, comme toi de ton cachot », lui dit Daumer. Ces paroles rendirent Gaspard rêveur et méfiant. Il y avait donc beaucoup d'êtres qui vivaient dans des cachots sans qu'il n'en sût rien? Tout ce qui est clos était-il cachot? Et par une confusion singulière il associa à cette pensée le souvenir du coup qu'il avait reçu autrefois après que « Toi » lui eut appris à faire bouger son petit cheval. Dans toutes choses étrangères il y a une menace de coup et tout inconnu comporte un danger. Aussi, malgré une certaine sérénité rayonnante, qui se développait peu à peu chez Gaspard et qui ravissait son entourage, il y avait toujours en lui une sorte d'attente inquiète et vigilante.

Un jour, après de longues heures de pluie, ils franchirent la porte de la rue et Gaspard aperçut un arc-en-ciel;

la joie le cloua au sol. « Qui a fait cela? » demanda-t-il enfin. — « Le soleil. » — « Comment, le soleil? Le soleil n'est pourtant pas un homme ». Les explications des phénomènes de la nature embarrassaient fort Daumer qui préférait en appeler à Dieu : « Dieu est le créateur de la nature morte et vivante », dit-il.

Gaspard se tut. Le nom de Dieu lui paraissait triste, il l'identifiait à « Toi » et lui attribuait les traits de « Toi » lorsque le plafond de sa prison reposait invisible sur ses épaules; il était mystérieux comme « Toi » lorsque celui-ci l'avait battu pour avoir parlé trop haut.

Comme tout ce qui se passait entre le matin et le soir était incompréhensible. Depuis le mouvement et le bruit du monde, la course de l'eau dans la rivière et le passage de ces objets aériens et sombres traversant l'espace jusqu'à l'apparition et la disparition de phénomènes inexplicables et surtout les allées et venues des hommes, leur langage bruyant, leurs mines douloureuses et leurs rires étranges. Que de choses à apprendre et à connaître.

Le cœur de Daumer se serrait lorsqu'il voyait le jeune homme ainsi plongé dans de profondes réflexions. Gaspard paraissait alors comme transi de froid. Il restait accroupi, les poings fermés, n'entendant et ne sentant plus rien de ce qui se passait autour de lui. Son esprit paraissait, à ces moments-là, plongé dans les ténèbres, mais bientôt une étincelle jaillissait et sa voix proférait des sons confus. Ensuite, l'étincelle s'éteignait et le monde extérieur lui apparaissait de nouveau et un mélancolique mécontentement s'emparait de l'enfant.

— Il faudrait l'emmener à la campagne, dit un jour Anna Daumer que son frère avait mise au courant de l'état du jeune homme, il a besoin de distraction.

— Tu as raison, il faut le distraire, approuva Daumer en souriant, l'univers l'écrase encore.

— Comme ce sera sa première sortie, il faudra tenir la chose cachée, remarqua la vieille Mme Daumer, sans quoi nous aurons tous les badauds à nos trousses, et on jase déjà suffisamment comme cela sur lui et sur nous.

Daumer acquiesça et manifesta seulement le désir que M. de Tucher les accompagnât. L'excursion eut lieu le premier jour de fête de septembre. A cinq heures de l'après-midi, ils quittèrent la maison, et, comme Gaspard marchait lentement, ils n'atteignirent que tard la campagne. Les gens qu'ils croisaient s'arrêtaient pour les regarder : « Tiens; voilà Gaspard, mais oui, c'est le jeune abandonné. Quelle élégance et quelle distinction », disaient-ils mi-surpris, mi-railleurs. Gaspard portait en effet une petite jaquette neuve en drap bleu, un gilet à la mode; des bas de soie blanche moulaient ses jambes, et ses chaussures avaient des boucles d'argent. Il marchait entre les deux femmes, observait attentivement le chemin qui ne vacillait plus devant ses yeux comme autrefois. Les deux hommes suivaient derrière à une certaine distance. Tout à coup Daumer leva son bras droit en avant. Aussitôt Gaspard se retourna et le regarda comme pour l'interroger. Daumer, ravi, lui cria d'un ton affectueux de continuer sa route. Après quelques pas, il leva de nouveau le bras et de nouveau Gaspard s'arrêta et le regarda.

— Qu'est-ce que cela signifie? demanda M. de Tucher surpris.

— Cela ne s'explique pas, répondit Daumer tout fier de sa réussite, mais je puis vous montrer, si vous le désirez, des choses plus remarquables encore.

— Serait-ce de la sorcellerie? demanda M. de Tucher, légèrement ironique.

— Non pas. Mais comme dit Hamlet : « Il y a bien des choses entre ciel et terre... »

— Ainsi donc, vous voilà déjà arrivé aux limites de votre science, interrompit M. de Tucher, sur le même ton moqueur, pour ma part, je suis du nombre des sceptiques. Nous verrons bien.

— Oui, nous verrons, répéta gaîment Daumer.

La promenade continua coupée de haltes fréquentes; enfin, ils s'arrêtèrent et s'assirent sur l'herbe d'une prairie au bord de la route. Gaspard s'endormit aussitôt et Anna plaça sur son visage un linge; puis elle tira d'un petit panier des victuailles qu'elle avait apportées et tous les quatre se mirent à manger en silence. Mais ce silence n'était pas un silence naturel. La douceur de cette soirée d'été aurait dû les inciter à la gaîté, mais un charme magique et particulier émanait du jeune homme endormi dont chacun sentait intensément la présence. On échangea quelques phrases banales et à voix si basse qu'elles ne couvraient même pas le bruit de la respiration du dormeur. Les environs étaient déserts; on avait, en effet, choisi à dessein une route peu fréquentée.

Le soleil allait se coucher lorsque Gaspard s'éveilla. Il s'assit et, légèrement confus, regarda ses amis l'un après l'autre avec reconnaissance. « Gaspard, vois-tu cette boule de feu, là-bas, dit Daumer, as-tu jamais vu le soleil aussi gros? »

Gaspard regarda. C'était en effet un beau spectacle; le disque pourpre descendait à l'horizon, on eût dit qu'il allait entamer la terre; une mer de flammes le suivait; la forêt n'était qu'un réseau sanglant; l'air était embrasé et d'épaisses ombres roses s'étendaient lentement sur la plaine. Déjà le crépuscule avançait à travers le brouillard carmin qui noyait les lointains. Puis tout le paysage sembla palpiter et des faisceaux de rayons d'un vert cristallin traversèrent le couchant, comme à la poursuite du soleil.

Ils sourirent imperceptiblement en voyant Gaspard, dans un geste de muette angoisse, étendre les bras vers l'horizon. Daumer s'approcha de lui et lui prit sa main glacée. Gaspard le regardait tremblant de peur, et finalement il murmura ému : « Où va le soleil? Part-il pour toujours? »

Daumer ne put répondre sur-le-champ. Adam dut être saisi d'une pareille émotion avant la première nuit qu'il passa dans le paradis terrestre, pensa-t-il, et ce ne fut pas sans un trouble étrange qu'il consola le jeune homme et l'assura du retour du soleil.

— Est-ce que Dieu est là-bas? souffla Gaspard haletant, le soleil est-il Dieu?

Daumer désigna de son bras tout ce qui les entourait et répondit : « Tout est Dieu ». Mais cette conception panthéiste de l'univers dépassait probablement le jeune homme, car il secoua la tête d'un air incrédule et ajouta avec une expression d'adoration : « Gaspard aime le soleil ».

Sur le chemin du retour, il ne parla plus; d'ailleurs ses compagnons, même Anna, si enjouée d'habitude, se sentaient déprimés. On eût dit que jamais encore ils ne s'étaient promenés par une belle soirée de fin d'été, ou peut-être pressentaient-ils la scène qui devait leur rendre cette promenade inoubliable.

Tout près des portes de la ville, Anna s'arrêta et, interpellant ses compagnons, leur montra le firmament étoilé. Et Gaspard lui aussi regarda le ciel. Sa stupéfaction fut immense. Il proférait des exclamations passionnées et ravies : « Etoiles, Etoiles » balbutiait-il, en répétant le mot que venait de prononcer Anna. Il pressait ses mains contre sa poitrine, et un ineffable sourire de bonheur éclairait son visage. Il ne pouvait se rassasier de ce qu'il voyait; ses yeux se portaient sans cesse vers le ciel et ses mots entrecoupés, pareils à des soupirs, laissaient entendre qu'il distinguait les constellations particulièrement brillantes. « Qui donc, demanda-t-il extasié, qui donc porte ces lumières là-haut? Qui les allume et qui les éteint? »

Daumer lui répondit qu'elles brillaient éternellement mais qu'on ne les voyait pas toujours : « Et qui donc les a si bien attachées qu'elles peuvent ainsi brûler sans interruption? » demanda Gaspard.

Tout à coup, il sombra dans une profonde rêverie, et demeura la tête penchée, sans rien voir, sans rien entendre. Lorsqu'il revint à lui, sa joie s'était changée en tristesse; il s'assit sur l'herbe et pleura désespérément.

Il était plus de neuf heures, lorsqu'ils revinrent chez eux. Tandis que Gaspard rentrait avec les deux femmes, M. de Tucher prit congé du professeur à la porte du jardin. « Qu'arrive-t-il à notre jeune ami? » demanda-t-il; et comme Daumer se taisait, il continua « Peut-être se rend-il déjà compte de la fuite inexorable du temps; peut-être le passé se dévoile-t-il devant lui.

— La vue de cette voûte constellée lui a évidemment été pénible, répondit Daumer, jamais auparavant il n'avait vu le ciel dans la nuit. La nature ne lui a pas témoigné beaucoup de faveur jusqu'à présent et il n'a encore rien éprouvé de sa soi-disant bonté. »

Ils se turent un instant, puis Daumer reprit : « J'ai invité quelques amis à une réunion pour demain après-midi. Il s'agit d'une série d'expériences et d'observations du plus haut intérêt que j'ai faite sur la personne de Gaspard. Je serais heureux que vous soyez des nôtres ».

M. de Tucher promit de venir. Le lendemain, dès son arrivée, on le fit entrer, à sa grande surprise, dans une pièce obscure. La représentation était commencée. Il perçut d'un des coins de la salle la voix monotone de Gaspard qui lisait. « C'est une page de la Bible choisie au hasard par M. le Bibliothécaire de la ville », chuchota Daumer à l'oreille de M. de Tucher. L'obscurité de la pièce était telle que les auditeurs ne pouvaient se voir l'un l'autre, et pourtant Gaspard lisait sans hésitation comme si ses yeux eux-mêmes étaient une source de lumière.

Mais l'étonnement fit place à la stupeur, lorsque Gaspard distingua dans cette même obscurité les couleurs des différents objets qui lui furent présentés par chacun des assistants, et à une distance de cinq ou six pas, pour exclure tout soupçon. « Passons maintenant à l'expérience décisive », dit Daumer en ouvrant les volets. Gaspard pressa ses mains contre ses yeux, car il lui fallait toujours quelque temps pour se réadapter à la lumière. On apporta du vin dans un verre opaque. Non seulement Gaspard en perçut sur-le-champ le parfum, mais son visage montra même les symptômes d'une légère ivresse : ses yeux clignotèrent, sa bouche se contracta. Tout cela n'était pas naturel. Une telle sensibilité était difficile à concevoir. On répéta l'expérience deux ou trois fois avec autant de succès. A la quatrième épreuve, on avait versé à son insu de l'eau dans le verre; Gaspard répondit alors qu'il ne sentait plus rien.

Plus extraordinaire encore était l'effet produit sur lui par les métaux; on fit sortir Gaspard de la pièce, et en son absence, un des spectateurs cacha un morceau de cuivre laminé. On le rappela; et tous les spectateurs attentifs suivirent ses mouvements. Une force mystérieuse semblait littéralement l'attirer vers la cachette; il ressemblait à un chien flairant un morceau de viande. Il trouva l'objet au milieu des applaudissements. Personne ne fit attention à sa pâleur et à la sueur froide qui inondait tout son corps. Seul M. de Tucher les remarqua et désapprouva ce genre d'expériences.

Naturellement, on ne s'en tint pas là. La chose s'ébruita rapidement et la maison se changea en salle de spectacle. Tout ce qui avait nom et réputation dans la ville accourut et Gaspard était toujours tenu de s'exécuter. Etait-il fatigué, on lui permettait de se reposer; mais à peine endormi on mesurait la profondeur de son sommeil et Daumer fut ravi, lorsque le Conseiller de médecine Rehbein lui déclara qu'il était incroyable qu'il pût dormir aussi profondément.

Même les maladies de son élève étaient pour Daumer prétexte à exhibitions ou à expériences. Il cherchait par des contacts hypnotiques ou des passes mesmériennes à influencer son sujet, car il était un ardent défenseur de ces théories alors toutes nouvelles et qui prétendaient analyser l'âme humaine comme l'alchimiste le contenu de sa cornue. Et quand tout cela était inefficace, alors, il recourait à des remèdes d'une catégorie spéciale, il essayait sur lui les effets de l'arnica, de l'aconit, et de la noix vomique. Il ne désarmait jamais, toujours actif, toujours pénétré de sa mission, toujours la fiche à la main, et toujours aussi plein d'une touchante sollicitude pour lui.

Le public fit de loyaux efforts pour le suivre. On fit une grande publicité aux prétendues sorcelleries, et pas toujours pour le bien de Gaspard. Car malheureusement, il existe toujours de misérables créatures qui continuent à douter même contre l'évidence. Peut-être, auraient-ils voulu chaque fois un nouveau programme? Peut-être trouvaient-ils que l'homme-prodige n'excellait que dans des numéros où il ne montrait, selon leur propre expression, que l'adresse d'un petit singe bien dressé.

Bref, cela devenait monotone, au point que seuls les nouveaux venus pouvaient encore s'y distraire. Les autres considéraient Daumer comme une sorte de directeur de cirque qui finirait par ennuyer ses amis en leur lisant toujours le même médiocre poème, mais qui se rattraperait un peu en leur présentant Gaspard.

Cela amusait les gens, par contre, d'entendre le jeune homme reprocher à un officier supérieur la poussière qu'il y avait sur le col de son dolman, de le voir toucher la tête d'un vénérable président de chambre, en disant d'un ton étonné et compatissant : « Cheveux blancs, cheveux blancs ». Que c'était drôle lorsque, en présence d'une personne de qualité, il faisait une remarque sur la façon dont elle faisait tournoyer sa canne entre ses doigts, et qu'il essayait de l'imiter. Lorsqu'il montrait son dégoût pour la barbe noire du Conseiller municipal Behold, ou qu'il refusait de baiser la main d'une dame, en disant qu'il ne voulait pas la mordre. Ces petits incidents les dédommageaient de leur ennui. Tout était bien pourvu qu'on pût rire. Daumer, au contraire, se fâchait et cherchait à expliquer à son pupille les devoirs de la civilité : « Tu oublies toujours de saluer les arrivants », lui disait-il. Gaspard, en effet, plongé dans une lecture, ou absorbé par un jeu, ne levait les yeux que lorsqu'on l'interpellait. Quelquefois, quand il reconnaissait un visage familier, il avait un sourire d'une espièglerie charmante, et se mettait alors tout de suite, sans préambule, à poser des questions et à bavarder. Quelle que fût l'importance des personnes présentes, jamais il ne quittait sa place sans ranger soigneusement les objets avec lesquels il jouait, sans prendre un petit balai pour débarrasser la table des bouts de papier ou des miettes de pain. Il fallait attendre qu'il eût fini.

Il n'était pas timide. Tous les hommes lui semblaient bons et presque tous lui paraissaient beaux. Il trouvait tout naturel qu'un monsieur se plantât devant lui et lût sur une feuille préparée d'avance une interminable liste de noms et de chiffres. Sa mémoire ne le trahissait jamais; il pouvait tout répéter dans l'ordre dans lequel on les lui avait énoncés. Il remarquait bien à l'étonnement des gens qu'il avait fait une chose surprenante; mais jamais le moindre éclair de vanité ne brillait sur son visage. Il montrait seulement un peu de tristesse, lorsque les gens jamais satisfaits lui posaient et lui reposaient les mêmes questions.

Il ne pouvait comprendre que ce qui lui était si naturel leur semblât prodigieux. Personne, par contre, ne se souciait de ce qui pour lui était merveilleux et il était incapable de l'exprimer; car c'était enfoui au plus profond de lui-même. Une sensation à peine ébauchée le matin au réveil, une angoisse fugitive, désespérée qui le traversait. C'était très lointain et se rattachait à lui sans qu'il pût le définir. S'était-il passé quelque chose? Et quand? Et où? Il n'aurait pu le dire. Il cherchait en lui-même et se retrouvait à peine; il s'appelait bien Gaspard mais quelque chose en lui ne répondait pas à ce nom. C'est ainsi que son inquiétude se rattachait à certains phénomènes extérieurs. Quelle attente chaque fois que sonnait la pendule dans la chambre voisine. C'était comme si le mur allait s'évanouir.

La nuit précédente avait été pleine d'événements inexplicables. Avait-on frappé à la fenêtre? Non. Quelqu'un s'était-il introduit dans la pièce? L'avait-on appelé, menacé? Non. Et cependant quelque chose s'était passé qui le concernait, sans concerner Gaspard. Obsession sans fin. Il lui fallait apprendre et peut-être que tout deviendrait clair, il lui fallait apprendre que tout existait, apprendre ce qui était caché dans la nuit, alors qu'on ne voit plus, mais qu'on sent; apprendre ce qui était inconnu, savoir ce qui était si lointain, savoir ce qui était si obscur, savoir interroger les hommes. Il apprit donc avec frénésie et s'énervait d'être continuellement dérangé par des visiteurs venus de partout, attirés par la réputation du jeune homme. Daumer avait du mal à se défendre contre l'affluence du public. Il était souvent irritable, déprimé, et regrettait d'avoir livré Gaspard au monde.

Mais lorsqu'il était seul avec son pupille, il reprenait conscience de son vrai rôle et s'attachait à cet étrange esclave de corps et d'âme encore plus qu'il ne l'avait fait au début. Un jour, Daumer fut le témoin d'un tableau d'une pureté divine : Gaspard était assis dans le jardin, sur un banc, un livre à la main, des hirondelles volaient autour de lui, des pigeons picoraient à ses pieds, un papillon s'était posé sur son épaule et le chat de la maison ronronnait dans ses bras. « Il représente l'humanité sans tache, pensa Daumer à cette vue, quel autre résultat viser, maintenant qu'un tel but est atteint? Que reste-t-il encore à découvrir et à révéler? »

Un autre jour, un grand vacarme s'éleva dans le jardin voisin. Un chien de garde avait rompu sa chaîne et, bavant de rage, courait et bondissait dans toutes les directions; il renversa un enfant, mordit cruellement un domestique qui le poursuivait et se précipita contre la clôture du jardin des Daumer. Une latte se brisa sous le choc, la bête passa par la brèche, et les yeux injectés de sang, s'élança sur le petit groupe de personnes assis à l'ombre d'un tilleul et composé de Daumer, de sa mère, du bourgmestre Binder et de Gaspard. Tous se levèrent. Le bourgmestre brandit sa canne; le chien fit encore quelques bonds, puis subitement s'arrêta, renifla et se dirigea vers Gaspard qui, pâle, était resté tranquillement assis; l'animal frétilla de la queue et lécha la main du jeune homme. Il fixa sur lui un regard brillant, inquiet, presque soumis, quêtant une caresse. On eût dit qu'il implorait son pardon; et Gaspard avait lui aussi dans son regard le même air soumis. Sans savoir pourquoi, il eut pitié du chien. On raconta que Daumer pleura.

Deux jours plus tard, par une pluvieuse soirée d'octobre, Daumer se trouvait avec Gaspard et sa mère dans le salon. Anna s'était rendue chez des amis pour se distraire. La vieille dame, assise dans un fauteuil, tricotait près de la fenêtre ouverte car en dépit de la saison avancée, l'air était chaud et chargé de ce parfum humide des plantes qui se fanent. On frappa à la porte et le vitrier parut portant une grande glace pour remplacer celle que la bonne avait cassée la semaine précédente. Mme Daumer lui demanda de la déposer contre le mur. L'ouvrier obéit et sortit. A peine avait-il disparu que Daumer s'enquit d'un air étonné auprès de sa mère de la raison pour laquelle elle n'avait pas fait placer tout de suite le miroir, ce qui eût dispensé de faire revenir l'homme le lendemain. La vieille dame répondit, avec un sourire embarrassé, que le fait de suspendre une glace le soir portait malheur. Daumer n'avait pas assez d'humour pour accepter avec indifférence d'aussi puériles manies, il reprocha à sa mère sa superstition, celle-ci riposta, ce qui le mit en colère et il lui parla d'une voix douce, mais à travers ses dents serrées. Comme Gaspard ne pouvait voir s'assombrir le visage de Daumer, il mit son bras autour de son cou et chercha à le calmer par des caresses enfantines. Daumer baissa les yeux, se tut un instant et tout confus dit : « Va trouver ma mère et dis-lui que j'ai tort ». Gaspard obéit et sans réfléchir se présenta devant la vieille dame et dit : « J'ai tort ». Daumer se mit à rire : « Pas toi, Gaspard, mais moi, s'écria-t-il en désignant sa poitrine, quand Gaspard a tort, il peut dire je; à toi, je dis tu, mais tu te dis à toi-même : je. Tu as compris? » Les yeux de Gaspard s'agrandirent et devinrent pensifs; le petit mot de « Je » le pénétra comme un breuvage au goût étrange. Il vit s'approcher de lui des centaines de visages, une ville entière d'hommes, de femmes, d'enfants, d'animaux qui foulaient le sol, d'oiseaux qui volaient, de fleurs, de nuages, le soleil lui-même et tous lui disaient: d'une seule voix : « Tu ». Lui, répondait timidement : « Je ».

Il appuya la paume de ses mains contre sa poitrine et les laissa glisser en dessous de ses hanches : son corps n'était donc qu'une cloison entre le dedans et le dehors, un mur entre le toi et le moi.

Au même instant, sa propre image se refléta dans la glace qui lui faisait face : « Tiens, pensa-t-il, un peu étonné, qui est-ce? » Evidemment, il avait déjà souvent passé devant des miroirs, mais son regard ébloui par un monde si divers ne s'était pas arrêté. Et ce qui ne le retenait pas, n'avait pour lui aucune importance. Mais à présent, son œil était mûr pour une telle vision. Il regarda : « Gaspard », murmura-t-il, et l'image répondit : « Moi ».

C'était bien lui. Sa bouche, ses joues et ses cheveux châtains qui retombaient en boucles sur son front et ses oreilles. Il se rapprocha curieux et amusé et put constater qu'il n'y avait rien entre la glace et le mur. Il reprit sa place. Il lui semblait à présent que derrière l'image reflétée dans la glace, la lumière se divisait, qu'un sentier très long se perdait dans le fond, et que là-bas, très loin, se tenait encore un Gaspard, encore un Moi. Celui-là avait les yeux fermés, et semblait savoir quelque chose que le Gaspard de la chambre ignorait.

Daumer, habitué à étudier le jeune homme, l'observait. Tout à coup, on entendit un bruit bizarre : quelque chose siffla et vint tomber à côté de la table. C'était un morceau de papier jeté du dehors. Mme Daumer le ramassa : il était plié comme une lettre, elle le tourna, indécise, entre ses doigts, puis le tendit à son fils. Celui-ci l'ouvrit hâtivement et lut, écrits en gros caractères, les mots suivants : « Attention, un danger menace la maison, son maître et l'étranger ». Mme Daumer s'était levée et lisait avec lui. Elle frissonna, glacée. Daumer regardait fixement le billet, il lui semblait qu'une épée venait de sortir du sol, à ses pieds.

Gaspard n'avait absolument rien vu de ce qui s'était passé. Il quitta son poste devant la glace et l'esprit comme absent passa devant le fils et sa mère et se dirigea vers la fenêtre. Il resta pensif quelques minutes puis se pencha comme s'il avait perdu toute notion de lui-même et, courbé pour ainsi dire sous le poids de ses pensées, il s'inclina jusqu'à ce que sa poitrine touchât le rebord de la fenêtre et que son front plongeât dans la nuit.

CHAPITRE V

Le lendemain matin Daumer remit l'inquiétant message à la police. Celle-ci fit des recherches qui naturellement restèrent infructueuses. On envoya également un rapport officiel à la Cour d'Appel. Quelque temps après le Conseiller du gouvernement Hermann que des liens d'amitié unissaient à M. de Tucher écrivit à ce dernier. Dans sa lettre il préconisait surtout une surveillance de tous les instants autour de Hauser et demandait aussi qu'on l'interrogeât à fond car il était possible qu'il cachât par crainte des événements connus de lui seul.

M. de Tucher se rendit aussitôt chez Daumer et lui lut le passage en question. Daumer ne put réprimer un sourire ironique. « Je me doute bien qu'un mystère fabriqué par une main d'homme entoure tout ce qui concerne Gaspard, dit-il, d'autant plus que M. de Feuerbach m'a écrit tout dernièrement à ce sujet et en termes si singuliers qu'ils laissent prévoir quelque-chose d'anormal. Mais que signifient les mots : le surveiller. l'interroger à fond? N'a-t-on pas fait l'impossible? Les soins qu'exige sa santé et la plus simple humanité me font d'ailleurs un devoir de le traiter avec une extrême prudence. J'ose à peine le déshabituer de son fruste régime alimentaire et le nourrir comme l'exigerait son changement de vie.

— Et pourquoi donc? demanda M. de Tucher étonné n'avons-nous pas convenu de lui faire adopter comme nourriture la viande, ou tout au moins des aliments cuits?

— Il supporte déjà très bien le riz au lait et la soupe chaude, répondit Daumer après une hésitation mais je ne veux pas le pousser à manger de la viande.

— Pourquoi?

— Je crains de détruire des dons qui viennent précisément peut-être de la pureté de son sang.

— De détruire des dons?

— Quels dons nous dédommageraient, lui et nous, de la santé de son corps et de la fraîcheur de son âme? Ne serait-il pas plus sage au contraire de le détourner de sa tendance à l'extraordinaire, qui tôt ou tard lui sera fatale? Est-il prudent d'appliquer à son sujet d'autres méthodes que celles employées dans une éducation normale? Que cherchez-vous en somme? Quels sont vos projets? N'oublions pas que Gaspard est encore un enfant.

— C'est surtout un miracle, se hâta de répondre Daumer avec animation, puis il ajouta sur un ton mi-doctoral, mi-amer, et blessant pour un homme tel que M. de Tucher : « Nous vivons malheureusement à une époque où tout ce qui est impénétrable offusque le grossier bon sens du vulgaire. S'il en était autrement, la seule vue de cet homme nous forcerait à reconnaître et à sentir les puissances occultes de la nature qui nous entourent. »

M. de Tucher ne répondit rien, puis au bout d'un moment, il reprit d'un ton dédaigneux : « Il vaut mieux saisir complètement la réalité que de s'égarer avec un enthousiasme stérile dans les brumes du supra-sensible.

— Mais la réalité sur laquelle je m'appuie ne me donne-t-elle pas raison? répliqua Daumer dont la voix devenait plus douce à mesure qu'il s'échauffait, dois-je entrer dans les détails, est-ce que l'air, la terre et l'eau ne sont pas peuplés de génies avec lesquels il est en rapports constants ? »

Le visage du baron de Tucher s'assombrit : « Tout cela me semble être la conséquence d'une funeste surexcitation, dit-il d'un ton bref et tranchant, ce ne sont pas là les sources qui créent la vie; rien de bien ne peut se développer dans de telles conditions. »

Daumer baissa la tête. Il y avait dans son regard de l'impatience et du mépris; pourtant il répondit sur un ton plus conciliant : « Qui sait, baron? Les sources de la vie sont cachées. Mes espérances visent un but élevé, et j'attends de Gaspard des résultats qui modifieront sûrement votre manière de voir. C'est avec cette étoffe qu'on fait les génies.

— On fait toujours du tort à un homme lorsqu'on fonde des espérances sur son avenir, répondit M. de Tucher avec un sourire triste.

— C'est possible, c'est possible. Pour moi j'ai foi en l'avenir. Je ne me soucie pas de ce qui se trouve derrière moi, et ce que je sais de son passé ne me servira qu'à l'en libérer. Mais ce qui est merveilleux, justement, et plein de promesses, c'est qu'on se trouve en présence d'un être sans passé, d'une créature libre, sans liens, telle qu'elle est sortie des mains du Créateur, âme instinctive et merveilleusement douée. Un être ayant échappé aux séductions du serpent de la science et si près des forces mystérieuses que les siècles à venir auront le devoir de rechercher. Je me trompe peut-être, mais alors je me serais trompé sur l'humanité tout entière et je n'aurais plus qu'à considérer mon idéal comme une erreur.

— Le ciel vous en préserve, dit M. de Tucher, en prenant congé. »

Ce même jour, Mme Daumer fit remarquer à son fils

que le sommeil de Gaspard n'était plus aussi calme qu'autrefois. Lorsque Gaspard apparut, le lendemain, le visage fatigué, Daumer lui demanda s'il avait mal dormi.

— Mal dormi, répondit Gaspard, non, mais je me suis réveillé une fois et j'ai eu peur.

— De quoi as-tu eu peur?

— Des ténèbres, répliqua Gaspard, et il ajouta gravement : la nuit, le noir est assis sur la lampe et hurle.

Le lendemain matin, il sortit de sa chambre à coucher à demi-vêtu et se rendit dans le cabinet de travail de Daumer auquel il raconta bouleversé qu'un homme était entré chez lui. Daumer eut peur d'abord, puis il comprit que Gaspard avait rêvé. Il lui demanda de décrire le visiteur; Gaspard répondit qu'il était grand et beau, revêtu d'un manteau blanc. « Est-ce qu'il t'a parlé? » Il ne lui avait pas parlé, il portait sur la tête une couronne qu'il avait posée sur la table. Dès que Gaspard avait voulu la prendre, elle avait commencé à briller.

— Tu as rêvé, lui dit Daumer.

Gaspard voulut savoir ce qu'il entendait par là : « Même lorsque ton corps repose, ton âme veille, et transforme en images ce qu'elle a vu ou éprouvé pendant le jour. On appelle cette image un rêve. » Gaspard voulut alors savoir ce qu'était l'âme. Daumer lui dit : « L'âme, c'est ce qui donne la vie à ton corps. L'âme et le corps sont étroitement unis. Chacun d'eux garde sa nature propre mais ils n'en sont pas moins inséparablement mêlés comme l'eau et le vin qu'on verse dans le même verre.

— Comme l'eau et le vin? répondit Gaspard déçu, mais ainsi, on gâte l'eau.

Daumer se mit à rire et lui fit observer qu'il s'était

exprimé par image. Dans la suite il se rendit compte que les rêves de Gaspard étaient d'une nature toute spéciale. Généralement les rêves se rattachent à quelque chose de fortuit, se disait-il, à lui-même; ils usent librement de nos pressentiments, de nos désirs, de nos craintes. Chez lui, au contraire, ils ressemblent au tâtonnement d'un homme qui, égaré dans une forêt, cherche son chemin. Il y a là quelque chose qui n'est pas normal et qu'il me faudra voir de près.

Ce qu'il y avait de surprenant, c'est que certaines images s'associaient peu à peu en un rêve unique qui, de nuit en nuit se complétait, se précisait et revenait régulièrement, de plus en plus net. Au début, Gaspard parlait d'une façon décousue de l'ordre dans lequel les visions se présentaient à lui. Puis, un beau jour, tel le peintre qui dévoile son tableau complètement achevé, il put faire à son tuteur une description détaillée.

Il avait, cette nuit-là, dormi plus longtemps que d'habitude. Aussi, Daumer se rendit-il dans sa chambre, mais à peine fut-il près du lit que le jeune homme s'éveilla. Son visage était brûlant, son regard encore absent était énergique et sa bouche était impatiente de mots. D'une voix lente et troublée, il parla. Il a été dans une grande maison et y a dormi. Une femme est venue et l'a éveillé. Le lit était tellement petit, a-t-il remarqué, qu'il ne peut comprendre comment il a pu s'y étendre. La femme l'habille, le conduit dans une salle dont les quatre murs sont couverts de glaces encadrées d'or. Derrière les vitrines étincellent des plats d'argent et sur une table blanche se trouvent de fines petites tasses en porcelaine délicatement peintes. Il veut s'arrêter, regarder, mais la femme l'entraîne. Voici une autre salle garnie de livres; du plafond pend un immense lustre, Gaspard veut regarder les livres, mais les lumières s'éteignent lentement l'une après l'autre et de nouveau la femme l'entraîne. Elle le conduit à travers un long corridor; ils descendent un large escalier et longent une galerie à l'intérieur de la maison. Ils voient des tableaux aux murs, des hommes casqués et des femmes parées de bijoux précieux. A travers les arcades de la galerie, ses yeux se portent sur la cour où murmure un jet d'eau. La colonne d'eau à sa base est d'un blanc d'argent et à sa cime elle est colorée par les rayons du soleil. Ils arrivent à un second escalier dont les marches s'élèvent comme des nuages d'or. A côté, se dresse un homme de fer, tenant une épée dans sa main droite, son visage est noir, ou plutôt il n'a pas de visage du tout. Gaspard a peur, il n'ose passer devant lui, alors, la femme se penche et lui souffle quelque chose à l'oreille. Ils continuent leur chemin et arrivent devant une immense porte; la femme frappe, on n'ouvre pas; elle appelle, mais personne ne répond; elle veut ouvrir la porte, celle-ci résiste. Il semble à Gaspard que quelque chose d'important se passe derrière cette porte. Lui aussi se met à appeler mais à cet instant même il s'éveille.

« Bizarre! pensait Daumer. Il décrit ce qu'il n'a jamais pu voir auparavant, comme cet homme armé sans visage, bizarre! Et cette recherche pénible des mots, ces périphrases maladroites contrastant avec une incroyable précision dans la description. Bizarre! »

— Qui était cette femme? demanda Gaspard.

— Une femme de rêve, répondit Daumer qui cherchait à le calmer.

— Et les livres, et le jet d'eau, et la porte? insista Gaspard. Des livres de rêve? Une porte de rêve?

Daumer poussa un soupir et omit de répondre.

Gaspard s'habilla lentement. Tout-à-coup, il leva la

tête et demanda si tous les hommes avaient une mère. Puis, sur la réponse affirmative de Daumer, si tous avaient un père. Daumer lui répondit que oui.

— Où est ton père? demanda Gaspard.

— Il est mort, répondit Daumer.

— Mort? répéta le jeune homme, tandis qu'une expression d'effroi passait sur ses traits. Il réfléchit un instant et reprit : Et où est mon père?

Daumer se tut.

— Est-ce lui chez qui j'ai été? Le « Toi », insista Gaspard.

— Je ne sais pas, répliqua Daumer.

Il se sentait maladroit et ignorant.

— Et pourquoi ne sais-tu pas, toi qui sais tout. Ai-je aussi une mère?

— Sûrement.

— Où est-elle? Pourquoi ne vient-elle pas?

— Peut-être qu'elle est également morte.

— Tiens, les mères peuvent donc mourir?

— Ah! Gaspard, s'écria Daumer douloureusement.

— Ma mère n'est pas morte, dit Gaspard avec une étrange certitude. Soudain, une flamme brilla sur son visage et il ajouta d'une voix émue : Peut-être que ma mère se trouvait derrière la porte?

— Derrière quelle porte, Gaspard?

— Là-bas dans le rêve...

— Dans le rêve? mais ce n'est pas de la réalité, observa Daumer timidement.

— Mais tu dis que l'âme est une réalité et crée les rêves? Oui, c'était elle qui était derrière la porte. Je le sais; la prochaine fois, je l'ouvrirai.

Daumer espérait que tous ces rêves disparaîtraient mais il n'en fut rien. Ce rêve — Gaspard le nommait « le rêve de la grande maison » — grossissait et s'ornait de fleurs et de branches comme une plante magique. Gaspard suivait toujours le même chemin et ce chemin s'arrêtait toujours devant la grande porte qui ne s'ouvrait pas. Un jour, le sol résonna sous des pas qui s'entendaient de l'intérieur. La porte se gonfla comme une étoffe, et par la fente, au-dessus du seuil jaillirent des flammes. A cet instant il s'éveilla et ce cauchemar le poursuivit toute la journée. Les personnages changeaient. Quelquefois c'était un homme à la place d'une femme qui le conduisait par la galerie. Quand ils voulaient monter l'escalier un autre homme se présentait, et lui offrait avec un regard sévère, quelque chose de glissant, de long et de mince. Au moment où Gaspard voulait s'en emparer, l'objet s'évanouissait comme les rayons du soleil. Il voulait s'approcher de l'homme, mais lui aussi disparaissait en prononçant d'une voix forte un mot que Gaspard ne comprenait pas.

Au rêve de la grande maison se rattachaient d'autres rêves, rêves de mots inconnus qu'il n'avait jamais entendus et qu'il cherchait en vain à ressaisir quand il s'éveillait. Ils avaient pour la plupart un son doux, ne se rapportaient jamais à lui-même, mais à ce qui se passait derrière la porte. C'était les messages de rêves comparables à ces oiseaux de mer qui dans leur va et vient continuel rapportent à la côte lointaine les épaves d'un navire à moitié englouti.

Une nuit que Daumer ne dormait pas, il entendit dans la pièce où couchait Gaspard un bruit persistant. Il se leva, enfila sa robe de chambre et passa chez lui. Gaspard était assis, en chemise, à sa table, il avait devant lui une feuille de papier et tenait un crayon avec lequel il avait écrit. La pâle lumière de la lune flottait dans la chambre.

Daumer étonné lui demanda ce qu'il faisait. Gaspard fixa sur lui un regard égaré et répondit à voix basse : « J'ai été dans la grande maison, la femme m'a conduit au jet d'eau dans la cour; elle m'a dit de lever les yeux vers la fenêtre. Là se tenait l'homme au manteau. Il avait très grande allure et a prononcé quelques mots, ce qui m'a réveillé, et j'ai noté ses paroles.

Daumer alluma, prit la feuille, la lut et la rejeta avec colère sur la table.

— Mais, Gaspard, ce sont là des insanités, dit-il irrité.

Gaspard fixa le papier et dit :

— En rêve, j'ai compris.

Parmi ses signes, dépourvus de sens comme le seraient ceux d'une langue fabriquée, s'en trouvait un : le mot Dukatus. Gaspard murmura en le désignant :

— C'est celui-là qui m'a réveillé parce qu'il a un si beau son.

Daumer jugea qu'il était de son devoir de mettre le bourgmestre au courant « des inquiétudes de Gaspard » comme il les appelait. Ses craintes se réalisèrent. M. Binder attacha une grande importance à ces phénomènes.

— Il faudra avant tout envoyer un rapport aussi précis que possible au président Feuerbach, car on pourra certainement tirer de ces rêves des conclusions très utiles, dit-il, et je vous propose de monter un jour avec Gaspard au château.

— Au château? Pourquoi donc?

— C'est une idée qui me vient. Comme il rêve toujours d'un château, peut-être que la vue d'un vrai château l'impressionnera et lui procurera des points de repère plus sûrs.

— Mais attribuez-vous donc une réelle signification à ces rêves?

— Parfaitement. Je suis convaincu qu'il a vécu jusqu'à trois ou quatre ans dans ce milieu qu'il revoit et que ce retour à la vie et à la conscience de lui-même éveille les souvenirs de son passé.

— Explication simpliste et matérielle, observa Daumer d'un ton piqué, ainsi l'énigme de cette destinée serait une vulgaire histoire de brigands.

— Histoire de brigands, si vous voulez. Je ne comprends pas ce qui vous irrite dans ma théorie. Cet enfant n'est pas tombé de la lune? Alors, pourquoi repousser des explications naturelles?

— Certes, certes, soupira Daumer, puis il poursuivit. Je caressais d'autres espoirs. Je voulais précisément lui épargner ces rêvasseries sur le passé, ces retours en arrière. C'est justement cette indépendance, cette liberté, cette absence de fatalité qui m'avaient tant frappé. Des circonstances exceptionnelles ont fait éclore en lui des dons inconnus aux autres mortels, et tout cela va s'affaiblir, disparaître, sous le poids d'événements tragiques peut-être, mais qui n'ont rien de vraiment remarquable.

— Je comprends; vous ne voulez pas détruire son auréole mystique, repartit le bourgmestre d'un ton supérieur, mais — permettez-moi de vous le dire très franchement, mon cher Daumer — j'estime que nous avons des devoirs plus importants à remplir vis-à-vis de Gaspard Hauser individu que vis-à-vis de Gaspard Hauser phénomène. De nos jours, il n'y a plus d'ange et chaque faute entraîne sa punition.

Daumer haussa les épaules.

— Et vous croyez travailler au bonheur de Gaspard, demanda-t-il d'un ton exalté et qui parut ridicule au bourgmestre, vous l'accablez du poids et de l'impureté de la terre. Aujourd'hui déjà s'élèvent des querelles autour de sa personne qui me gâtent l'intérêt que je lui porte. Tout cela va provoquer de vilaines histoires.

— Et tant mieux si la lumière en sort, répondit vivement Binder.

Dans l'après-midi du lendemain, le bourgmestre se rendit chez Daumer et tous deux, avec Gaspard, montèrent au château. Le bourgmestre sonna chez le concierge; celui-ci arriva avec un grand trousseau de clefs pour les conduire. Lorsqu'ils se trouvèrent devant la puissante porte à deux battants, le visage de Gaspard sembla comme transfiguré; il se redressa, se pencha en avant en balbutiant : « C'est la même porte, exactement la même ».

— Qu'est-ce que tu dis là, Gaspard? Quelle image passe devant tes yeux? demanda le bourgmestre.

Gaspard ne répondit pas. Il traversa la salle les yeux baissés, avec la lenteur d'un somnambule. Les deux hommes le laissèrent marcher en avant. Il s'arrêta régulièrement après avoir fait quelques pas et réfléchissait. A mesure qu'il montait le large escalier de pierre, son émotion croissait à vue d'œil; arrivé en haut, il se retourna et poussa un soupir : son visage était pâle, ses épaules frissonnaient. Daumer eut pitié de lui et voulut l'arracher à ses douloureuses obsessions mais Gaspard le regarda l'air absent et murmura l'oreille tendue comme pour découvrir le sens mystérieux de ce mot.

— Dukatus, Dukatus.

Il considéra la longue série de portraits des Burgraves accrochés au mur, regarda la longue enfilade des pièces, et ferma les yeux. Enfin, comme le bourgmestre l'interrogeait tout bas, il se retourna et dit d'une voix étranglée qu'il lui semblait déjà avoir vu une pareille demeure et qu'il ne savait que penser de tout cela.

M. Binder le considéra quelque temps en silence.

Dans l'après-midi ils virent M. de Tucher et rédigèrent d'accord avec lui un rapport à M. de Feuerbach qu'ils expédièrent le jour même par poste.

Mais, fait étrange, aucune réponse, aucune manifestation quelconque ne vinrent les prévenir que le Président avait reçu leur message. La missive avait dû ou s'égarer, ou être volée. M. de Tucher fit prendre discrètement des renseignements auprès de M. de Feuerbach et l'on apprit qu'effectivement aucun message ne lui était parvenu. L'inquiétude et la consternation s'emparèrent des trois hommes : « Peut-être a-t-on affaire à ce même bras mystérieux qui aurait lancé le billet dans la chambre? » observa Daumer. Les recherches à la poste restèrent vaines, aussi rédigea-t-on un second rapport que l'on chargea un envoyé sûr de remettre à M. de Feuerbach, en mains propres.

Celui-ci répondit, de sa manière catégorique, qu'il ne perdait pas de vue l'affaire, mais que pour des raisons faciles à comprendre, il ne pouvait s'exprimer librement par écrit. « Je lis dans un certificat du médecin légiste, d'ailleurs satisfaisant sous tous les autres rapports, qu'il est question du teint pâle de Gaspard et de son manque d'exercice en plein air. Il est nécessaire de remédier d'urgence à cela. On lui fera faire du cheval, on m'a recommandé un certain Rumpler, écuyer, habitant dans votre ville, chez qui il prendra trois leçons d'équitation par semaine. Quant aux frais, la ville les prendra à sa charge.

C'était peut-être les rêves qui causaient la mauvaise mine de Gaspard. Presque toutes les nuits, il se trouvait dans la « grande maison » ; les galeries voûtées étaient baignées d'une lueur argentine. Il se tenait devant la porte fermée, et attendait, attendait...

Une nuit enfin, tandis que les salles de la grande maison, éclairées d'une lumière voilée, restaient silencieuses et vides, une forme aérienne parut dans le corridor du rez-de-chaussée. Gaspard crut d'abord que c'était l'homme au manteau blanc. Mais, lorsque l'apparition se rapprocha de lui, il reconnut que c'était une femme. Elle était enveloppée de voiles blancs que les souffles d'une brise imperceptible soulevaient autour de ses épaules. Gaspard s'arrêta comme cloué au sol, son cœur lui faisait mal comme si une main brutale l'avait broyé : la femme avait en effet une telle expression de désespoir que jamais encore il n'en avait vu de semblable sur aucun visage humain. Plus elle se rapprochait de lui, et plus il était oppressé. Elle passa gravement, ses lèvres prononcèrent un nom; ce n'était pas le nom de Gaspard et pourtant il savait que c'était le sien, et qu'il s'agissait de lui. Elle le répétait sans discontinuer et elle s'éloignait déjà, ses voiles flottant comme de blanches ailes autour de ses épaules, qu'il l'entendait encore. Alors il comprit que cette femme était sa mère.

Il s'éveilla en larmes. A l'arrivée de Daumer, il courut à sa rencontre en s'écriant : « J'ai vu ma mère, c'était elle, elle m'a parlé ».

Daumer s'assit à sa table et se prit la tête dans les mains : « Allons, Gaspard, dit-il au bout de quelques instants, ne t'abandonne pas à tes rêves. Cela me peine depuis longtemps déjà. Tu te conduis comme quelqu'un à qui l'on permet de se promener parmi les fleurs, et qui au lieu d'en jouir se met à les déraciner. Comprends-moi bien, Gaspard : je n'exige pas que tu renonces au droit de tout apprendre sur ton passé et sur le crime qui a été perpétré sur ta personne. Mais sache que des hommes instruits et expérimentés, tels que M. de Feuerbach ou

M. Binder, s'occupent de cette question, toi, Gaspard, tu devrais aller de l'avant, vivre pour la lumière, non pour les ténèbres. Ta vie se trouve dans la clarté. Tout homme raisonnable peut ce qu'il veut. Fais-moi donc le plaisir de te détourner de tes visions. Ce n'est pas pour rien que l'on a dit : Songe est mensonge.

Gaspard fut consterné. Pour la première fois on voulait lui faire croire qu'il n y avait pas de vérité dans ses rêves; mais pour la première fois aussi, sa propre conviction l'emporta sur l'opinion de son maître. Cette constatation lui causa plus de regret que de satisfaction.

CHAPITRE VI

On atteignit décembre, et un beau matin il se mit à neiger. Gaspard ne se lassait pas de contempler la chute silencieuse des flocons. Il les tenait pour de petits animaux ailés, jusqu'au moment où, étendant la main hors de la fenêtre, il les vit fondre sur sa peau. Les jardins et les rues, les toits et les corniches, tout étincelait à travers ce tourbillon blanc et une brume claire s'infiltrait comme l'haleine d'une bouche qui respire.

— Eh bien, qu'en dis-tu, Gaspard? s'écria Mme Daumer. Te rappelles-tu que tu ne voulais pas me croire lorsque je te parlais de l'hiver. Vois-tu comme tout est blanc?

Gaspard fit un signe de tête affirmatif et, sans bouger, murmura : « Blanc est vieux et froid ».

— N'oublie pas, Gaspard qu'à onze heures tu as ta leçon d'équitation, dit Daumer en partant pour l'école.

C'était une recommandation superflue; il n'avait garde de l'oublier car le peu de leçons qu'il avait prises avait suffi pour qu'il se livrât à cet exercice avec passion.

Il aimait le cheval, car sa forme lui était familière. Il avait souvent vu le soir des nuages passant en tempête, tels des chevaux noirs, ne s'arrêtant qu'au bord embrasé du ciel et se retournant comme pour l'inviter à les accompagner dans un inconnu lointain. Les chevaux aussi fuyaient dans le vent et les nuages étaient des chevaux.

Dans le rythme de la musique il entendait le trot cadencé de leurs sabots et quand quelque chose le rendait heureux, il le rattachait à la fière image du cheval.

Dans ses leçons d'équitation, il avait fait preuve d'une adresse qui avait surpris l'écuyer : « Quelle allure! Comme il tient bien les rênes, comme il comprend sa bête! Voilà qui est agréable à regarder, s'écriait M. de Rumpler, je veux bien griller cent ans en enfer si le diable ne se mêle pas de tout cela ». Et tous les gens du métier étaient de son avis.

Et quelle joie pour Gaspard de trotter, de galoper, de retenir sa bête, de lui lâcher la bride, de se laisser emporter, de se balancer doucement sur la selle, d'être vivant sur un être vivant!

Si seulement les gens avaient pu être moins curieux. A sa première sortie avec l'écuyer, ils furent suivis par une foule de badauds; de graves citoyens même s'arrêtaient et ricanaient : « En voilà un qui s'y connaît, il s'est préparé un bon petit lit. Voilà ce qu'il faut faire lorsqu'on veut avoir chaud ».

Un autre jour, eut lieu une scène désagréable. Le ciel s'était éclairci et le soleil brillait; les deux cavaliers longeaient la rue Engelhardt. Une ribambelle de gamins les suivaient par derrière et à droite et à gauche des fenêtres s'ouvraient brusquement sur leur passage. L'écuyer donna de l'éperon à sa monture et de sa cravache stimula celle de Gaspard : « Ma parole, on finit par ressembler à un directeur de cirque », dit-il furieux.

Ils galopèrent jusqu'à la porte Saint-Jacob. « Hola », cria une voix, et d'une rue latérale déboucha le capitaine Wessenig, également à cheval, qui se dirigea vers eux.

Rumpler salua l'officier qui fit ranger sa bête au côté de celle de Gaspard.

— Épatant, mon cher Hauser, épatant, cria-t-il, en exagérant son admiration, tu en remontrerais à un chef indien. Et tu voudrais nous faire croire que tu as appris tout cela chez nos braves Nurembergeois ! A d'autres !

Gaspard ne comprit pas ce que ces paroles contenaient de perfide; il lança au capitaine un regard flatté et reconnaissant.

— Tu ne sais pas, Hauser, ce que j'ai reçu aujourd'hui, continua l'officier qui avait envie de s'amuser aux dépens de Gaspard, quelque chose qui t'intéresse au plus haut point.

Le visage de Gaspard prit un air interrogateur. Ce fut peut-être l'expression noble et candide de ses traits qui fit hésiter un instant le capitaine. « Oui, j'ai reçu quelque chose, j'ai reçu une petite lettre, répétait-il sur ce ton naïf qu'adoptent les grandes personnes lorsqu'elles parlent aux enfants et son regard semblait dire : « Nous allons voir s'il aura peur ».

— Une lettre, fit Gaspard, et que dit-elle?

— Ah, s'écria le capitaine en éclatant de rire, tu voudrais bien le savoir? Elle contient des choses très très importantes.

— Et de qui est-elle? demanda Gaspard, dont le cœur battait d'impatience?

M. Wessenig, ravi, se dressa sur ses étriers : « Eh bien, devine, dit-il, on va voir si tu trouves. Qui peut bien avoir écrit cette lettre? » Et d'un air entendu, il cligna de l'œil à M. de Rumpler tandis que Gaspard baissait la tête.

Il devint rêveur et une lueur d'espoir l'envahit. La femme désespérée de son rêve s'élevait et flottait silencieuse dans ses voiles devant les trois chevaux. Brusquement, il releva les yeux et ses lèvres hésitantes balbutièrent : « Elle est peut-être de ma mère? »

Un pli creusa le front du capitaine. Il hésitait à pousser aussi loin la plaisanterie, mais il chassa rapidement ses scrupules et frappant sur l'épaule de Gaspard s'écria : « Tu as deviné, gros malin, tu as deviné. Je ne t'en dis pas plus long, mon petit ami, autrement il pourrait m'en cuire ». Ayant ainsi parlé, il rassembla ses rênes et partit au galop.

Un quart d'heure après, Gaspard revint à la maison. Les Daumer étaient déjà à table. En le voyant entrer, le front baigné de sueur, Anna, malgré elle, se leva. Il alla à Daumer et, fou de joie, lui dit : « Le capitaine Wessenig a reçu une lettre de ma mère ».

Daumer, stupéfait, secoua la tête; aidé par sa mère et sa sœur, il s'efforça de faire comprendre au jeune homme qu'il y avait là un malentendu ou une erreur. Ce fut en vain. Gaspard supplia Daumer d'aller voir le capitaine. Daumer s'y refusa d'abord, mais en voyant grandir la surexcitation de son élève, il accepta de s'y rendre, mais tout seul. Il termina rapidement son repas, prit son chapeau et son manteau, et sortit.

Gaspard courut à la fenêtre et le suivit des yeux. Il ne voulut pas se mettre à table avant que Daumer ne fût de retour ; il froissait un mouchoir entre ses doigts, sa respiration était saccadée, et il regardait fixement le ciel en disant : « Soleil, si tu veux que je t'aime, fais que cela soit vrai ».

Vers une heure Daumer revint. Il avait demandé à l'officier le sens de ses paroles, et avait eu avec lui une explication violente. M. Wessenig avait d'abord voulu prendre la chose en plaisantant, mais ce manège avait eu peu de succès auprès de Daumer déjà irrité par les racontars perfides qu'on lui rapportait journellement. Pas plus tard que la veille, on lui avait raconté que dans une réunion chez la Conseillère Behold, un gentilhomme connu s'était moqué de lui en le traitant de maître es-occultisme, es-somnambulisme et es-magnétisme. « Il veut tendre, avait-il dit, un manteau magique sous les pieds de Gaspard, mais le brave garçon, au lieu de s'élever dans l'éther comme tout le monde s'y attendait, reste tranquillement assis à s'engraisser ».

Toutes ces railleries empoisonnaient l'existence de Daumer aussi ne s'était-il pas gêné pour dire au capitaine que les ragots répandus par la société élégante et désœuvrée le laissaient complètement froid. « Je ne m'étais pas abusé au point d'espérer aide et approbation de la part de mes concitoyens, et je savais que je serais obligé de me défendre, et que vos cœurs sont trop blasés pour être touchés par quoi que ce soit, s'écria-t-il, mais ce que je puis exiger, c'est que le jeune homme qui se trouve sous ma protection et sous celle de M. de Feuerbach soit à l'abri de vos tristes plaisanteries ».

Puis il partit en s'étant fait un ennemi de plus.

Rentré chez lui, devant la muette insistance de Gaspard, il déclara d'un ton qu'il s'efforçait de rendre doux : « Il s'est moqué de toi, il n'y a bien entendu pas un mot de vrai. Il ne faut pas croire des gens comme lui ».

— Oh, murmura Gaspard douloureusement.

Ce ne fut que lorsque Daumer, après sa sieste, fut sur le point de repartir, que le jeune homme s'arracha de son silence et dit d'une voix triste : « Ainsi donc, le capitaine n'a pas dit la vérité ».

— Non, il a menti, répondit Daumer d'un ton bref.

— C'est mal de sa part, très mal, fit Gaspard.

Ce qui le surprenait, c'était le mensonge en lui-même, mais ce qui le surprenait plus encore, c'est qu'un homme si distingué s'en rendît coupable. Pourquoi m'avoir parlé de la lettre, se disait-il. Et pendant des heures entières il évoqua les paroles du capitaine et son visage derrière lequel se dissimulait le mensonge.

Il y avait là quelque chose qui n'était pas clair. Il y repensait tout le temps sans trouver d'explication. Pour se changer les idées, il ouvrit son livre d'arithmétique pour faire son devoir du jour, mais au bout d'un certain temps, découragé par l'inutilité de ses efforts, il prit son xylophone, cadeau d'une dame de Bamberg et s'exerça à jouer des mélodies très simples qu'il avait apprises. Soudain il se leva brusquement et se plaça devant la glace. Il regarda fixement son propre visage pour voir s'il contenait des mensonges. Malgré la gêne qu'il en éprouvait, il se sentit poussé à mentir pour voir si l'expression de ses traits se modifierait. Il se retourna vers la fenêtre, puis se regarda de nouveau et dit tout bas « Il neige ». Il se disait qu'il mentait puisque le soleil brillait. Son image lui parut inchangée on pouvait donc mentir sans qu'on le remarquât. Il avait cru que le soleil allait disparaître ou se cacher, alors qu'il continuait à briller tranquillement.

Ce soir-là Daumer rentra chez lui de fort méchante humeur. Comme sa mère lui en demandait la raison, il tira de sa poche un petit journal et le jeta sur la table. C'était *Le Trésor hebdomadaire catholique* [1]. En première page se trouvait un article sensationnel sur Gaspard Hauser, qui débutait ainsi : « Pourquoi ne laisse-t-on pas le jeune orphelin de Nuremberg s'initier aux bienfaits de la religion? »

— Mais oui, pourquoi pas? dit Anna d'un ton ironique.

— Et voilà ce qu'on ose écrire dans une ville protes-

1. *Katholische Wochenschatz.*

tante, dit Daumer irrité. Si seulement on savait quelle peur épouvantable lui inspirent les prêtres. Un jour, alors qu'il était encore à la tour, quatre ecclésiastiques se présentèrent en même temps. Vous croyez peut-être qu'ils essayèrent de s'adresser au cœur du prisonnier, ou d'éveiller sa foi. Détrompez-vous. Ils lui décrivirent la colère de Dieu et les punitions du péché. Puis, devant son effroi grandissant, ils se mirent à pester et à menacer comme s'ils parlaient à un pauvre diable qu'on va mener à la potence. Le hasard m'amena à la Tour et je priai poliment ces Messieurs de mettre un terme à leur zèle intempestif.

L'entrée de Gaspard fit cesser la conversation.

Mais l'appel du journal ne resta pas sans écho : « On ne plaisante pas avec la religion », déclarèrent ces Messieurs du Conseil municipal réunis à l'Hôtel-de-Ville, et l'un d'entre eux exprima même le doute que l'enfant fût baptisé. On discuta quelque temps puis finalement on passa à autre chose, non sans qu'un avis favorable au baptême fût émis. Après tout, on était en pays chrétien, parmi les chrétiens, et le jeune homme n'était certes pas venu de la Tartarie.

On hésita longuement entre la religion catholique et la protestante. Bien que les prêtres catholiques eussent peu d'influence à Nuremberg, il fallait cependant arracher cette âme errante à la voracité de Rome. D'autre part, on hésitait à intervenir énergiquement parce qu'il aurait pu se produire que plus tard une personne influente fît valoir des droits.

Le bourgmestre pria Daumer de faire apprendre le catéchisme à Gaspard; il s'en remettait à lui pour le choix d'un homme sûr : « Que penseriez-vous du candidat en théologie Regulein ? » demanda Binder.

— Je n'ai pas d'objection à faire, répondit Daumer avec indifférence.

Le candidat habitait justement le rez-de-chaussée des Daumer. C'était un garçon rangé et studieux.

— Sans être personnellement pratiquant, continua le bourgmestre, je déteste cordialement la libre pensée, actuellement en vogue, et je ne voudrais pas que notre Gaspard tombât dans un athéisme irrespectueux. C'est aussi votre avis, n'est-ce pas?

— Voilà une pierre dans mon jardin, pensa Daumer en contenant son irritation, non seulement on m'insulte, mais on me suspecte, je ne fais décidément l'affaire de personne. Et il répondit à voix haute :

— Certainement. Je n'ai jamais laissé échapper l'occasion d'user de mon influence sur lui; cette influence vaut ce qu'elle vaut, en tout cas je ne la crois pas plus mauvaise qu'une autre. Malheureusement, toute sorte d'indésirables interviennent à tort et à travers. C'est ainsi que dans les premiers temps, j'avais réussi, non sans peine, à briser son entêtement et à modifier sa vision fausse des objets en lui donnant une idée de la puissance créatrice qui anime la nature. Un jour, pendant que Gaspard était assis devant un pot de fleurs et contemplait émerveillé les feuilles de la plante, entre une femme : « Eh bien Gaspard, dit-elle sottement, qui a fait cela? — Cela s'est fait tout seul », répondit-il fièrement. — « Mais, Gaspard, il faut bien que quelqu'un l'ait fait pousser ». Il ne daigna pas lui répondre et cette personne, sans mauvaise intention d'ailleurs, alla raconter partout qu'on était en train de faire de Gaspard un athée. Vous comprendrez que dans de pareilles conditions, ma position devient difficile.

— En somme, il s'agit seulement de lui inculquer le sentiment d'une responsabilité, dit Binder.

— Mais il l'a, il l'a; seulement, sa raison n'admet pas de limites dans ses connaissances et veut une explication à tout; continua Daumer avec passion. Hier, il a reçu la visite de deux pasteurs protestants, l'un de Fürth, l'autre de Farnbach; l'un gros, l'autre maigre, mais tous deux zélés comme de petits saint Paul. Ils me couvrirent d'abord d'éloges, puis sans perdre une minute, se mirent à discuter. C'était comique, extrêmement comique, On vint à parler de la Création du monde, et le gros, celui de Fürth, déclara que Dieu avait créé le monde avec rien. Et comme Gaspard voulait savoir comment cela s'était passé, ils essayèrent de noyer leur explication dans un flot de paroles et de gestes. Quand ils eurent fini leurs discours, Gaspard leur répliqua que lui, s'il voulait fabriquer quelque chose, il lui fallait d'abord avoir de quoi le fabriquer; comment en était-il autrement pour Dieu? Ils demeurèrent coi, puis se concertèrent à voix basse. Enfin, le maigre répondit que Dieu pouvait faire une pareille chose, car il était, lui, non un homme, mais un esprit. Alors, Gaspard me regarda en souriant certain que ces messieurs se moquaient de lui. Il fit toutefois semblant de les croire, ce qui était encore la meilleure manière de se débarrasser d'eux.

Le bourgmestre secoua la tête d'un air désapprobateur. Les paroles sarcastiques de Daumer lui déplaisaient. « On peut se faire de Dieu une conception plus intellectuelle que celle dont vous parlez et qu'on ridiculise si facilement », dit-il tranquillement.

— Une conception plus intellectuelle, peut-être. Mais n'oubliez pas qu'elle serait alors en contradiction formelle avec la conception commune, et que si je voulais la lui enseigner, je m'exposerais à des reproches et à des mécomptes. Il lui faudra, l'an prochain, aller à l'école publique, ce qui, sans compter les ennuis que cette situation cause à un jeune homme de dix-huit ans, ruinera mon enseignement et ne créera en lui que confusion. Maintenant, déjà, je deviens lâche en le payant de réponses gratuites. Dernièrement, une faiblesse des yeux l'ayant empêché de travailler, il me demanda s'il pouvait solliciter une grâce de Dieu, et s'il l'obtiendrait. Je lui répondis qu'il avait le droit de prier, mais qu'il devait pour le reste s'en remettre à la sagesse divine qui exaucerait ou n'exaucerait pas son vœu. Il répliqua qu'il voulait obtenir de Dieu la guérison de ses yeux. Dieu n'aurait rien à objecter à sa prière puisqu'il avait besoin de sa vue pour ne pas gaspiller son temps en bavardages et en amusements frivoles. Je lui répondis que Dieu avait parfois des raisons insondables pour nous refuser ce que nous croyions nous être salutaire, et qu'il voulait nous éprouver par la souffrance, nous exercer à la patience et à la résignation. Là-dessus, il baissa la tête. Assurément, pensait-il, je ne valais pas mieux que les bigots dont les raisons n'étaient à ses yeux que des prétextes.

— Que faire? demanda le bourgmestre soucieux, le doute et la négation finissent par ruiner l'aptitude au bien.

— On peut à peine appeler cela doute et négation, répondit Daumer sèchement, Dieu n'habite pas dans le ciel, il est en nous. L'esprit riche l'abrite dans l'immense domaine de sa pensée, l'esprit pauvre ne s'aperçoit de sa présence que dans la détresse et c'est ce qu'il appelle la foi. Il pourrait aussi bien l'appeler l'angoisse. C'est dans la joie, la beauté et la création d'une œuvre que Dieu prend sa vraie figure. Ce que vous appelez doute et négation n'est que la sincère incertitude d'une âme qui s'ignore encore elle-même. Donnez à la plante tout le soleil qu'il lui faut, et elle possède un dieu.

— J'appelle cela de la philosophie, répondit Binder, et une philosophie qui, pour un esprit moyen comme le mien, sonne creux. Chaque paysan, pour sa récolte doit compter avec l'orage et le mauvais temps ; seul l'homme infatué de lui-même se figure qu'il a une valeur personnelle. Mais en voilà assez. Avez-vous déjà été à l'église avec Gaspard?

— Non, et je l'ai même toujours évité jusqu'à présent.

— Demain, c'est dimanche. Trouveriez-vous à redire si je l'emmenais à l'office à Frauenkirchen?

— Pas le moins du monde.

— Bon, je viendrai le chercher vers neuf heures.

Si M. Binder avait attendu un effet particulier de cette visite, il dut être déçu. Lorsque Gaspard eut franchi le seuil de l'église et qu'il entendit la voix stridente du pasteur, il demanda contre qui cet individu vociférait. La vue des crucifix le fit frissonner car il prenait les images du Christ, aux membres cloués à la croix, pour des hommes martyrisés vivants. Il regardait, s'étonnait. Le jeu de l'orgue et le chant des chœurs assourdissaient son oreille sensible au point qu'il ne percevait nullement l'harmonie des accords. Finalement, les émanations de la foule le firent presque défaillir. Le bourgmestre se rendit bien compte de sa méprise mais cela ne l'empêcha pas d'insister pour que Gaspard allât désormais régulièrement à l'église et ce malgré les refus opiniâtres du jeune homme. Lorsque le candidat en théologie Regulein se plaignait au bourgmestre de ses difficultés, celui-ci répondait : « Ayez de la patience; il deviendra pieux à force d'habitude.

— Je ne le crois pas, répondit l'autre; lorsque je le prie de m'accompagner à l'église, il prend l'air d'un moribond.

— Cela ne fait rien; d'ailleurs votre fonction est justement de briser sa résistance, décréta Binder.

Pauvre Regulein. C'était un petit bonhomme qui n'avait jamais été jeune et dont la science théologique était aussi mince que les mollets. Il tremblait d'avance à la perspective des leçons qu'il devait donner à Gaspard. Toutes les fois qu'une question de son élève l'embarrassait — ce qui arrivait souvent — il remettait l'explication au cours suivant, et entre temps consultait certains livres pour ne pas pêcher contre la théologie. Gaspard attendait confiant les paroles de son professeur, mais à la leçon suivante, Regulein, ou bien ne soufflait mot sur le sujet, ou bien ne répondait que laconiquement; il espérait surtout que Gaspard aurait oublié. Peine perdue. L'élève le poussait dans ses retranchements et l'infortuné professeur sortait finalement son argument suprême: « On n'a pas le droit de sonder les points obscurs de la foi ».

Gaspard se plaignait amèrement à Daumer de ce qu'on ne lui donnait pas d'explications. Daumer lui demanda alors ce qu'il désirait savoir; il répondit : Pourquoi Dieu ne descendait-il plus chez les hommes comme autrefois pour leur dévoiler tant de choses ignorées. « Eh bien, Gaspard, dit Daumer, il y a des mystères ici-bas qu'avec la meilleure volonté du monde on ne peut comprendre. Il faut avoir confiance en Dieu et espérer qu'un jour il éclairera notre cœur. Savons-nous d'où tu viens et qui tu es? Cela nous empêche-t-il de croire que l'omniscience de Dieu nous le révèlera un jour?

— Mais quand j'étais dans le cachot, Dieu n'y était pour rien, répondit Gaspard doucement, c'était la faute des hommes. Puis il ajouta perplexe : Quant à M. Regulein, un jour il prétend que Dieu laisse aux hommes leur libre arbitre et le lendemain qu'il les châtie pour leurs mauvaises actions. C'est à devenir fou.

Cet entretien eut lieu par une orageuse après-midi de la fin de mars. Il mit Daumer de si mauvaise humeur qu'il fut incapable d'achever un travail commencé : « On me le prend, on me l'abîme », pensait-il. Tristement, il prit en mains un gros cahier contenant les notes qu'il avait rédigées sur Gaspard et se mit à le feuilleter. Il tressaillit lorsque sa sœur entra précipitamment dans sa chambre. Elle venait du dehors et portait encore son bonnet fourré et son manteau. Son visage trahissait l'agitation. Elle se tourna vers son frère et lui demanda à brûle-pourpoint : « Sais-tu ce que l'on dit en ville?

— Quoi?

— On raconte que Gaspard est un enfant d'origine princière qu'on a séquestré.

Daumer se mit à rire, mais d'un rire forcé.

— Il ne manquait que cela, dit-il, dédaigneux, c'est complet.

— Tu n'y crois pas? C'est bien ce que j'avais pensé. Mais d'où peuvent venir de pareilles rumeurs? Il n'y a pas de fumée sans feu.

— C'est entièrement inexact. Qu'ils potinent, si cela leur chante.

Une demi-heure plus tard, Daumer reçut la visite de Wurm, directeur des Archives à Ansbach. C'était un petit homme, légèrement contrefait, et qui ne souriait jamais. Il passait pour être l'ami intime de M. de Feuerbach, et le bras droit du Président Mieg. Il lui présenta les compliments du Conseiller d'Etat en ajoutant que ce dernier comptait venir prochainement à Nuremberg et qu'il s'occupait activement de l'affaire Gaspard Hauser.

Après avoir parlé quelque temps de choses insignifiantes, le Directeur tira de sa poche un petit livre broché qu'il présenta sans dire un mot à Daumer. Celui-ci le prit et lut le titre : « Il est probable que Gaspard Hauser est un imposteur », par le Conseiller de police à Berlin Merker.

Daumer examina le livre avec hostilité et dit d'une voix sourde : « Voilà qui est net; que veut cet homme? Qu'est-ce qu'il lui prend? »

— C'est un pamphlet odieux, mais plausible, répondit le Directeur. On trouve là, ramassés contre l'orphelin, tous les motifs de suspicion qui depuis longtemps déjà, hantent les esprits méfiants. L'auteur examine une à une les déclarations de Gaspard qui pourraient être suspectes. Il cite aussi des exemples précédents où de telles impostures — comme il les appelle — ont été plus tard dévoilées. Vous, monsieur le professeur, et vos amis d'ici, n'êtes pas précisément épargnés.

— Bien entendu, et cela ne m'étonne pas, dit Daumer à voix basse. Puis, frappant de sa main ouverte le livre, il s'écria : « Il est probable que Gaspard Hauser est un imposteur. Un gros malin, tranquillement assis à Berlin, ose lancer une pareille insinuation. C'est révoltant. On devrait lui présenter ce prétendu imposteur, le forcer à soutenir ce regard angélique, c'est honteux. Notre unique consolation est de penser que personne ne lira cette ordure.

— Vous faites erreur, répliqua le Directeur, on se l'arrache.

— Eh bien, je vais en prendre connaissance moi-même, dit Daumer, puis je l'apporterai à Pfisterle, le Directeur de la Morgen Post, voilà l'homme qui saura répondre à ce fameux Conseiller de Police.

Le Directeur des Archives toisa d'un rapide regard le professeur :

— Je ne suis pas partisan de cette démarche je vous la déconseille, car je pense qu'ainsi parlerait M. de Feuerbach. A quoi bon des articles? A qui seront-ils utiles? Agissons avec prudence et discrétion : voilà l'important.

— Prudence et discrétion, que voulez-vous dire? riposta Daumer.

Le Directeur haussa les épaules et regarda par terre, sans réponse. Puis il se leva, en disant qu'il reviendrait dans l'après-midi du lendemain pour voir Gaspard et prit congé. Il était déjà dans l'escalier lorsque Daumer le rattrapa et lui demanda si la présence pour le lendemain de quelques personnes étrangères le gênerait. Il avait en effet quelques visites en perspective. Le directeur répondit qu'il n'y voyait point d'inconvénient.

Une des particularités du caractère de Daumer était qu'il s'obstinait dans une idée jusqu'à se nuire à lui-même. Il venait à peine de finir la brochure du Conseiller de Police berlinois, dont la lecture ne lui avait guère demandé plus d'une heure, qu'exaspéré il se rendit à la rédaction de la Morgen Post, malgré l'avis du judicieux Directeur des Archives. Le Directeur du journal, Pfisterle était d'un caractère emporté. Comme le vautour sur la charogne, il se précipita sur cette occasion de donner libre cours à une fureur et à un fiel accumulés depuis longtemps. Toutefois, il lui fallait se documenter auparavant, aussi Daumer lui donna-t-il rendez-vous pour le lendemain à midi chez lui.

Il régna ce soir-là chez les Daumer une atmosphère lourde. La conversation languit pendant le dîner. Gaspard qui ne soupçonnait rien de ce qui se passait, s'étonnait des regards posés sur lui, ou du morne silence qui accueillait ses naïves questions. Généralement, avant de se coucher, il prenait un livre et lisait. C'est ce qu'il fit ce jour-là. Or, il advint que son regard tomba sur un passage qui l'enchanta tellement qu'il battit des mains et poussa un charmant éclat de rire. Comme Daumer lui demandait la raison de sa gaieté, Gaspard désigna du doigt la page en question et s'écria : « Voyez, monsieur le professeur ». Il avait cessé depuis quelque temps de tutoyer son maître, et assez curieusement, depuis que pour la première fois il avait mangé de la viande, ce qui l'avait incommodé.

Daumer lut les mots qui avaient frappé Gaspard :

— Le soleil le met au jour.

— Eh bien quoi d'étonnant? demanda Anna qui, par dessus l'épaule de son frère, regardait également.

— Le soleil le met au jour. Que c'est beau. Que c'est beau. C'est splendide.

Les trois autres, surpris, se regardèrent.

— C'est d'ailleurs toujours beau de lire : le soleil. Le soleil, continua-t-il, cela sonne si bien.

Après qu'il fut monté se coucher, Mme Daumer dit : « On ne peut s'empêcher de l'aimer; cela vous réchauffe le cœur de le voir si gentil. Tel un petit animal, il ne s'ennuie jamais et, jamais il n'importune les autres par ses caprices.

Comme convenu, Pfisterle vint le lendemain après dîner, mais il resta plus longtemps qu'il le fallait et ne comprit pas les allusions de Daumer qui aurait bien voulu être débarrassé de lui avant l'arrivée des visiteurs. Quand ces derniers sonnèrent, vers trois heures, le journaliste était toujours assis et ne faisait pas mine de s'en aller. Daumer lui avait par malheur cité le nom de l'un d'eux qu'il était justement désireux de connaître; il s'agissait d'un écrivain, alors très connu dans le nord de l'Empire. Les deux autres personnes étaient l'une une baronne du Holstein, l'autre un professeur de Leipzig, en route pour Rome, ce qui suffisait, à l'époque, à le faire passer pour un explorateur hardi.

Daumer accueillit aimablement les nouveaux venus. Il chercha Gaspard et, malgré l'heure peu avancée alluma la lampe car le brouillard, telle une étoffe grise, ouatait les fenêtres. Le professeur de Leipzig commença à converser avec Gaspard, mais d'une voix si hautaine qu'il semblait parler du haut d'une tour. Il ne cessait de le regarder fixement, et une mauvaise lueur passait de temps à autre dans ses yeux jaunes abrités derrière de grosses lunettes rondes. Entre temps, M. de Tucher et le Directeur des Archives étaient arrivés. Ils se firent présenter aux étrangers, et s'assirent sur le canapé.

— Ainsi, il faisait toujours sombre dans ton cachot? demanda « l'explorateur » en caressant lentement sa barbe.

Gaspard résigné répondit : « Très sombre, très sombre.

L'écrivain se mit à rire, et le professeur lui fit de la tête un signe d'intelligence.

— Avez-vous entendu parler du bruit absurde qu'on fait courir en ville sur ses origines princières, demanda la baronne de Holstein dont la voix semblait sortir d'une cave.

Le professeur fit un nouveau signe de tête et ajouta : « On exige beaucoup de la crédulité publique ».

Tous se turent comme après une détonation. Enfin Daumer répliqua d'une voix rauque et avec une politesse forcée: « Pourquoi m'insultez-vous? »

— Pourquoi? éclata le professeur, parce que j'ai assez

de cette histoire de charlatans, parce qu'on colporte dans le pays un conte absurde. Serons-nous encore une fois victimes, nous braves Allemands, d'aventuriers à la Cagliostro? C'est scandaleux.

M. de Tucher s'était levé. Il jeta au professeur déchaîné un tel regard de mépris que l'autre se tut.

— Nous sommes certes convaincus, intervint d'un ton conciliant l'écrivain, qui était maigre comme un hareng et chauve, que vous agissez avec la meilleure bonne foi du monde, comme nous tous, vous êtes une victime.

Pfisterle qui éclatait littéralement de fureur, ne put se maîtriser plus longtemps. Il bondit de sa chaise, les poings serrés et cria : « Pourquoi diable supporter plus longtemps un pareil langage? Ils viennent ici sans être invités, uniquement pour être là et pouvoir dire leur mot. Dès le début de l'affaire, ils savaient tout mieux que les autres. Seraient-ils aveugles comme des taupes qu'ils se rengorgeraient et crieraient : « Nous ne voyons rien, donc il n'y a rien. Pourquoi, madame, ce que l'on raconte sur ces origines serait-il si absurde, pourquoi, je vous le demande? Nierez-vous que derrière les murs où habitent les princes il ne se passe jamais de choses qu'il ne serait pas bon d'exposer à la lumière du jour? Nierez-vous que les liens du sang et les droits de l'homme sont foulés aux pieds quand l'intérêt d'un seul l'exige? Vous faut-il des faits? Chez nous, du moins, on se souvient de quelques douzaines d'hommes qui ont porté le drapeau de la liberté à travers tout le pays et éclairé de leurs torches l'atmosphère trouble de vos palais.

Le professeur interrompit le journaliste : « Assez, assez, modérez-vous, monsieur ».

— Un démagogue, dit la baronne effarée.

Le Directeur des Archives lança un regard froid et

réprobateur à Daumer, qui avait baissé la tête et gardait les lèvres obstinément closes. Il observait Gaspard qui se tenait là confiant et nullement gêné. Ses yeux limpides allaient de l'un à l'autre, comme s'il n'eût pas été le sujet de l'entretien. Seul le jeu des mines et des gestes semblait l'intéresser; en réalité, il se rendait à peine compte de ce qui se passait.

Le professeur prit son chapeau, passa devant Pfisterle, et se tournant une dernière fois vers Daumer :

— Qu'y a-t-il de prouvé dans les conjectures de ces têtes folles; demanda-t-il d'un ton strident, rien. Ce qui est certain, c'est que quelque rustre venu d'on ne sait quel village des forêts franconiennes, s'est perdu en ville, qu'il ne sait pas parler, qu'il ignore tout de la civilisation, qu'il trouve neuf ce qui est neuf, étranger ce qui est étranger. Cela suffit pour que quelques hommes, de braves gens mais aux vues courtes, s'extasient et prennent les grossières supercheries d'un vagabond roué pour de l'argent comptant. Quelle aberration!

— On croirait entendre le Conseiller de Police Merker, ne put s'empêcher de remarquer le Directeur des Archives.

Pfisterle allait, lui aussi, protester, mais un énergique mouvement de tête de M. de Tucher le fit taire.

A ce moment, on entendit dans la rue le roulement d'un carrosse. Le directeur Wurm alla à la fenêtre et quand la voiture se fut arrêtée, il s'exclama :

— C'est le Président qui arrive.

— Comment, dit Daumer précipitamment, M. de Feuerbach?

— Oui, lui-même.

Dans son trouble, Daumer oublia ses devoirs de chef de maison; lorsqu'il se ressaisit, il était trop tard pour recevoir convenablement le Président qui se trouvait déjà sur le seuil. Son regard autoritaire parcourut les visages de tous les assistants, et en reconnaissant le Directeur des Archives, il dit vivement :

— Je suis content de vous trouver ici, car j'ai à vous parler.

Il portait un costume très simple, seule une petite décoration était fixée au revers de son habit. Le maintien à la fois dégagé et fier de son corps ramassé et trapu, son allure martiale, la manière orgueilleuse qu'il avait de rejeter légèrement la tête en arrière provoquaient la crainte et le respect. Son visage, qui à première vue, paraissait être celui d'un simple ouvrier, était rehaussé par l'éclat de ses prunelles brillantes où se lisaient les passions qui l'agitaient. Sa bouche était énergique et d'un dessin hardi.

Il donnait l'impression d'être pressé. Malgré le prestige que lui conférait sa fonction, il y avait dans toute son attitude une sorte de violence contenue, et dans la manière dont il salua les personnes présentes, quelque chose de froid et de distant. Aussi, les assistants furent-ils surpris de voir Gaspard aller au devant de lui et lui tendre familièrement la main. M. de Feuerbach la prit, et la serra même quelques instants dans la sienne.

Depuis l'arrivée du Président, Gaspard se trouvait très à son aise. Il avait souvent pensé à lui depuis le jour où celui-ci lui avait parlé dans la tour de la prison Et depuis la première poignée de mains qu'ils avaient échangée, il aimait la main de M. de Feuerbach, cette main chaude, dure, sèche, qui enfermait solidement celle qu'elle étreignait comme pour montrer qu'elle savait tenir ses promesses. Et sa main à lui s'abandonnait confiante dans la sienne, comme son corps fatigué, le soir dans son lit. Daumer conduisit le Président et le directeur Wurm dans son cabinet de travail et les laissa seuls. Les visiteurs se disposaient à partir; l'arrivée de Feuerbach leur avait fait perdre leur assurance. Gaspard voulut aider la dame à revêtir son manteau, mais elle eut un geste de refus et se hâta de rejoindre ses compagnons. M. de Tucher et Pfisterle se retirèrent également.

Gaspard prit un cahier dans un tiroir, et s'étant assis près de la lampe allait achever un devoir de latin, lorsque M. de Feuerbach et le directeur Wurm entrèrent dans la pièce. M. de Feuerbach s'avança vers le jeune homme, lui mit la main sur les cheveux, et lui redressa légèrement la tête de telle sorte que la lumière de la lampe tombait en plein sur son visage. Il plongea longuement son regard dans les yeux du jeune homme qui soutint, sans sourciller, l'éclat de ses prunelles. Puis, se tournant vers Wurm, il murmura en soupirant :

— Pas d'erreur, ce sont les mêmes traits.

Le directeur des Archives approuva d'un signe de tête.

— Cela et les rêves... Deux indices importants, dit le Président du même ton grave.

Les mains derrière le dos, il alla à la fenêtre et regarda dans le lointain. Puis, sans transition, il se tourna vers Daumer et lui demanda où en était le régime alimentaire de Gaspard. Daumer répondit qu'il avait essayé, ces derniers temps, de l'habituer à la viande :

— Il s'y est d'abord refusé. Il ne semble d'ailleurs pas que le changement de nourriture lui soit salutaire. Je crains même qu'il ne l'affaiblisse; il devient de plus en plus apathique.

D'un signe de tête, Feuerbach désigna Gaspard. Daumer comprit le geste et invita son élève à rejoindre les femmes. Et avant même que le jeune homme eût quitté la salle, il poursuivit avec ardeur :

— Le jour même où Gaspard mangea pour la première fois de la viande, le chien du voisin qui lui était très attaché chercha à le mordre, et aboya furieusement contre lui. Pour moi, ce fut une merveilleuse leçon.

Le Président répondit d'un air sombre :

— Quoi qu il en soit, je désapprouve les nombreuses expériences que vous faites sur ce jeune homme. Dans quel but? A quoi servent ces cures magnétiques et autres? On me rapporte que vous employez des remèdes homéopathiques contre certains de ses malaises physiques, pourquoi? Tout cela use un organisme aussi frêle. C'est la jeunesse qui guérit les maladies.

— Je m'étonne que Votre Excellence me fasse des reproches, répliqua Daumer froissé, mais respectueux, le corps humain est exposé à toutes sortes de douleurs passagères pour lesquelles le traitement homéopathique constitue un excellent remède. Pas plus tard que lundi dernier, une petite dose de silicate a fait merveille. Votre Excellence ne connaît-elle pas la belle vieille maxime :

Un médecin avisé tire ses remèdes du mal lui-même,
Il dissout les sels par le sel, les ardeurs par les flammes.
Vous, enfant de la nature, vous concentrez l'art,
Vous faites peu avec beaucoup et beaucoup avec peu.

Feuerbach ne put s'empêcher de sourire :

— C'est possible, c'est possible, dit-il d'un ton bourru, mais cela ne prouve rien du tout et n'a rien à faire avec la question.

— Ce n'est pas cela non plus qui m'intéresse.

— Tant mieux. N'oubliez pas qu'il s'agit de recouvrer un droit : le droit d'une vie. Je crois que j'ai été assez clair. J'espère que l'obscurité qui enveloppe cet être mystérieux se dissipera bientôt; sachez en tout cas que la reconnaissance que nous vous devons ne sera pas diminuée du fait de vos erreurs, erreurs dont les conséquences seront peut-être funestes.

Ces dernières paroles furent dites sur un ton solennel.

« Il m'a traité comme un écolier, pensa Daumer dépité après le départ de M. de Feuerbach et de Wurm. Quelle idée ai-je eu aussi de faire mienne l'affaire de cet orphelin sans patrie? J'aurais dû rester dans mon coin et m'occuper de mes affaires ».

Il poursuivit ses amères réflexions : « Ce que les gens inventent sur sa destinée ne m'intéresse que peu. Evidemment le ton du Président fait prévoir quelque chose d'extraordinaire, mais, y aurait-il du vrai dans ces étranges ragots, qui courent sur ses origines, qu'est-ce que cela me ferait? Quelle importance pour moi qu'il soit fils de paysan ou de prince? Lorsqu'on trouve sur son chemin un monsieur de haute naissance, on se montre son dévoué serviteur : une noblesse authentique et une naissance illustres en imposent toujours au petit bourgeois. Mais la vie est une chose, la pensée en est une autre; plaire aux puissants, parce qu'il est inutile de les braver, est bien, mais on peut également les ignorer, et s'enfermer hors de leur atteinte dans la tour d'ivoire de la philosophie. Voilà ce qui fait la différence entre le commun des mortels et l'homme qui pense. Un trop grand optimisme m'aurait-il poussé à considérer Gaspard comme un être supérieur? C'est encore à prouver ».

Ces réflexions n'étaient pas sans causer à Daumer une secrète tristesse.

CHAPITRE VII

M. de Feuerbach resta plus d'une semaine à Nuremberg. Pendant ce temps, ou bien il se rendait chez les Daumer pour s'entretenir avec Gaspard, ou bien faisait venir le jeune homme à son hôtel. Feuerbach n'aimait pas que ses entrevues avec Gaspard eussent des témoins. Au début, quand il se promenait dans les rues de la ville, la vue de cet homme, déjà âgé mais encore vigoureux, marchant à côté de son jeune compagnon frêle et voûté, faisait sensation. Mais un jour, au coin d'une rue, un individu, comme surgi de terre, les frôla. De ce jour, le Président s'abstint de se montrer en public avec son protégé.

Ses entretiens avec Gaspard, malgré l'habileté qu'il déploya pour leur donner un tour indifférent, poursuivaient un but précis. Gaspard ne se doutait de rien et se confiait naïvement à son protecteur. Son innocent bavardage touchait son grand ami, et souvent le Président, malgré ses dons d'intelligence et de parole, se trouvait embarrassé. Il perdit même de son assurance. « Le regard de Gaspard ressemble à l'éclat limpide du ciel le matin à l'aurore, écrivit-il à une de ses vieilles amies, et souvent quand il se pose sur moi il me semble que le char du destin s'arrête dans sa course vertigineuse. Ajoutez à cela qu'en ce qui concerne son origine, je suis sur une trace qui, j'en ai peur, me conduira au bord d'un abîme. Je devrai alors m'en remettre aux dieux car dans ce domaine les hommes ne connaissent plus de lois ».

La veille du départ du Président, avant le dîner, Gaspard se disposait à aller lui rendre visite. Il entra au salon pour prévenir la famille de son absence. Anna Daumer s'y trouvait seule; elle était assise près de la fenêtre, et précisément en train de lire la brochure du Conseiller de Police Merker. A peine eut-elle aperçu Gaspard qu'elle la dissimula précipitamment sous son tablier. « Que lisez-vous donc là, et pourquoi le cachez-vous? » dit Gaspard en souriant.

Anna rougit et balbutia quelques mots. Puis elle leva ses yeux humides de larmes et dit : « Ah, Gaspard, les hommes sont vraiment trop méchants ».

Il ne répondit rien, mais continua à sourire, ce qui étonna Anna, quoique Gaspard n'eut aucune arrière-pensée, mais une de ses singularités était de ne pouvoir jamais prendre une femme tout à fait au sérieux. « Les femmes ne font que s'asseoir, coudre, tricoter un peu, avait-il coutume de dire. Elles ne cessent de manger, de boire, et cela sans discernement, aussi, sont-elles toujours malades. Elles déblatèrent contre les autres et lorsqu'elles se trouvent ensemble, elles se montrent aimables et charmantes ». Un jour qu'il parlait ainsi devant Mme Daumer celle-ci s'en plaignit, il répondit : « Vous, vous n'êtes pas une femme, vous êtes une mère ». Une autre fois, lors du défilé d'un cirque à travers la ville, il suivit assez longtemps une jeune fille dont le costume bariolé et l'adresse avaient éveillé son attention. Par la suite il en éprouva un violent dépit car il croyait qu'il avait comme beaucoup d'autres couru après une femme.

Il annonça à Anna qu'il serait de retour pour le dîner.

— Ne sois pas en retard répondit la jeune fille. Elle savait en effet que son frère devait passer la soirée avec lui chez la Conseillère Behold qui l'en avait déjà prié à plusieurs reprises. Et comme c'était une personne influente, il n'avait pu refuser l'invitation sans risquer de la froisser.

— M. de Feuerbach passe avant les autres répondit Gaspard sèchement, et il sortit.

Le temps était doux, la neige avait depuis longtemps disparu et des nuages blancs survolaient les toits à pignons pointus. Lorsque Gaspard entra dans la pièce où se tenait le Président, celui-ci était assis à sa table de travail, dans son fauteuil et semblait perdu dans de sombres pensées.

Ce ne fut que quelques instants après que, sans le saluer, il se tourna vers Gaspard.

— Je partirai demain matin pour Ansbach, comme vous le savez, dit-il en passant sa main sur ses yeux, des semaines, des mois peut-être s'écouleront avant que nous nous revoyions. J'aimerais bien avoir, de temps à autre, de vos nouvelles; mais je ne veux pas non plus vous obliger à m'écrire, c'est un désir que j'exprime et non une obligation que je vous impose. Je pensais donc vous fournir une occasion de correspondre avec moi sans avoir à recourir aux autres. Vous n'avez aucun compte à me rendre, mais tout ce que vous confieriez à un ami, disons plutôt à votre mère, écrivez-le là-dedans. Ce disant, il tendit à Gaspard un cahier relié en bleu. Le jeune homme le saisit machinalement et lut sur un petit écusson blanc, en forme de croix : *Journal de Gaspard Hauser*. Il l'ouvrit et vit sur la première page le portrait de Feuerbach, et au-dessous deux lignes écrites de la main même du Président :

Celui qui emploie bien son temps aime Dieu,
Le paresseux se fuit lui-même.

Gaspard regarda le Président de ses grands yeux inquiets. Il répéta, pour lui, tout bas, les mots écrits et ensuite ce que M. de Feuerbach lui avait dit; mais soudain tout se brouilla et le ton solennel de son interlocuteur fit naître en lui le pressentiment d'un danger.

On frappa à la porte : « Entrez, fit Feuerbach. Un courrier apporta une lettre. Le Président eut à peine jeté un coup d'œil sur le cachet que, sans ouvrir le message, il sonna et donna l'ordre à son valet de faire atteler sur le champ.

— Je dois partir ce soir même, dit-il à Gaspard.

Gaspard restait là à écouter vaguement et à attendre. Le postillon claqua du fouet dans la cour. Lorsque le Président lui tendit la main pour lui dire au revoir, Gaspard murmura d'un ton affectueux, en souriant tristement : « J'aimerais partir avec vous.

— Comment, Gaspard, s'écria le Président, feignant la surprise et reprenant son ancien tutoiement, tu veux abandonner les Nurembergeois, as-tu donc oublié ce que tu dois à ton bon tuteur? Que dirait donc M. Daumer si tu le quittais avec tant d'ingratitude. Et tous les autres braves gens qui se sont intéressés à toi? Tu m'étonnes, Gaspard, tu ne te plais donc pas ici?

Gaspard se tut et baissa les yeux. « Ici, songea-t-il, c'est bien monotone ». Il aurait aimé s'en aller et il espérait qu'un jour ce désir se réaliserait : il ouvrirait la porte dans la nuit et marcherait devant lui sans connaître le chemin; peut-être se présenterait-il quelqu'un pour lui demander : « Où vas-tu, Gaspard? » Et on le conduirait dans un château devant lequel beaucoup de gens seraient rassemblés. De l'intérieur, une voix appellerait le nom de Gaspard, les gens s'écarteraient et beaucoup de mains désigneraient la porte vers laquelle il se dirigerait.

— Eh bien, parle, lui dit le Président d'un ton brusque.

— Ils sont tous très bons pour moi, murmura Gaspard, et ses lèvres frémirent.

— Et alors?

— Il n'y a que...

— Que quoi? Qu'est-ce qu'il y a? Explique-toi franchement.

Gaspard leva lentement les yeux, fit avec son bras un large geste comme s'il voulait y enfermer tout l'univers et dit :

— Ma mère.

Feuerbach se détourna et marcha vers la fenêtre où il resta quelque temps silencieux.

Un quart d'heure après, Gaspard rentrait par les rues étroites qui entourent l'Hôtel de Ville et arrivait à l'Egydienplatz complètement déserte à cette heure, et plongée dans l'obscurité. Une lanterne à huile brillait devant l'église. Tandis qu'il obliquait à gauche, là où les buissons bas d'un square ferment la place, du côté de la Laufergasse, il remarqua un homme qui, sans bouger, et la tête baissée, se tenait là et le regardait. Gaspard ralentit un peu sa marche; soudain il vit l'homme lever le bras et lui faire signe de le suivre.

Le cœur de Gaspard battit violemment, quelque chose le forçait à obéir à l'invitation muette de l'inconnu. L'homme continuait à faire ses gestes et Gaspard, comme attiré vers lui, fit quelques pas de son côté. Alors, l'étrange personnage, sans cesser sa mimique, s'enfonça plus avant dans l'ombre. Gaspard ne pouvait pas voir son visage dissimulé sous un large chapeau.

Malgré une révolte de tout son être, il alla vers l'inconnu. Il frissonnait d'horreur, ses yeux étaient grands ouverts; l'épouvante et l'effroi se lisaient sur sa figure. Il avançait, tenant devant lui sa main aux doigts crispés.

Il s'était assez rapproché de l'inconnu pour voir briller ses dents jaunes entre ses lèvres. Mais au même instant, de l'autre côté des buissons, retentirent les cris de quelques jeunes gens ivres. L'étranger proféra un juron guttural, se baissa rapidement et disparut en un clin d'œil derrière les arbres.

Gaspard, lui aussi, fit demi-tour. Il courut vers l'église et tomba au milieu de la bande bruyante qui chercha à le retenir. Un nouvel effroi s'ajouta au premier. Il ne leur échappa qu'à grand'peine, quelques-uns même le poursuivirent en hurlant. Il redoubla de vitesse, perdant son chapeau sans s'en soucier, traversa à toutes jambes la Judengasse et ne ralentit que lorsqu'il se trouva sur le pont qui menait à l'île de Schütt.

Daumer, inquiet, l'attendait devant la porte. Il écouta avec surprise le récit haché et confus que lui fit Gaspard, et, après quelques moments de réflexion, il trouva l'aventure bien peu croyable.

— C'est encore ton imagination déréglée qui t'a joué un méchant tour, dit-il d'un ton plus sévère que d'habitude.

— Non, c'est vrai, c'est absolument vrai, affirma Gaspard.

Puis il se plaignit d'avoir perdu son chapeau. Et finalement calmé, il montra le cahier dont lui avait fait cadeau le Président et qu'il avait tenu tout le temps serré dans une main.

Daumer y jeta un coup d'œil distrait.

— Est-ce qu'Anna ne t'avait pas prévenu que nous allions chez la Conseillère, demanda-t-il courroucé, il est grand temps de partir. Allons, dépêche-toi et va mettre ton costume des dimanches.

Gaspard lui lança un regard oblique et rentra à contrecœur dans la maison. Daumer, en habit de soirée, fit deux fois le trajet, aller et retour de son domicile, jusqu'au bord de la Pegnitz. Une demi-heure s'écoula ainsi; le temps que prenait Gaspard à s'habiller lui fit perdre patience. Il monta rapidement l'escalier, entra dans la chambre du jeune homme où brûlait une bougie. A son grand dépit, il le trouva étendu tout habillé sur son lit et dormant. Il le secoua par les épaules, mais s'arrêta subitement et arpenta plusieurs fois la pièce sans pouvoir maîtriser sa colère :

— Vais-je frustrer la curiosité de ces gens? s'écria-t-il.

Il longea le corridor et passa dans la chambre de sa sœur. Celle-ci jouait du piano. Il lui exposa ce qui se passait et Anna, sans plus d'explications, l'approuva de laisser Gaspard à la maison.

« Il faudrait nous excuser et prévenir Mme la Conseillère, dit Daumer, et on percevait dans sa voix qu'il prévoyait qu'on interpréterait sans doute mal sa conduite et qu'il en redoutait de fâcheuses conséquences. Elle répondit que la bonne était absente, et après quelques instants de réflexion, se déclara prête à faire elle-même la démarche.

Après son départ Daumer s'assit à son bureau, disposa la lampe et commença à lire. Mais sa conscience n'était pas tranquille, et le moindre bruit le faisait tressaillir. Au bout d'un temps assez long, il entendit des pas. Sa sœur était derrière sa chaise et lui chuchotait à l'oreille que la Conseillère était venue avec elle pour chercher Gaspard. Daumer sursauta.

— C'est pousser la plaisanterie un peu loin, dit-il indigné. Mais Anna lui mit la main sur la bouche car Mme Behold était déjà sur le seuil.

Elle était richement vêtue d'un manteau de soie, la tête enveloppée d'une écharpe de dentelle. Elle n'était plus dans sa prime jeunesse; mais c'était encore une femme imposante, d'une taille au-dessus de la moyenne avec une tête extraordinairement petite. Elle mêlait les manières françaises, alors à la mode, à celles de sa province de Nuremberg et cela d'une façon qui n'était pas toujours heureuse : car là où les premières auraient été à leur place, les secondes apparaissaient subrepticement comme le bout d'un habit de pauvre apparaît mal dissimulé sous le brocart d'une tunique somptueuse. Elle avança dans un frou-frou d'étoffe sur Daumer et le pauvre homme écrasé par tant de luxe oublia sa rancune et porta à ses lèvres la main que lui présentait la Conseillère.

— Faut-il donc que je vous rappelle moi-même votre promesse, s'écria-t-elle d'une voix forte et sonore, qu'est-ce que cela signifie? Qu'est-ce qui se passe? Pourquoi ce contre-ordre? Vous voyez que j'abandonne mes hôtes pour tenir un engagement que vous rompez si légèrement. Pas d'excuse, mon cher Daumer, Il faut que Gaspard vienne avec moi. Où est-il?

— Il dort, répondit Daumer timidement.

— N. d. D. [1]. Il dort. Attends, mon bonhomme, je vais te le réveiller. Allons, allons. Passez devant.

1. En français dans le texte.

Daumer n'eut pas le courage de s'opposer à ses volontés et ce procédé brutal l'empêcha même de lui exposer les raisons de son refus. Il prit la lampe et la précéda. Anna, sans rien dire, toussota pour marquer à son frère sa désapprobation. La Conseillère, nullement troublée, se contenta pour toute réponse, de hausser les épaules.

Daumer était tellement absorbé dans ses réflexions qu'il oublia de déposer la lampe. Il était difficile de voir un spectacle plus beau que cette paix et cette sérénité qui éclairaient le visage du jeune homme endormi. Mme Behold battit involontairement des mains, geste qui témoignait de la sincérité de son admiration.

— Insistez-vous toujours pour qu'on le réveille? demanda Daumer, et sa voix sonnait grave comme celle d'un juge, le sommeil est sacré et les esprits bienheureux vont s'enfuir dès que notre main le touchera.

Mme Behold battit des paupières comme pour chasser une petite émotion importune.

— Bien dit, ricana-t-elle, et sa voix grinçait comme un vieux rouet, mais je veux avoir mon dû. Quant au garçon, je lui ferai un cadeau en dédommagement, et en ce qui concerne les esprits bienheureux, ils reviendront bien; il a assez de toutes les autres nuits pour dormir.

Pendant que Daumer soulevait le dormeur par les épaules, et lui parlait doucement, plus pour se contenir lui-même que pour rassurer son pupille, une singulière expression apparut sur la figure menue de Mme Behold. Elle clignait des yeux, sa lèvre inférieure se détendait laissant voir une rangée de dents solides comme celles d'un rongeur.

— Pauvre diable [1] murmura-t-elle, pauvre petit cœur, et elle saisit la main de Gaspard.

1. En français dans le texte.

Ce contact réveilla complètement le jeune homme qui retira sa main d'un coup sec et s'étira. Son regard encore vague semblait demander ce qu'on lui voulait. Daumer le lui expliqua, versa de l'eau dans un verre et le fit boire. Puis il prit son habit des dimanches déjà préparé et le lui présenta.

Gaspard fixa un regard mécontent sur Mme Behold et dit d'un ton hautain :

— Je ne veux pas aller chez cette femme.

— Comment, Gaspard, s'écria Daumer interloqué et blessé car c'était la première fois qu'il entendait un « je ne veux pas », la première fois que la volonté de son pupille s'insurgeait contre la sienne; Gaspard en fut lui-même effrayé. Son regard redevint soumis lorsque Daumer continua d'une voix grave :

— Mais c'est moi qui le veux, et je veux aussi que tu demandes pardon à Mme Behold. Il n'est pas bien de se laisser dominer par un caprice. Si nous n'observions pas les égards dus à nos semblables, nous nous trouverions bientôt aussi abandonnés que toi au premier jour.

Les yeux baissés, Gaspard obéit; Mme Behold ne prit pas la scène très au tragique, elle lui tapota les joues et trouva Daumer un peu ridicule.

Une demi-heure plus tard, ils se trouvaient dans les salons brillamment éclairés de la Conseillère. Gaspard, assiégé de toutes parts par les invités, dut se résigner à subir patiemment le flot habituel des questions. Mme Behold ne le quittait pas d'une semelle et riait à peu près de tout ce qu'il disait. Le jeune homme, à la longue, s'inquiéta, se troubla et commença à avoir peur des paroles. Et de même que les mots les hommes se dédoublaient, ses yeux cherchaient malgré lui derrière un visage son double qui le suivait à la dérobée et lui faisait de la main un signe.

Il ne comprenait pas ce qu'on lui voulait. Le costume des gens, leurs gestes, leurs signes de tête, leurs sourires, leurs groupes, tout lui semblait inexplicable; il commençait même à ne plus se comprendre lui-même.

Daumer lui, passait de bien mauvais moments. Parmi les invités de Mme Behold, qui se piquait de recevoir dans son salon tous les étrangers de marque, on se montrait un homme qui passait pour cacher sa véritable identité. On le disait chargé d'une mission diplomatique et en route pour une résidence de l'est de l'Empire. On ajoutait que l'inconnu s'intéressait beaucoup au jeune orphelin, et qu'en présence de plusieurs personnes de poids, il avait désapprouvé et même blâmé les bruits absurdes qui circulaient sur l'origine de Gaspard. Il faut d'ailleurs reconnaître qu'il avait su les influencer. Les agissements de ce personnage ne manquèrent pas du reste d'éveiller les soupçons de Pfisterle, toujours prêt à calomnier, et qui affirmait même qu'à son avis ce diplomate n'était qu'un espion déguisé.

Daumer, qui vivait très retiré, n'avait pas eu vent de ces rumeurs. Au bout de quelque temps, l'étranger l'aborda. La conversation s'engagea et l'inconnu trouva facilement le moyen de s'isoler, avec son interlocuteur. Daumer, intimidé par les manières élégantes et l'aisance du personnage dont la poitrine était chamarrée de décorations, ne savait trop que dire et répondait par monosyllabes à la façon d'un écolier. Peu à peu cependant, il devint plus communicatif et s'entretint longuement avec l'étranger, de Gaspard. Il parla de sa nature craintive, et pour donner un exemple, il lui raconta comment le jeune homme, ce même jour, s'était enfui devant un ennemi évidemment imaginaire, et était rentré précipitamment à la maison.

L'étranger écoutait attentivement.

— Peut-être ne s'est-il pas trompé, répondit-il. Que d'événements se passent dans l'ombre! Mais, vous-même, Monsieur le professeur, si je ne me trompe, vous avez reçu, il y a assez longtemps, une sorte d'avertissement. Il ne faudrait donc pas être surpris si les menaces se réalisaient.

Ces paroles déconcertèrent Daumer, mais le prétendu diplomate continuait sur un ton d'apparente franchise sa conversation :

— Faites-vous à l'idée que cette affaire met en jeu des puissances qui ne reculeront devant rien pour mener, coûte que coûte, leurs projets à exécution. Pour le moment il me semble que l'intérêt de ces puissances est de travailler dans le plus grand secret, mais elles pourraient tout aussi bien décider d'agir ouvertement en liant tranquillement les mains à la police et à la justice. Provisoirement, on se contente de tirer les ficelles dans la coulisse.

Pour la seconde fois, Daumer fut surpris. Les paroles de son interlocuteur semblaient faire allusion à quelque chose de précis; mais l'étranger, sans lui laisser le temps de réfléchir, continua d'une voix claire et sur un ton presque confidentiel :

— Je crois surtout qu'on redoute la divulgation de ces bavardages stupides par la voix de la presse et qu'on saura les réprimer. L'on ne se démasque pas volontiers en haut lieu et l'on tient encore moins à être démasqué par les autres. On ne tient pas, et c'est aisé à comprendre à aller en place publique pour y déballer ses affaires privées. Le citoyen jouit d'assez de libertés; qu'il en use dans sa sphère comme bon lui semble, mais qu'il ne se mêle pas de ce qui se passe au-dessus de lui.

Que signifiaient ces paroles? Daumer crut comprendre où tendait ce discours. Il décida de se conformer à cet ordre. De lui-même, d'ores et déjà, il y était résolu.

— Je voudrais me permettre de vous poser une question monsieur le Professeur, reprit l'étranger; êtes-vous réellement convaincu que ce garçon, venu d'on ne sait où et auquel je porte, à ma manière, je ne le cache pas, un certain intérêt, mérite et justifie l'attention d'hommes sérieux? Cette affaire vaut-elle la peine que tout le monde s'en occupe? Et que restera-t-il pour les grands problèmes nationaux, scientifiques, artistiques et religieux, si un homme de votre valeur gaspille ses dons sur un simple phénomène de la nature? On vante les qualités extraordinaires de cet orphelin; je cherche en vain à les découvrir, et je n'hésite pas à affirmer que vous-même n'êtes guère plus avancé que moi. Attendons encore un peu et nous aurons bientôt une grande désillusion. Il y a dans notre société humaine des centaines de milliers d'êtres qui sont doués de qualités semblables et mêmes supérieures, et dont le sort est infiniment plus misérable. La vraie vertu devrait se passionner aussi pour ceux-ci et la pitié en elle-même ne devrait pas connaître de limite. Quel serait le sort de l'homme qui mettrait son cœur à la disposition de n'importe qui? Le jour où une noble cause exigerait de lui un dur sacrifice il n'aurait plus rien à donner. Imaginez ce que sera Gaspard dans une douzaine d'années et vous verrez que son cas n'offrira rien que de très normal; en prenant les choses au mieux, il n'en restera plus qu'une espèce de curiosité tout juste propre à alimenter la conversation courante et un peu de ce mystère qui échauffe toujours les têtes folles.

Une vive contrariété se peignit sur le visage de Daumer. Son regard cherchait Gaspard; mais tout ce qu'il trouvait à dire était :

— L'âme ne prouve pas son existence par des mots.

L'étranger eut un sourire amer :

— L'âme, l'âme, répliqua-t-il d'un ton ironique, elle ne peut pas prouver son existence par des mots, car qu'est-elle sinon un mot comme les autres. L'œil voit, le doigt sent, le moindre de nos cheveux vit à sa manière, le sang circule dans nos veines, chacun de nos sens anime l'espace et nous révèle la mort. Pourquoi faire tant d'embarras et pourquoi revendiquer l'âme tel un bijou qu'une femme frivole enferme dans un écrin pour ne l'en sortir que lorsqu'elle va au bal? Chacun de nous a sa part, et un supplément de forces n'est pas un privilège, mais une espérance. S'il n'en était pas ainsi, est-ce que l'aigle aurait le droit de revendiquer l'âme pour lui, parce qu'il sait mieux voler que l'oie? L'âme. Mais que vous la niiez, ou que vous écriviez des livres pour prouver son existence, vous offensez le Créateur.

Il y eut un silence. « C'est Satan », pensa Daumer, et il allait lui répondre, mais l'étranger reprit.

— Je sais que vous aimez Gaspard, dit-il d'une voix devenue grave, vous l'aimez en frère, et ce n'est pas la pitié qui vous pousse, mais le noble désir de chercher le dieu dans votre prochain, et de ne vous reconnaître que dans son image. Vous voudriez trouver une excuse à votre amour, voilà la vérité. Faut-il vous dire qu'il n'y a pas de plus profondes blessures que celles qui résultent d'un pareil désaccord. Je vous conseille de fuir la société et la vue de celui qui ne pourra plus désormais que vous causer des déceptions.

— Ainsi donc, nous sommes trop faibles devant ce que nous désirions être, dit Daumer désespéré.

L'étranger contracta son visage ridé en une sorte de rictus de regret. D'un léger signe de tête il fit comprendre à Daumer que l'entretien était terminé et les deux hommes se mêlèrent aux autres invités. Le professeur, bouleversé, ne songeait plus qu'à s'en aller. Il chercha Gaspard et le vit, pâle et silencieux, au milieu des robes chatoyantes et des habits gris ou bruns. Mme Behold était assise sur un escabeau bas, presque à ses pieds, les traits durs et sombres. Ils prirent longuement congé. Après avoir parcouru en silence une partie du chemin, à travers les rues solitaires, Daumer entoura de son bras l'épaule de son protégé :

— Ah, Gaspard, Gaspard, dit-il, et sa voix avait l'accent d'une supplication.

Gaspard, toujours prêt à s'instruire et à questionner, poussa un soupir et adressa à son maître un regard confiant et reconnaissant. Ce regard atteignit-il Daumer comme un reproche, ou la nuit, la solitude, les doutes, le singulier entretien qu'il venait d'avoir l'avaient-ils surexcité? Toujours est-il qu'il s'arrêta, resserra plus fortement son étreinte et s'écria, les yeux levés vers le ciel :

— Homme! Oh homme!

Ce mot fit tressaillir Gaspard. Il lui semblait qu'il commençait à en comprendre la pleine signification. Il entrevoyait une créature enchaînée dans les ténèbres, criant à un autre être qui lui était étranger le mot homme, et n'obtenant d'autre réponse que ce même appel : homme.

Son oreille retenait ce son auquel l'émotion de Daumer conférait un caractère solennel.

Le lendemain, il prit son journal et la première chose qu'il y inscrivit fut « Homme, oh ! homme », mots naturellement dépourvus de sens pour tout autre, mais qui, pour lui, étaient une indication profonde, un mystère dévoilé, une devise, une formule enchantée. A partir de cet instant, il considéra son journal comme une espèce de sanctuaire où l'on ne pouvait accéder qu'aux heures de recueillement. Au cours d'une de ces crises de mélancolie, auxquelles il était souvent sujet, il prit la décision de ne jamais permettre à personne, si ce n'est à sa mère, d'ouvrir son cahier et de lire ce qui y était écrit. Il était du reste parfaitement capable de s'obstiner dans une pareille résolution.

Quelques jours plus tard, les princesses de Courlande, amies intimes de Feuerbach, et qui portaient un grand intérêt à l'orphelin, vinrent faire une visite aux Daumer; on parla du cadeau que le Président avait fait à son protégé; et comme Daumer leur racontait qu'il se trouvait dans le cahier du jeune homme un beau portrait gravé sur cuivre de Feuerbach, les deux femmes désirèrent le voir. A l'étonnement général, Gaspard refusa d'aller le chercher. Daumer mécontent, lui reprocha son impolitesse, mais le jeune homme resta inébranlable. Les princesses n'insistèrent pas et changèrent le sujet de la conversation. Mais après leur départ, Daumer admonesta sévèrement son élève et voulut connaître les raisons de son attitude. Gaspard se tut.

— Et si, moi aussi, je te demandais ce cahier, refuserais-tu de me le prêter? demanda Daumer.

Gaspard le regarda de ses grands yeux ouverts et répondit naïvement :

— Je suis sûr que vous ne me le demanderiez pas, n'est-ce pas?

Daumer étonné, se tut.

Vers le soir, arriva M. de Tucher. Il désirait parler à Daumer en particulier et lorsqu'ils furent seuls, il lui dit à brûle-pourpoint :

— J'ai le regret de vous apprendre que j'ai surpris Gaspard deux fois à mentir.

Daumer fut stupéfait : « Il ne manquait plus que cela, pensa-t-il, surpris, deux fois à mentir. Grands Dieux. Qu'est-ce qui s'est encore passé ? »

Voici ce que raconta M. de Tucher.

Il s'était rendu ce même dimanche avec le bourgmestre dans la chambre de Gaspard et avait demandé au jeune homme de l'accompagner chez lui. Gaspard, en train d'étudier, avait répondu que c'était impossible, et que Daumer lui avait défendu de quitter la maison. Cette réponse avait paru suspecte au bourgmestre, d'autant plus que le jeune homme avait à peine osé les regarder en face. Il s'était discrètement informé auprès de Daumer, comme celui-ci devait s'en souvenir d'ailleurs, et ses soupçons s'étaient trouvés confirmés. Le jour suivant, ils étaient allés tous les deux pendant une absence de Daumer chez Gaspard, et lui avaient reproché son manque de franchise. Rougissant, pâlissant, le jeune homme avait fini par avouer sa faute, mais tel le lièvre aux abois se lance dans la première issue, il avait inventé, pour s'excuser, une fable stupide, comme quoi il aurait attendu une certaine dame qu'il connaissait et qui devait lui apporter un cadeau.

— Et comme nous insistions, surpris plus qu'irrités, Gaspard reconnut que c'était là un nouveau mensonge, continua M. de Tucher. Il avoua qu'il avait seulement voulu étudier en paix et éloigner les importuns. Il nous supplia de ne pas vous révéler cette faute, promettant de ne plus recommencer. Mais j'ai réfléchi et j'ai préféré vous mettre au courant de tout. Il est peut-être encore temps de combattre ce vilain défaut; on ne peut pas savoir ce qui se passe en lui, mais je crois encore à la pureté de son cœur; toutefois, il faut se montrer attentif et ferme si nous voulons éviter de lourdes déceptions.

Daumer paraissait anéanti.

— Entendre cela d'un homme sur la franchise duquel j'aurais juré, murmura-t-il. Si une autre personne m'avait raconté ce que vous me dites, je me serais contenté de rire. Il y a à peine une heure j'aurais traité de coquin celui qui m'eût déclaré que Gaspard était capable de commettre un mensonge.

— Moi aussi, j'en ai été affecté, répliqua M. de Tucher. Mais ayons de la patience, surveillez-le, et à la première occasion sévissez énergiquement.

Un mensonge, deux mensonges d'un coup. L'infortuné Daumer ne savait plus à quel saint se vouer. Il réfléchit : « M. de Tucher prend l'affaire trop au tragique, se dit-il, c'est certainement une nature très droite, mais ses préjugés l'entraînent à voir dans tous les mensonges indistinctement des actions parfaitement odieuses; il ne connaît pas la vie quotidienne qui nous apprend à distinguer ce qui est vraiment une faute de ce que certaines circonstances peuvent nous obliger à dire. Mais laissons M. de Tucher, il s'agit de Gaspard. J'avais cru pouvoir exiger de lui ce que personne n'a le droit d'exiger de son prochain. Aveuglement, présomption de ma part, nous allons bien voir. Il me faut voir désormais s'il appartient déjà à l'espèce commune ou si sa volonté est encore capable d'obéir à l'appel imperceptible d'une voix. Si son oreille ne perçoit plus aucune révélation d'esprit, alors son mensonge ressemble au premier mensonge venu; mais si je puis éveiller en lui des forces surnaturelles, alors, je pourrais narguer ces philistins qui ne pensent qu'à leur férule ».

Toute une nuit, pendant laquelle il ne dormit pas, lui fut nécessaire, pour préparer l'étrange plan qui devait être selon lui, comme un jugement de Dieu. Le refus de Gaspard de montrer son journal devait lui servir de prétexte. « Je veux l'amener à m'apporter de lui-même son cahier, calculait-il, je veux établir entre lui et moi comme une sorte de communication métaphysique. J'essayerai, sans prononcer un mot, de faire passer en lui ma volonté, et je fixerai une heure pendant laquelle il devra réaliser le désir que j'ai conçu. S'il obéit, tout est bien; s'il n'en est pas ainsi, alors, adieu la croyance au prodige, alors le matérialiste éloquent de l'autre soir aura eu raison de vouloir me faire douter de l'âme par ses discours ».

Le lendemain matin, vers neuf heures, Anna alla trouver son frère et lui dit que Gaspard lui faisait très mauvaise impression, qu'il s'était levé dès cinq heures, et était en proie à une agitation qu'elle ne lui avait jamais connue. Au déjeuner, il n'avait cessé de jeter autour de lui des regards anxieux, sans toucher aux mets.

Daumer sourit. « Est-ce qu'il sentirait déjà maintenant ce que je me propose de faire? » pensa-t-il, et il en fut rassuré et content. Il trouva un prétexte plausible pour éloigner les femmes de la maison : Mme Daumer devait d'ailleurs aller au marché; quant à Anna, il lui persuada de faire quelques visites. A onze heures, Gaspard se mit à ses devoirs. Daumer passa dans une chambre contiguë, sans toutefois fermer la porte. Il s'assit sur une petite chaise, un peu derrière le seuil, le visage tourné vers Gaspard. Il commença aussitôt à concentrer de toutes ses forces ses pensées vers un seul but. Tout était tranquille, dans la maison, aucun bruit ne troublait la singulière expérience.

Il était assis là, pâle, le visage tendu et observait le jeune homme qui se levait fréquemment de sa place pour aller à la fenêtre. Tantôt il l'ouvrait, tantôt il la fermait, puis il se dirigeait vers la porte, avec l'air de se demander s'il allait sortir. Son regard était inquiet et sa bouche douloureuse.

« Ah, cela le travaille », jubilait Daumer; et chaque fois que Gaspard s'approchait de la petite armoire où devait probablement se trouver le cahier, le cœur de l'infortuné hypnotiseur battait d'impatience.

Gaspard était loin de soupçonner ce que faisait Daumer, de se douter qu'à cette minute lui et son destin étaient comme placés devant un tribunal.

Il avait peur, affreusement peur; il avait le pressentiment qu'un malheur allait s'abattre sur lui, et était obsédé par l'idée que quelqu'un était en route pour lui faire du mal. L'air dans la chambre était étouffant; les nuages s'immobilisaient dans le ciel comme pour se tenir aux aguets et lorsqu'une hirondelle volait au-dessus de la cime des arbres, devant la fenêtre, c'était comme si une main noire avait plongé dans la chambre avec la rapidité d'une flèche; les poutres du plafond semblaient s'abaisser et les boiseries craquaient.

Gaspard n'en pouvait plus; l'atmosphère devenait intolérable. Son regard était fixe, un frisson d'angoisse passait dans ses membres, sa poitrine était oppressée, il lui fallait à tout prix sortir, sortir... Tout à coup, il s'élança hors de la pièce avec des gestes désordonnés.

Daumer resta tranquillement assis, et regarda devant lui comme un homme qui sort de l'ivresse. Le délai qu'il s'était fixé était écoulé. Il était confus autant de ce qu'il avait essayé que de son échec. Il était en effet trop lucide pour ne pas se rendre compte de la puérilité de son essai.

Il tomba dans une indifférence triste. Le souvenir des espérances qu'il avait naguère fondées sur son élève fit passer dans sa bouche un goût d'amertume. Il résolut de consacrer dorénavant sa vie, comme autrefois, à sa profession, à ses études, à la solitude, et de diriger désormais les ressources de son intelligence vers des sciences et vers des recherches qui lui apporteraient, d'elles-mêmes, leur récompense.

CHAPITRE VIII

Gaspard était passé dans le jardin. Il courait sur le sol détrempé jusqu'à la palissade et regardait le fleuve. Une vapeur, couleur de plomb, enveloppait les tourelles et les toits de la ville emboîtés les uns dans les autres. Seule la toiture bariolée de l'église Saint-Laurent brillait d'un éclat limpide. Tout cela ressemblait plutôt à une image reflétée dans l'eau qu'à un paysage véritable.

Gaspard, malgré la chaleur, avait froid. Il retourna vers la maison. Il ouvrit la petite porte et fut surpris du silence qui régnait dans le corridor. Un large rayon de soleil inondait les dalles et jouait sur les marches blanches de l'escalier augmentant l'impression de solitude et d'abandon. Derrière la porte de la chambre de Régulein, on entendait les sons d'un violon : le candidat en théologie s'exerçait. Gaspard, un pied sur la marche de l'escalier, s'arrêta pour écouter.

Et c'est alors qu'« il » vint. Ce fut d'abord une ombre, puis une silhouette, enfin une voix, une voix profonde qui murmura derrière lui ces mots : « Gaspard, il faut mourir ».

« Mourir »? pensa Gaspard, et ses bras se raidirent comme des morceaux de bois.

Il vit, debout devant lui, un homme dont le visage était dissimulé par une étoffe de soie noire que la brise gonflait légèrement. Il était entièrement vêtu de brun :

les souliers, les bas, l'habit. Ses mains étaient gantées. Dans sa main droite étincelait un objet en métal qui, l'espace d'un instant, jeta un éclat rapide. L'homme frappa Gaspard au moment où celui-ci, a demi-paralysé par l'effroi, levait les yeux. Le jeune homme ressentit aussitôt une affreuse douleur à la tête.

Regulein cessa subitement de jouer du violon, un bruit de pas retentit, puis cessa. Mais cela avait suffi pour déranger l'homme masqué et l'empêcher de porter un second coup. Lorsque Gaspard rouvrit ses yeux, inondé d'un liquide chaud qui lui coulait du front, son agresseur avait disparu.

Ah, si seulement il n'avait pas porté de gants, pensa Gaspard tandis qu'il essayait de se diriger, en chancelant, je reconnaîtrais cette main entre mille. Il ne trouva point d'appui contre le mur étroit du corridor, et tenta de monter l'escalier, mais le rayon de soleil lui parut comme un torrent de feu placé pour lui barrer le passage. Il se laissa glisser à terre, se cramponna à la colonne de pierre, et y demeura sans bouger plusieurs minutes; puis il tressaillit à l'idée que l'homme masqué pourrait revenir. Rassemblant toute son énergie, pour ne pas perdre connaissance, il se leva et marcha difficilement, à tâtons, en longeant le mur, comme s'il cherchait un trou où se terrer.

Arrivé à l'escalier de la cave, il faillit y tomber car la porte n'était qu'entrebâillée et céda à la poussée de sa main. Aveuglé par le sang, incapable de réflexion, il descendit les marches à l'aveuglette, le plus rapidement possible; il croyait déjà sentir sur ses talons l'inconnu. Dans la cave une eau de pluie accumulée par le mauvais temps éclaboussa ses jambes. Enfin, il trouva un coin sec et s'y laissa tomber, à demi-mort d'épouvante et d'horreur. Recroquevillé sur lui-même, il entendit encore l'horloge de la tour sonner midi ; puis il perdit conscience.

A midi et quart, les dames Daumer revinrent. Anna, qui marchait la première dans le corridor, poussa un cri en apercevant la large flaque de sang au pied de l'escalier. En même temps Regulein sortit de sa chambre :

— Eh bien, en voilà une histoire, s'écria-t-il.

Mme Daumer, nullement affolée, déclara tranquillement que quelqu'un avait dû saigner du nez. Mais Anna, que l'inquiétude gagnait de plus en plus, montra les empreintes de doigts sanglants visibles tout le long du mur jusqu'à la cave. Elle monta l'escalier en toute hâte. Sa première pensée fut : Gaspard. Elle le chercha vainement dans toutes les chambres et dit à son frère :

— Tu sais, au rez-de-chaussée, il y a du sang partout.

Daumer, poussa une exclamation d'angoisse, se leva de sa table de travail et descendit en courant.

Pendant ce temps Regulein avait suivi la trace du sang jusque dans la cave. D'une voix rauque, il réclama de la lumière, et cria :

— Il est ici, dans la cave, mon pauvre Gaspard ! Au secours ! Au secours ! Vite !

Tous les trois se précipitèrent ; Anna revint, haletante chercher une bougie ; les autres relevèrent, non sans peine, le corps affalé du jeune homme et le montèrent dans sa chambre.

— Cours chercher le médecin, cria Mme Daumer à sa fille, et celle-ci, dans son émotion, éteignit la bougie, la jeta par terre et partit en toute hâte.

Quand Gaspard fut enfin couché dans son lit, ils lavèrent le sang coagulé et découvrirent une plaie assez sérieuse au milieu du front. Daumer, se tordant les mains, arpentait nerveusement la chambre et ne cessait de gémir :

« Et il faut que tout cela m'arrive à moi, dans ma maison ! Je l'avais prévu. J'en étais sûr. »

Lorsqu'Anna revint avec le médecin, la place devant la maison était déjà remplie de curieux. Dans le corridor se tenaient quelques membres de la municipalité et de la police. Le médecin légiste vint un peu plus tard.

Les deux praticiens déclarèrent la blessure peu dangereuse; mais ils refusèrent de se prononcer sur le choc nerveux qui pouvait en résulter, surtout chez une constitution frêle comme celle de Gaspard.

On ne put dresser un procès-verbal en règle car le jeune homme ne reprenait ses sens que par intermittence. Dans ses moments de lucidité, il balbutiait des mots qui laissaient vaguement entrevoir ce qui s'était passé; il parlait de l'homme masqué, de ses bottes brillantes, de ses gants jaunes, puis retombait dans les divagations de la fièvre et du délire. En inspectant les lieux on découvrit le chemin qu'avait suivi l'inconnu pour pénétrer dans la maison; il y avait, en effet, sous l'escalier donnant sur le jardin des voisins un portillon dont on avait fait sauter le cadenas.

L'interrogatoire de Daumer ne donna aucun résultat car il était incapable de répondre aux questions. Vers le soir, M. de Tucher vint annoncer qu'on avait envoyé un message à M. de Feuerbach.

La municipalité organisa immédiatement les recherches. A toutes les portes de la ville, les sentinelles furent chargées d'une surveillance sévère; les auberges et les asiles de nuit que fréquentait la pègre furent perquisitionnés; la gendarmerie et les communes rurales reçurent l'ordre d'avoir à redoubler de vigilance. Un avis public fut affiché à l'Hôtel de Ville; et la moitié du personnel de police fut chargé de la poursuite du meurtrier.

Le crime avait été commis un lundi. M. de Feuerbach, qui devait diriger les débats d'un procès, ne put malheureusement pas partir sur-le-champ pour Nuremberg. Ce ne fut que le jeudi qu'il arriva dans la ville; il se rendit immédiatement à l'Hôtel de Ville et se fit mettre au courant par le bureau des mesures prises et des résultats obtenus. Il se montra très mécontent de ce qui avait été fait et reprocha aux employés leur maladresse, avec une telle violence, qu'ils ne savaient plus où se cacher. Il faisait des remarques sarcastiques sur les procès-verbaux et interrogatoires qu'on lui présentait. On y parlait de la femme d'un gabelou qui aurait vu un homme bien mis se lavant les mains dans une cuve à incendie à la Schiengraben, d'une marchande de fruits qui aurait rencontré au faubourg Saint-Jean un étranger qui lui demanda le nom du gardien du jardin zoologique et s'enquit si l'on pouvait pénétrer dans la ville sans être inquiété. On avait arrêté des vagabonds suspects, des gens sans domicile, on avait pris en surveillance deux individus, l'un en costume clair, l'autre en habit sombre, qu'on avait vu se faire des signes sur le pont des Bouchers.

— Trop tard, trop tard grinça le Président. Pourquoi n'a-t-on pas contrôlé la liste de passage des étrangers dans les hôtels de la ville? demanda-t-il au greffier tremblant.

— Nous sommes sur plusieurs pistes, remarqua timidement le malheureux.

— L'incompétence est toujours sur plusieurs pistes, coupa le Président d'une voix mordante, et il ajouta : Ecoutez-moi tous, bon Dieu, le malfaiteur que nous recherchons ne se lave pas les mains au milieu de la route, n'entre pas en conversation avec une fruitière, n'a pas à redouter le fonctionnaire d'une porte de la ville. Vous avez cherché trop bas, beaucoup trop bas.

Accompagné d'un secrétaire, il alla visiter, en personne, la maison des Daumer. Le Conseiller Behold, qui était allé avec lui ne cessait de l'agacer par des remarques importunes. Il lui raconta notamment qu'on disait que le professeur Daumer ne voulait plus garder Gaspard chez lui et que lui, Behold, s'offrait à le prendre sous son toit. Fatigué par cette conversation inutile, M. de Feuerbach se débarrassa de lui en le chargeant d'un message pour M. de Tucher.

Il eut un entretien avec Daumer et fut frappé de l'incohérence de son langage. Ce qui augmenta encore le trouble du professeur, ce fut le ton amical qu'adopta Feuerbach pour l'interroger. Daumer se souvenant de la rencontre mystérieuse que Gaspard avait faite devant l'Egydienkirche, en fit part au Président.

— Et c'est maintenant que vous me parlez de cela? s'emporta Feuerbach, l'affaire a-t-elle eu des conséquences immédiates? N'avez-vous rien remarqué de suspect par la suite?

— Non, bredouilla Daumer effrayé par le regard d'acier de son interlocuteur. Pourtant, un fait me revient à l'esprit; le même soir, chez Mme Behold, j'ai rencontré un invité qui a fait en ma présence des allusions étranges. Mais je ne sais pas trop quelle conclusion en tirer.

— Quel était cet homme? Comment s'appelait-il?

— On prétend que c'était un diplomate en voyage. Quant au nom, je ne m'en souviens plus. Et pourtant si... Oui..., c'est bien cela : M. de Schlotheim-Lavancourt. Mais on disait qu'il se cachait sous un pseudonyme.

— Comment était-il physiquement?

— Gros, grand, ayant largement dépassé la cinquantaine. Le visage marqué par la petite vérole.

— Racontez-moi la conversation que vous avez eue avec lui.

Daumer lui exposa de son mieux leur entretien. Feuerbach tomba d'abord dans une méditation profonde, puis nota quelques mots dans son calepin. « Allons voir Gaspard », dit-il en se levant. Gaspard portait encore le front bandé. Son visage était presqu'aussi blanc que le linge; le sourire même par lequel il accueillit le Président était pâle. Il avait déjà subi trois ou quatre interrogatoires; au premier il avait raconté tout ce qu'il y avait d'important. Cela n'empêchait pas un vieux rond-de-cuir de greffier de venir tous les jours, en trottinant, lui poser des questions à tort et à travers pour tâcher de surprendre dans ses déclarations une contradiction. Car on peut travailler sur une contradiction, tandis qu'il n'y a rien à faire si la version est toujours la même. Le Président s'abstint de rien lui demander; Gaspard lui parut très changé. Il y avait en lui quelque chose d'inquiet; il n'était plus aussi libre et semblait plus attaché aux choses.

Mme Daumer et sa fille se déclarèrent satisfaites de l'état de santé de Gaspard et le médecin arriva pour confirmer leur opinion et pour déclarer que tout danger était désormais écarté. Sur un ton qui était plutôt celui du commandement, que celui du désir, le Président déclara qu'il comptait bien que ces jours-ci tous les visiteurs étrangers, sans exception, seraient éconduits. Daumer répondit que cette mesure était toute naturelle, et que ce matin même il avait fait donner une réponse dans ce sens à un laquais galonné.

— C'était le domestique d'un Anglais, de haute condition, qui loge à l'hôtel de l'Aigle, compléta Mme Daumer. Il est revenu, d'ailleurs, une heure plus tard pour s'informer minutieusement de la santé de Gaspard.

On frappa à la porte et M. de Tucher entra. Il salua le Président et raconta une nouvelle sensationnelle. Ce même Anglais, un comte ou un lord très riche, à en juger par les apparences, avait fait une visite au bourgmestre et lui avait remis cent ducats comme prime à offrir à celui qui réussirait à découvrir l'auteur de l'attentat.

Un silence suivit ces paroles. Il fut interrompu par le Président qui demanda si l'on savait pour quelle raison l'étranger séjournait dans la ville. M. de Tucher ne put le dire.

— Tout ce que je sais, poursuivit-il, c'est qu'il est arrivé avant-hier. On raconte qu'une des roues de sa voiture s'est brisée et qu'il attend pour repartir que le véhicule soit remis en état.

Le Président fronça les sourcils. Un soupçon passa dans son regard, tel le chien de chasse qui hésite entre plusieurs pistes qui le déconcertent.

— Comment s'appelle cet homme? demanda-t-il sur un ton volontairement indifférent.

— Je ne me souviens plus de son nom, répliqua le baron de Tucher, mais ce doit être un grand seigneur car le bourgmestre ne tarit pas sur son amabilité.

— On traite un grand seigneur d'aimable lorsqu'après vous avoir marché sur les pieds il vous demande pardon, observa Anna d'un ton impertinent.

Daumer lui lança un regard réprobateur, mais M. de Feuerbach éclata d'un rire qui se communiqua à tous les autres assistants. Longtemps après, il continuait à rire sous cape et ses yeux clignaient de satisfaction.

Seul, Gaspard ne prit aucune part à cet incident

comique. Il regardait devant lui et souhaitait de voir l'homme qui viendrait de très loin et offrirait beaucoup d'argent pour trouver celui qui l'avait frappé. Oui, de très loin; car c'était de très loin seulement que viendrait l'objet de son désir, de la mer, des pays inconnus. Le Président, lui aussi, venait de loin, mais pas assez cependant pour que son front se nimbât d'un éclat étranger, qu'un vent doux s'attachât à ses vêtements, ou que ses yeux fussent comme des étoiles, sans reproches et sans questions. Celui qui viendrait de loin serait revêtu d'habits d'argent et suivi de nombreux chevaux; celui-là n'aurait pas besoin de l'interroger car il saurait tout. Quant aux autres; tous ceux qui l'approchaient, qui étaient autour de lui, ils n'avaient jamais l'air de gens qui venaient de descendre de coursiers écumants. Leur haleine était lourde comme l'atmosphère des caves, leurs mains fatiguées et non comme celles des cavaliers. Leurs visages portaient un masque, non pas le masque noir de celui qui l'avait frappé et l'avait approché de plus près que quiconque, mais un masque indistinct. Ils parlaient d'un ton sourd, en contrefaisant leurs voix, aussi Gaspard résolut d'user de dissimulation car il ne pouvait plus maintenant les regarder en face et leur dire tout ce qu'il aurait voulu. Il aimait à se taire, surtout lorsque les gens s'attendaient à l'entendre et il se complaisait à cacher ses rêves et ses pensées et à leur faire comprendre que jamais ils ne parviendraient à se familiariser avec lui, complètement.

Daumer était trop préoccupé, trop bouleversé par la décision irrévocable qu'il avait prise pour observer si Gaspard l'accueillait encore avec la même franchise enfantine. M. de Tucher fut le seul à remarquer quelque chose d'anormal dans la conduite de Gaspard et y fit allusion lorsqu'il sortit avec M. de Feuerbach de la maison des Daumer. Celui-ci se contenta de hausser les épaules sans répondre. Il pria le baron de l'accompagner à l'hôtel de l'Aigle. Là ils s'informèrent si le gentilhomme anglais était encore chez lui et apprirent que Sa Seigneurie lord Stanhope — c'est ainsi que le nomma le garçon d'hôtel — était parti depuis une heure à peine. M. de Feuerbach, désagréablement surpris demanda si l'on connaissait la direction qu'avait prise la voiture. On lui répondit qu'on ne le savait pas exactement mais comme elle avait franchi la porte Jacob, il était vraisemblable qu'elle se rendait dans le sud, peut-être à Munich.

— Trop tard, encore trop tard, murmura le Président j'aurais aimé savoir, dit-il en s'adressant à M. de Tucher, ce qui a engagé Sa Seigneurie à offrir cette prime.

Le visage de Feuerbach tourmenté par une attention sans cesse en éveil, autant que par le feu intérieur qui le dévorait, ressemblait plus à celui d'un malade ou d'un possédé qu'à celui d'un homme normal. Et cela durait depuis des mois. Les employés sous ses ordres, craignaient sa présence; la moindre négligence dans leur service, la plus petite contradiction le mettait hors de lui; de tout temps, ses colères avaient été terribles, mais maintenant le plus petit motif suffisait à les provoquer. Ses éclats retentissaient alors à travers les salles et les corridors de la Cour d'appel; les paysans, sur le marché, s'arrêtaient et disaient : « Son Excellence n'est pas contente ». Et tous, jusqu'au dernier scribe, terrorisés n'osaient bouger de leurs chaises.

Peut-être l'eussent-ils supporté plus docilement, s'ils avaient connu la souffrance que lui causaient ses propres emportements, et combien il regrettait ses fureurs, au point que, parfois, comme pour se racheter, il jetait une pièce d'argent au premier mendiant venu qu'il croisait dans la rue. Ils étaient certes, loin de soupçonner que sa mauvaise humeur dissimulait un terrible combat qui se déroulait en lui entre son honneur et son devoir, que cet homme génial s'efforçait de voir clair dans cette atmosphère de trouble et d'agitation et de préparer des plans pour déjouer le plus abominable des crimes.

Il avait réussi à tisser de sa main adroite les fils mystérieux qui rattachaient le destin de Gaspard à son passé inconnu et à en faire une étoffe sur laquelle jaillissaient, en lettres de feu, ce qui, par la faute des circonstances, était resté obscur.

Mais sa propre création le remplissait de terreur et son existence même était en péril. Lui, savait maintenant; mais avait-il le droit de révéler au public la terrible vérité, de passer par dessus les considérations que lui imposaient, et sa fonction et la confiance de son roi? Ne valait-il pas mieux continuer à veiller dans l'ombre et à guetter l'occasion favorable pour attaquer à l'improviste et avec la même ruse qu'elle, cette redoutable puissance. Il n'avait rien à gagner dans cette lutte, pas même de la reconnaissance; et il avait tout à perdre.

Quel tourment étrange, se disait-il dans ses nuits d'insomnie, d'être condamné à suivre passivement, comme gardien officiel, les agissements coupables, sans pouvoir intervenir; d'appliquer des lois insuffisantes à toutes sortes de délits, de se tenir aux règlements à la lettre pendant que la vie crée et détruit, de n'être jamais le maître de ses actions, mais le limier à la recherche des coupables et de ne jamais savoir ce qu'il faut empêcher, ce qu'il faut favoriser.

Il n'eût pas été l'homme qu'il était, s'il n'avait pas trouvé entre la révélation publique et un silence complice un moyen qui satisfît sa conscience. Il adressa au roi un mémoire détaillé, dans lequel, analysant prudemment la valeur de tous les indices, il lui exposait le cas avec franchise et audace : chaque phrase était comme un coup de marteau.

Le rapport commençait par expliquer que Gaspard ne devait pas être un enfant naturel, mais bien un enfant légitime. Si Gaspard avait été un enfant naturel, on aurait employé des moyens plus simples, moins cruels et moins dangereux pour cacher sa naissance, que cet emprisonnement et finalement cet abandon sur la voie publique. Plus la situation de l'un des parents était élevée, et plus il était facile d'éloigner l'enfant. S'il avait appartenu à des gens de classe inférieure et peu fortunés, il n'y aurait pas eu de raison de recourir à des mesures si importantes et si perfides. L'eau et le pain qui formaient la nourriture de l'orphelin, la charité publique aurait pu tout aussi bien les lui offrir. Que l'on considère Gaspard comme un enfant d'une extraction haute ou basse, riche ou pauvre, les méthodes employées avaient été hors de proportion. Qui voudrait assumer une telle responsabilité, d'autant plus lourde qu'il fallait la renouveler jour par jour pour un temps indéterminé, et Dieu sait quand elle finirait. Il ressortait de toutes ces considérations, continuait l'impitoyable accusateur, que des personnes très puissantes et très riches étaient mêlées à ce crime; pour elles, les obstacles ordinaires n'existaient pas; elles avaient, soit par la promesse d'avantages précieux, soit par les menaces, obtenu la docilité de certaines personnes et avaient acheté à prix d'or silences et complicités. Autrement, était-il possible d'expliquer que dans une ville comme Nuremberg on ait pu abandonner l'enfant en plein jour et que le coupable ait trouvé moyen de disparaître sans laisser de traces; que dans toutes les recherches entreprises depuis de longs mois avec un zèle inlassable, on n'ait découvert aucun indice qui pût mettre sur la piste d'un individu ou d'un lieu. Et que même les plus hautes récompenses n'aient amené aucune découverte satisfaisante.

C'est pourquoi Gaspard devait être quelqu'un à l'existence duquel se rattachaient de puissants intérêts, concluait Feuerbach. Ni la vengeance, ni la haine ne pouvaient être les mobiles du forfait, mais on avait voulu écarter le jeune homme pour donner à d'autres ce qui lui revenait, pour que d'autres pussent hériter à sa place et jouir tranquillement de leur héritage. Il devait être de haute naissance, à preuve les songes merveilleux qu'il a et qui ne sont que les souvenirs réveillés de sa première jeunesse, à preuve son incarcération et les conclusions qui en découlaient. Il est vrai qu'en prison, il avait été bien nourri. Mais ne peut-on citer des cas de gens qui n'ont pas été emprisonnés dans une intention mauvaise, mais bien plutôt dans une intention bienveillante : non pour les perdre, mais pour les sauver. Peut-être aussi que sa seule existence devait servir à exercer une pression sur une personne qui désapprouvait cet enlèvement; mais qui n'avait pas osé élever une protestation. On avait traité Gaspard avec douceur? Pourquoi? Pourquoi ne pas l'avoir tué? Pourquoi n'avoir pas versé dans son eau une goutte de plus de l'opium qu'on lui donnait de temps à autre pour l'assoupir? Le cachot n'est-il pas encore plus sûr quand la victime est morte?

Si dans n'importe quelle famille, illustre, distinguée, ou simplement honorable, un enfant avait disparu sans que l'on eût rien appris, ni sur sa vie, ni sur sa mort, ni sur sa disparition, on aurait du moins connu quelle était la famille frappée par le malheur. Or, depuis de longues années déjà, et bien que le cas de Gaspard fût devenu un événement public, rien, absolument rien n'avait transpiré. Il fallait donc chercher Gaspard parmi les morts. C'est-à-dire qu'un enfant avait été déclaré décédé — et on le considérait encore comme tel — alors qu'en réalité il était vivant; plus explicitement, qu'un enfant dans la personne duquel une lignée mâle devait s'éteindre avait été délibérément écarté. A un enfant, qui peut-être à ce moment-là était justement malade, on en avait substitué un autre, mort ou mourant, qu'on avait exposé sur un lit de parade, puis enterré. Et ainsi on avait porté Gaspard sur le registre des décès. Le médecin avait-il été complice? Avait-il reçu l'ordre de le tuer? Et l'humanité la plus simple ou des desseins habiles l'avaient-ils poussé à ne remplir sa mission qu'en apparence et à sauver cette vie humaine; ce n'avait pas dû être très difficile pour lui du reste. Mais il y avait au-dessus de tous ces gens une volonté supérieure. Qui avait été assez fort pour se charger devant l'éternité d'une pareille responsabilité? Quelle était la maison où ce crime inouï s'était perpétré?

Arrivé à ce point de son rapport, M. de Feuerbach cessa d'écrire durant de longs jours, de longues semaines. Ce n'était ni par faiblesse, ni par indécision, mais il ressentait la douloureuse hésitation du général qui, quelle que soit l'issue de la bataille, prévoit d'avance sa propre ruine. Arracher la couronne d'une tête princière, montrer du doigt le diadème souillé, n'était-ce pas offenser la majesté de son propre roi, fouler aux pieds les traditions sacrées, pousser à la révolte les peuples en tutelle. Pourtant, plus il allait et plus il sentait combien la vérité s'enchaînait et devenait impérieuse.

Il citait le nom de la Maison, prouvait comment d'une

manière surprenante et contre toute attente une vieille famille s'était éteinte subitement dans ses descendants mâles pour faire place à un rejeton d'une branche collatérale, issue d'un mariage morganatique. Et cette fin d'une lignée n'avait pas eu lieu dans un milieu sans enfant, mais au contraire dans une Maison où il y en avait beaucoup. Seuls les garçons mouraient, tandis que les filles continuaient à vivre. La mère était devenue une nouvelle Niobé avec cette différence que la flèche d'Apollon tuait indistinctement les enfants des deux sexes, tandis qu'ici l'ange exterminateur épargnait l'un et immolait l'autre. N'était-ce pas frappant, étonnant même, que dès le berceau, alors que les filles étaient robustes, les garçons étaient déjà condamnés. Comment expliquer qu'une femme put avoir du même homme trois filles bien portantes et par contre des fils non viables? Ce n'était pas le hasard qui était en cause, mais un plan systématique avait été établi; ou alors, il aurait fallu croire que la Providence était elle-même intervenue pour favoriser un changement dynastique. Peu de temps après l'apparition du jeune homme, le bruit s'était répandu à Nuremberg que Gaspard était justement le prince de cette vieille famille qu'on avait déclaré mort; et les mêmes rumeurs n'avaient cessé de se répandre. Ce n'était assurément que des bruits, mais il n'y a pas de fumée sans feu, et ce genre de ragots naît, en général, quand un crime secret a été commis; soit que l'un des complices, trop prodigue de confidences, bavarde; soit qu'il ait été imprudent ou qu'il ait voulu soulager sa conscience, soit enfin qu'il ait été déçu dans ses espoirs et que, sans trahir, il ait néanmoins cherché à favoriser la découverte de la vérité.

Le Président ne se contenta pas de donner le nom

de la dynastie et du pays qui lui appartenait par héritage, il nomma aussi le prince dont la mort subite, survenue il y a plus de dix ans, avait éveillée les soupçons. Il cita encore une princesse qui, de très noble origine, portait le deuil d'un tragique destin dans une solitude volontaire. Il nomma tous ceux qui avaient marché sur des cadavres pour accéder au trône : un prince faible mais ambitieux et surtout une femme au caractère diabolique, celle qui avait ordonné cet horrible forfait.

Il y avait dans la franchise brutale de M. de Feuerbach une nuance d'amertume qui lui venait de son passé. Il connaissait la Cour où règnent en maître la ruse et la perfidie et où la bassesse se cache derrière l'hypocrisie; il avait respiré son atmosphère, mangé à sa table, goûté à ses poisons, gaspillé les meilleures heures de sa vie et de ses forces à son service et n'en avait retiré qu'ingratitudes et haines. Il connaissait ses créatures et ses séides; il les connaissait, ceux pour qui l'histoire n'est qu'un arbre généalogique, la religion qu'une litanie de prêtres, la philosophie qu'un exécrable « jacobinisme », la politique qu'un jeu de colin-maillard, les finances qu'une opération d'arithmétique sans preuve, les droits de l'homme qu'un jeu de gages, le monarque qu'un bouclier de leur propre puissance, la patrie qu'une ferme, et la liberté qu'une prétention d'insensés qu'il faut châtier. Derrière ce qu'il avait écrit, on sentait monter l'âcre souvenir des années perdues, des humiliations subies. Il ne parlait pas de lui, mais les mots qu'il avait écrits trahissaient une rancune invisible toutefois pour le roi qui lirait son rapport.

Quand il fallut expédier son dossier, Feuerbach entoura son envoi de minutieuses précautions, pour qu'il ne tombât pas en d'autres mains que celles du Régent.

Il attendit des semaines entières une réponse, une décision, un signe quelconque. Sur ces entrefaites, vint la nouvelle de l'attentat contre Gaspard. Le Président partit pour Nuremberg où ses propres mesures n'eurent pas plus de succès que celles de la police.

Il était dans la ville depuis dix jours lorsqu'il reçut une lettre du cabinet particulier du roi. On avait pris note, y disait-on, de ses communications, et on l'en remerciait comme il convenait; on avait apprécié son étonnante perspicacité à débrouiller une situation compliquée, mais sur l'essentiel, on se montrait réservé; on allait examiner, réfléchir; mais il fallait attendre; il y avait des ménagements à prendre, car il s'agissait de gens avec lesquels il fallait user d'égards; en lui-même ce cas incroyable portait plutôt à l'étonnement et à la stupeur qu'à une intervention rapide et irréfléchie. Pourtant on promettait, on promettait beaucoup. Mais, avant tout, on recommandait le silence, le silence absolu. Sous peine de perdre toute faveur, il ne fallait pas qu'une nouvelle de cette sorte fût ébruitée et surtout pas par un haut fonctionnaire de l'état; on exigeait sur ce point une entière obéissance.

L'effet de cette lettre, qui mêlait les flatteries aux menaces, et qui ressemblait à la main tendue d'un ami où brillerait un poignard, fut d'autant plus violent que depuis longtemps Feuerbach la prévoyait et la redoutait. Le Président écuma, piétina la missive; la poitrine haletante, les poings serrés contre les tempes, il arpenta quelque temps la chambre, puis se jeta sur son lit; le bruissement de son sang dans ses artères l'inquiéta, et il se soulagea finalement par de longs et puissants éclats de rire où s'exhalaient sa rage et sa rancœur.

Après cela, il resta couché des heures entières, ne

pensant à rien d'autre qu'à ces mots « Silence, silence, silence absolu ».

Dans l'après-midi du même jour, le bourgmestre Binder vint plusieurs fois à l'hôtel pour s'entretenir avec le Président. Le domestique lui fit chaque fois la même réponse : il avait inutilement frappé à la porte de M. de Feuerbach; celui-ci dormait ou désirait ne pas être dérangé. Vers le soir Binder se présenta de nouveau et fut enfin reçu. Il trouva le Président plongé dans la lecture d'un dossier. D'un ton sec, Feuerbach le pria de l'excuser et lui demanda d'être bref. Le bourgmestre, interloqué, recula d'un pas, et dit fièrement qu'il ignorait ce qui pouvait lui avoir valu le mécontentement de Son Excellence, mais quelle qu'en fût la cause, il ne pouvait accepter d'être reçu de la sorte : « Pour l'amour du ciel, s'écria Feuerbach en se levant ne parlons pas de cela, cher ami; celui qui grille sur un bûcher mérite d'être excusé s'il oublie d'être aimable ».

Binder, étonné, baissa la tête et se tut. Puis il exposa le but de sa visite; le Président n'ignorait sans doute pas que Daumer avait l'intention de se séparer de Gaspard. Le jeune homme étant suffisamment rétabli, le professeur avait résolu de le confier, sans plus attendre, aux Behold. Tout était arrangé, mais auparavant, on voulait avoir l'approbation de Feuerbach.

— Oui, je sais, Daumer en a par dessus la tête, répondit Feuerbach mécontent; je ne lui fais pas de reproche, personne ne tient à voir sa maison devenir un coupe-gorge guetté par les assassins. Il va falloir du reste prendre des mesures énergiques; Gaspard à partir d'aujourd'hui devra être mis sous la surveillance rigoureuse de la police; la ville me répondra de lui. Mais d'où vient cette hâte de Daumer? Et pourquoi envoie-t-on Gaspard chez les

Behold plutôt que chez M. de Tucher, ou chez vous?

— M. de Tucher va être obligé, pendant les mois qui vont venir, de séjourner pour affaires à Augsbourg; quant à moi — le bourgmestre hésita et pâlit — mon foyer n'est pas de tout repos.

Le Président leva subitement les yeux, puis il alla à Binder et lui serra silencieusement la main.

— Et ces Behold? Quels gens sont-ils? demanda-t-il pour détourner la conversation.

— De braves gens, répondit le Bourgmestre, en hésitant légèrement, le mari est un honorable commerçant. Quant à sa femme... les avis diffèrent. Elle aime la toilette et tout ce qui s'y rattache et gaspille l'argent, mais on ne peut rien dire de mal sur son compte. Comme Gaspard ira au lycée, suivant ce qui a été convenu, une simple surveillance dans un cercle d'honnêtes gens suffira après tout.

— Ont-ils des enfants?

— Une fille de treize ans.

Le bourgmestre qui savait, comme tout le monde du reste, que Mme Behold maltraitait son enfant, voulait encore donner quelques détails pour tranquilliser sa conscience, lorsqu'on annonça Daumer et le conseiller Behold. Le Président les fit entrer. Aussitôt apparut la figure obséquieuse du Conseiller. Son air solennel, sa barbiche noire, contrastaient comiquement avec ses cheveux déjà grisonnants et qui tombaient en mèches pommadées sur son front.

Avec force courbettes, il s'avança vers Feuerbach qui se contenta de lui adresser un bref salut et se tourna vers Daumer. Celui-ci osait à peine soutenir le regard aigu du Président. Comme Feuerbach lui demandait si d'ores et déjà on pouvait exiger de Gaspard l'effort physique que réclamait un changement aussi complet, il garda un silence embarrassé. Là-dessus, Behold se mêla à la conversation et donna l'assurance que Gaspard serait traité chez lui comme un fils. Le bourgmestre l'interrompit et lui répondit presque dédaigneusement qu'il faisait très peu de cas d'une pareille promesse : l'exemple de Gaspard montrait suffisamment qu'il y avait des parents qui laissaient dépérir leurs propres enfants. Behold parut gêné; il frotta ses doigts usés contre l'arête de la chaise et bredouilla qu'il ne pouvait rien ajouter de plus, qu'il ferait tout son possible.

Le Président, que ces allusions avaient frappé, regarda alternativement les deux hommes. Puis il s'approcha tout près de Daumer, lui mit la main sur l'épaule et lui demanda gravement : « Alors, cela va se faire? »

Daumer soupira et répondit tout ému :

— Excellence, Dieu seul sait combien il m'en coûte de prendre une telle décision.

— Dieu seul le sait peut-être, répliqua le Président sèchement, et sa silhouette ramassée et trapue semblait grandir menaçante. Mais il n'est pas dit qu'il l'approuve. Quand on choque la pierre contre l'acier il en sort des étincelles, mais malheur s'il n'en jaillit que de la boue et des éclats : c'est qu'alors il n'y a ni persévérance, ni force.

— Il me chapitre encore, pensa Daumer, et son visage s'empourpra. J'ai fait tout ce que j'ai pu, dit-il vivement. Je ne ferme pas ma maison à Gaspard, encore moins mon cœur; mais d'abord, je ne peux plus me porter garant de sa sécurité, et personne, je crois, ne le peut. Est-il possible d'ensemencer un champ sous lequel couve un feu funeste qui dévore toutes les graines? Et puis, ce qui est plus grave, je suis déçu, oui, j'avoue, déçu. Jamais je n'oublierai ce que Gaspard a été pour moi : c'est inoubliable. Mais le miracle ne me touche plus, le temps a fait son œuvre.

— Ne me touche plus, ne me touche plus, murmura Feuerbach l'air sombre, j'attendais ces paroles. Les yeux s'émoussent à force de regarder la lumière. On renie un enfant parce qu'il exige de vous un surcroît d'amour, mais on donne au mendiant sa soupe. Messieurs, continua-t-il d'une voix forte, agissez à votre guise, mais quelle que soit votre décision, rappelez-vous que je vous rends responsables du bonheur de Gaspard.

Daumer, encore blessé par le ton et les paroles du Président sortit ; il ne pouvait dissimuler en même temps son mécontentement contre lui-même. Dans une des rues désertes qui avoisinait le château il rencontra le capitaine Wessenig. Daumer, heureux de pouvoir parler à quelqu'un, accompagna l'officier jusqu'à la caserne. Tout de suite, celui-ci mit l'entretien sur Gaspard, et Daumer ne remarqua pas, ou ne voulut pas remarquer la nuance d'ironie dans la voix de son interlocuteur.

— Une histoire bien mystérieuse que celle de l'homme masqué, observa Wessenig. Y a-t-il des gens pour y croire? En plein jour, un gaillard, un gaillard avec des gants, s'il vous plaît, pénètre dans une maison habitée, couvre son visage d'une étoffe et sort une hache de sa poche. Ou peut-être, portait-il ostensiblement sa hache dans les rues. Quoi? Avec des gants! Par Saint Thomas, voilà une belle histoire de brigands!

Et comme Daumer se taisait, le capitaine reprit :

— Supposons que l'homme masqué eut l'intention de tuer le gars, alors, que signifie cette blessure légère? Il n'avait qu'à frapper un peu plus fort et tout était fini : la bouche qui pouvait le trahir était muette. Il faut croire que le meurtrier ganté n'a voulu pour le moment du moins, que chatouiller sa victime. Tout cela est vraiment équivoque. Parole d'honneur, mes amis sont tous révoltés par la crédulité de ceux qui ajoutent foi à cette fable grotesque.

Daumer jugea qu'il était au-dessous de sa dignité de témoigner de la colère ou de l'indignation. Il fit semblant d'approuver le capitaine et lui demanda sa théorie sur l'accident. Wessenig haussa les épaules d'un air significatif; il s'était attendu à voir le professeur s'emporter violemment et le rabrouer d'importance; comme ce n'était pas le cas, il abandonna son air d'hostilité contenue, mais resta assez prudent et n'exprima que des généralités.

— Peut-être que notre brave Gaspard était ivre, qu'il est tombé dans l'escalier, et qu'il a ensuite forgé toute cette histoire de meurtre pour se rendre intéressant. Tout cela d'ailleurs serait bien innocent. D'autres voient les choses bien plus en noir. On croit le gredin capable d'avoir voulu mystifier ses bienfaiteurs par ce coup bien combiné.

Cette dernière insinuation mit Daumer hors de lui. Il s'arrêta, porta les mains en avant, comme pour repousser les paroles de son compagnon, qui semblaient l'assaillir comme des mouches venimeuses, et il s'éloigna sans un mot, sans un salut.

« Voilà le monde! voilà ses voix! pensa-t-il suffoqué. Est-il possible d'avoir de telles pensées et d'oser les exprimer? Pauvre Gaspard. Dire que tu es englouti dans cet abîme de sottises et de méchanceté. Sans être le témoin du ciel que j'espérais, tu planes pourtant au-dessus d'eux comme l'aigle. Ils vont sûrement te briser les ailes. L'innocence pourra rayonner de ton être : ils ne la verront pas; tu auras beau pleurer et sourire devant eux, leurs mains que tu saisiras te glaceront; tu les regarderas et ils resteront muets; ton esprit angoissé cherchera les chemins qui pourront te mener à eux, et la trahison te conduira sur le plus fatal de tous... »

On peut être prophète et avoir un cœur compatissant, on peut connaître les hommes, savoir que le feu brûle, que l'aiguille pique et que le lièvre blessé par le chasseur s'abat dans l'herbe pour y mourir. On peut connaître la portée de ses actes, n'est-ce pas, M. Daumer? Mais de là à braver les événements, comme on arrête le glaive d'un ennemi pour détourner le coup, il y a un pas. Souvent les idéalistes et les psychologues ne valent guère mieux que les voleurs et les usuriers.

On rentre chez soi, on philosophe, on se couche, et le lendemain matin la vie paraît bien plus acceptable qu'elle ne l'était la veille.

CHAPITRE IX

Vingt-quatre heures plus tard, une calèche s'arrêta devant la maison des Daumer : c'était Mme Behold qui venait chercher Gaspard. La Conseillère avait bien fait les choses : la voiture était laquée noire, attelée de deux chevaux, et conduite par un cocher à boutons dorés.

Daumer et les deux femmes accompagnèrent Gaspard jusqu'au porche et même Regulein sortit de sa petite chambre. Anna ne put retenir ses larmes, Daumer regarda d'un air sombre devant lui, Mme Behold fit un signe au cocher, les chevaux piaffèrent, les roues tournèrent, et la voiture avait disparu dans la nuit qu'ils étaient encore là tous les quatre à la suivre des yeux.

Tels furent les adieux de Gaspard. Il croyait entreprendre un long voyage, mais il n'alla que de la maison de l'île de Schütt à une autre maison, place du Marché. C'était une bâtisse étroite et haute, tellement coincée entre les deux immeubles voisins qu'elle semblait avoir la respiration coupée. Elle avait un pignon recouvert d'étain et les plans du toit étaient abrupts comme les épaules d'un commis de bureau étique. Ses fenêtres étaient si étroites qu'elles semblaient clignoter; le portail était à peu près entièrement caché; à l'intérieur, un méchant escalier sombre menait, par d'innombrables spirales, aux étages. Les vieilles marches craquaient et gémissaient à chaque pas et quand on ouvrait les portes des chambres, on n'y distinguait qu'une demi-clarté.

L'appartement de Gaspard donnait sur une cour carrée; devant les fenêtres se trouvait un balcon en bois dont la balustrade était ornée de mille fioritures; de chaque côté s'ouvraient des portes vitrées sur lesquelles tombaient des rideaux verts. Dans la cour se dressait une fontaine tarie.

Mais à l'extérieur, il y avait le marché où les gens criaient, où les marchands montaient leurs baraques et leurs échoppes, et où, du matin au soir, les femmes marchandaient et les enfants piaillaient mêlant leurs voix aux hennissements des chevaux et aux cris du bétail. Il suffisait cependant de fermer la porte pour se trouver dans un silence absolu, comme si l'on fût descendu sous terre.

Cette particularité amusa tout d'abord Gaspard. Cela ressemblait à un jeu de cache-cache, il trouvait divertissant de se dissimuler et, à l'occasion, de montrer un visage autre que celui qu'on attendait, de dire des choses qu'on ne prévoyait pas. Un des premiers jours, Mme Behold perdit une chaînette d'argent; Gaspard affirma l'avoir vue dans le vestibule, c'était faux.

On lui défendait de sortir de la maison sans autorisation. Comme il voulait connaître la personne qui avait donné cet ordre, on lui fit savoir que c'était Mme Behold. Il s'adressa à la Conseillère; celle-ci répondit que son mari en avait décidé ainsi, et ce dernier à son tour le renvoya au Président. Dans cette maison, tout était compliqué et équivoque.

Un jour, Mme Behold voulut aller dans la chambre du jeune homme; elle trouva la porte verrouillée. Gaspard s'y était enfermé.

— Pourquoi t'enfermes-tu ainsi en plein jour? demanda-t-elle en furetant autour de la table où se trouvaient ses livres de classe et ses devoirs. Aurais-tu peur, par hasard? continua-t-elle. Tu n'as rien à craindre ici chez moi, il n'y a pas de coquin masqué.

Il reconnut qu'il n'était pas très rassuré. Cet aveu flatta Mme Behold qui prit aussitôt un air protecteur qu'elle accompagna d'un sourire provocant.

Tous les matins, au retour de Gaspard — il allait maintenant deux heures par jour suivre les cours de troisième au lycée — elle s'informait comment tout s'était passé.

— Mal, répondait-il tristement.

Au collège, il ne trouvait, en effet, que peu de satisfactions. Les professeurs se plaignaient de ce que sa présence fût une cause d'inattention pour les autres élèves. Ce garçon, toujours suivi dans la rue par un agent de police, et dont la maison était surveillée jour et nuit, était, pour ses camarades, un objet de curiosité et ils lui posaient, sans cesse, de sottes questions. Ils interprétaient naturellement de travers ses silences. Et quand lui-même leur adressait naïvement la parole, effarouchés, ils se taisaient ou se moquaient de lui. Pour eux, ce n'était qu'un grand cancre qui, deux fois plus âgé qu'eux, n'en était encore qu'aux premières notions de la science. Souvent, pendant la classe, il se levait pour poser une question puérile; tous les élèves alors, éclataient de rire, et le professeur aussi. Un jour, pendant une violente bourrasque, il quitta son banc et se réfugia derrière le poële : la joie des autres garçons ne connut plus de bornes, et quand le gros professeur le tira de son coin pour le ramener à sa place, ce fut le signal d'un chahut formidable.

C'était un curieux tableau de le voir rentrer chez lui, taciturne et préoccupé, entouré d'une bande de gamins tapageurs et insouciants : un adulte, toujours flanqué d'un gardien, évoluant parmi les enfants.

Très souvent, Daumer rendait visite aux professeurs, ses collègues pour avoir des nouvelles de Gaspard.

— Hélas, répondaient-ils, il a beaucoup de bonne volonté, mais malheureusement, de médiocres aptitudes. Il comprend, mais ne retient pas ce qu'il a appris. Nous ne voulons pas le blâmer, mais il n'y a pas lieu de le féliciter.

Daumer était vexé.

— Vous ne voulez pas le blâmer, et vous le blâmez quand même.

Le blâme constitue du reste un éloge indirect de celui qui le donne. Il se tourna vers le conseiller Behold et essaya de lui soutirer un mot élogieux sur Gaspard. Mais Behold n'était pas homme à exprimer librement son opinion. Il vivait solitaire, et passait ses journées dans un comptoir sombre, près des remparts. Voulait-on avoir de lui un renseignement quelconque, il répondait : « Adressez-vous à ma femme ».

Daumer ressemblait à un amant malheureux. Et comme lui, il s'attachait, attentif et soucieux, aux pas de son ancien protégé, en ayant toutefois bien soin d'éviter de le voir et de lui parler. Il se méfiait beaucoup de Mme Behold et surveillait secrètement ses faits et gestes. Il cherchait à deviner la raison qui lui avait fait rechercher si opiniâtrement la présence du jeune homme.

— Que veux-tu, lui fit remarquer Anna, qui avait autant de bons sens que son frère de pessimisme, c'est bien simple il lui faut une poupée, un amusement pour son salon.

— Une poupée? elle a pourtant un enfant qu'elle néglige complètement.

— Oui, mais ce n'est pas extraordinaire d'avoir un enfant comme tout le monde. Il lui faut quelque chose dont on parle, qui lui permette de jouer à la grande dame et d'avoir de temps en temps son nom dans le journal. De plus, elle passe pour une bienfaitrice et son mari peut obtenir une haute récompense; enfin et surtout, c'est un remède contre l'ennui. Je la connais comme moi-même. Je plains Gaspard.

Mme Behold sortait beaucoup, elle ne restait chez elle que pour recevoir des visites. Il lui fallait de la société autour d'elle; elle aimait les gens bien habillés, gais, les hommes titrés, les femmes de bonne condition; elle adorait les fêtes, les bijoux et les toilettes brillantes. Elle aurait pu passer pour joviale si l'ambition ne l'avait pas rendue inquiète; elle eût même été aimable et facile à vivre sans une vaine curiosité qui la tourmentait et qui hantait même son sommeil. Elle avait dévoré des quantités de romans français; leur lecture avait fait d'elle une sentimentale, avide d'aventures, et son tempérament, assez flegmatique rendait ses qualités d'autant plus dangereuses. Si on la jugeait sur les apparences, on était sûr de se tromper.

En Gaspard, elle ne vit d'abord qu'un amusement, surtout lorsqu'elle le voyait grave et pensif : « Non, vous ne pouvez vous imaginer ce qu'il a été de nouveau comique aujourd'hui », répétait-elle souvent. C'était comme si elle avait pris un bouffon à son service. « Mais parle donc, mon cher petit mouton », lui disait-elle pour l'encourager devant ses hôtes. Et lorsqu'elle le voyait s'appliquer avec ardeur à retenir par cœur des vocables latins, elle riait à gorge déployée : « Que de science! Que de science! s'écriait-elle en passant brutalement sa main dans les cheveux bouclés du jeune homme. Laisse donc tout cela, laisse donc tout cela, lui disait-elle lorsqu'il se plaignait de la difficulté d'un problème, tu n'arriveras quand même à rien, c'est exactement comme si je voulais apprendre à danser sur une corde ».

Mais il excitait aussi en elle une étrange curiosité. Un matin, elle entra dans la cuisine où Gaspard regardait le garçon boucher retirer de son panier la viande crue et encore saignante pour la mettre sur le dressoir. Une indicible tristesse se peignit sur les traits du jeune homme; il recula tremblant et, incapable d'exprimer ce qu'il ressentait, s'enfuit. Sans vouloir en convenir, Mme Behold fut troublée. « Qu'est-ce que cela signifie, pensa-t-elle, c'est de la comédie; que lui importe le sang des animaux? »

Pour lui être agréable, elle se donnait beaucoup de peine, même au détriment de ses aises. Mais, en dépit de ses attentions, il n'était pas heureux chez elle: «Sacrebleu. Quelle mouche t'a encore piqué? lui criait-elle lorsqu'elle lui trouvait l'air mélancolique. Si tu n'es pas gai, je te conduirai aux Abattoirs et là, tu seras forcé de voir comment on coupe le cou aux veaux ». Et elle se tordait de rire en voyant sa frayeur.

Non, Gaspard n'était pas heureux. Il ne comprenait rien à Mme Behold; son regard, sa parole, sa conduite, tout chez elle lui inspirait une répulsion extrême. Et il lui fallait jouer d'habileté pour ne pas laisser transpercer son dégoût. Malgré ses efforts, au bout d'une heure passée auprès de sa protectrice il se sentait indisposé et triste. Il perdit tout goût au travail et finit par délaisser le lycée qui lui était d'ailleurs odieux. Les professeurs s'en plaignirent au maire. M. de Tucher, qui était revenu à Nuremberg, et à qui la ville avait confié la tutelle de l'orphelin, lui en fit l'observation. Gaspard ne répondit rien et il prit ce silence pour un entêtement dont il ne présageait rien de bon pour l'avenir.

Autre chose préoccupait Gaspard. Il rencontrait parfois dans l'escalier, dans le corridor, ou dans une chambre éloignée, la fille de Mme Behold, adolescente très pâle, qui le regardait toujours d'un air hostile. Quand il essayait de lui adresser la parole, elle s'enfuyait. Un jour qu'il regardait du balcon dans la cour il la vit debout près de la fontaine. Une planche ayant été enlevée, on pouvait voir le fond du puits; la jeune fille, immobile, regarda plus d'un quart d'heure le trou béant. Gaspard quitta le balcon et, sans bruit, descendit; mais à peine fut-il dans la cour qu'elle se sauva, le visage mauvais, en lui lançant un regard haineux. Gaspard voulut courir après elle, mais il tomba sur M. Behold à qui il raconta avec animation la scène dont il avait été témoin. Le Conseiller fronça les sourcils, puis dit pour le calmer : « Oui, oui, cette enfant n'est pas bien portante. Ne vous en inquiétez pas, Gaspard, ne vous en inquiétez pas ».

Gaspard continua cependant à y penser; il demanda aux femmes de chambre ce qu'avait cette petite et l'une d'elles lui répondit d'un ton hargneux : « Elle n'a rien à manger, l'orphelin prend tout pour lui ». Il courut chez Mme Behold, lui répéta ce qu'on lui avait dit et voulut savoir si c'était exact. La Conseillère entra en colère et chassa sur-le-champ la domestique. Et comme Gaspard insistait pour qu'elle traitât mieux sa fille que lui-même, la menaçant même de la quitter sans cela, elle lui coupa la parole et lui reprocha son insolence.

— Et où donc irais-tu? lui jeta-t-elle. Où? Où est ton chez toi? Peut-on te le demander?

Après cela, Mme Behold se mit dans la tête que Gaspard était amoureux de sa fille et résolut de tirer l'affaire au clair. Mais il répondit si bêtement à ses questions, qu'elle eut presque honte de ses soupçons : « Grand Dieu, dit-elle à haute voix, je crois que ce nigaud ne sait même pas ce que c'est que l'amour ». Et, effectivement, elle constata qu'il n'en avait pas la moindre idée. Cela parut singulier à la Conseillère, si tourmentée par des idées et des désirs troubles et équivoques, et par des passions mi-romanesques, mi-libertines, tout en gardant cependant une attitude irréprochable.

« Il est pourtant en chair et en os, se disait-elle et ce fou de Daumer a beau clamer sur tous les tons son innocence angélique, un adulte comme lui sait bien ce que le coq fait aux poules. Il joue l'ignorant et veut se moquer de moi; attends, mon gaillard, je te ferai venir l'eau à la bouche ».

Sur la place du marché, à droite de la maison des Behold, se dresse le chef-d'œuvre de l'art nurembergeois du moyen âge : la Schönebrunnen [1] c'est ainsi qu'on la nomme. De tout temps on a raconté aux enfants que c'était dans ses profondeurs que la cigogne allait chercher les nouveau-nés. Mme Behold demanda à Gaspard s'il avait entendu parler de cela; et comme il répondait que non, elle le regarda avec des clignements d'yeux malicieux, désireuse de savoir s'il croyait à cette légende. « Mais je ne vois pas par où pourrait descendre la cigogne, répondit-il ingénument, puisque tout est bouché par des grillages ».

Mme Behold fut stupéfaite :

— Petit nigaud, s'écria-t-elle, regarde-moi bien en face.

Gaspard la regarda, et elle dut baisser les yeux. Tout à coup, elle se leva, courut au buffet, l'ouvrit brusquement et se versa un verre de vin qu'elle vida d'un trait. Puis elle alla à la fenêtre, joignit les mains, et murmura

1. La Belle Fontaine.

avec une expression d'hébétude : « Jésus-Christ, préserve-moi du péché, et ne m'induis pas en tentation. »

On arriva au milieu d'août, et la chaleur devint accablante. Le bourgmestre organisa un dimanche une fête forestière au Schmausenbuk[1]. Le matin, Gaspard, accompagné de son professeur d'équitation Rumpler et de quelques autres jeunes gens, était allé à cheval jusqu'à Buch; il revint de sa promenade tellement fatigué qu'après le repas, il monta dans sa chambre et s'endormit. Mme Behold vint l'éveiller elle-même et lui ordonna de s'habiller car la voiture qui devait les conduire au rendez-vous attendait. Gaspard lui demanda si quelqu'un d'autre irait avec eux, et elle répondit qu'ils auraient pour compagnons les fils du général Hartung. Gaspard fut déçu : il eût aimé qu'elle permît à sa fille de les accompagner, car la pauvre enfant s'ennuierait seule à la maison. Mme Behold, interdite, fut sur le point de se fâcher, mais elle se contint. Elle se pencha en avant, empoigna une touffe de cheveux de Gaspard et lui dit durement : « Si tu recommences à me parler de cela, je te coupe les cheveux ».

Gaspard se dégagea :

— Pas si près, supplia-t-il, les yeux hagards, ne touchez pas à mes cheveux, je vous en supplie.

— Ah ! Je te tiens, continua Mme Behold, sur un ton de plaisanterie forcée, je te tiens, mon farouche petit bonhomme. La prochaine fois, je cherche les ciseaux.

Pendant tout le trajet, Gaspard resta silencieux. Les deux garçons, âgés de quatorze et quinze ans, le taquinaient et cherchaient à le faire parler, car on le leur avait décrit comme un phénomène. Ils faisaient les malins, à

1. Café des environs.

la manière des jeunes écoliers, et parlaient comme si personne au monde ne leur était supérieur. On avait parcouru une bonne distance lorsque l'un d'eux déclara qu'il percevait déjà la musique de la forêt.

— Vous m'étonnez, répondit Gaspard aux deux garnements qui l'agaçaient prodigieusement, je n'entends rien, mais, par contre, j'aperçois, là-bas, au-dessus des arbres un petit drapeau fixé à un mât.

— Mais le drapeau, s'écrièrent les collégiens dédaigneusement, il y a longtemps que nous le voyons.

Nouvelle stupéfaction de Gaspard : il venait seulement en effet d'apercevoir la petite bande d'étoffe visible lorsque le vent l'agitait.

— Eh bien, reprit Gaspard, quand il flottera de nouveau, je vous demanderai si vous le distinguez.

Il attendit un instant, puis à un moment où le drapeau était immobile, il leur tendit le piège :

— Est-ce qu'il bouge, oui ou non?

— Il bouge, s'écrièrent en chœur les garçons.

Alors, Gaspard répliqua tranquillement :

— J'en conclus que vous ne voyez absolument rien.

— Oh, oh, s'écrièrent ses compagnons, tu mens.

— Eh bien, continua Gaspard imperturbable, dites-moi la couleur de ce drapeau.

Les garçons se turent et écarquillèrent leurs yeux. Enfin, l'un d'entre eux hasarda, d'une voix hésitante, qu'il était rouge; bleu, prétendit le frère d'un ton plus assuré. Gaspard secoua la tête :

— Cela me confirme que vous ne le voyez pas, car il est blanc et vert.

Ils furent confondus,quand un quart d'heure plus tard, on constata que le jeune homme avait dit vrai. Ils lui lancèrent des regards furieux car ils auraient aimé briller devant Mme Behold, qui avait assisté silencieuse à toute cette scène.

La présence de Gaspard attira, comme toujours, un grand nombre de badauds, parmi lesquels des personnes de connaissance; des jeunes gens, feignirent de s'intéresser à l'orphelin et l'enlevèrent à Mme Behold, malgré les protestationsde celle-ci. Cefut d'abord un petit groupe, mais il devint de plus en plus important et, s'excitant les uns les autres, ces garçons se mirent à faire mille bêtises. Ils arrachèrent les bancs et les tables, effrayèrent les jeunes filles, dévalisèrent les baraques, poussèrent des cris sauvages, agissant tout le temps comme si Gaspard était leur instigateur et leur chef. Le tapage devint infernal. Le soir, ils décrochèrent les lampions des arbres, et obligèrent des musiciens à marcher devant eux et à mêler à leur chahut le bruit de leurs trompettes. Deux jeunes commerçants soulevèrent Gaspard sur leurs épaules; le pauvre garçon, qui aurait voulu être à cent lieues de là, se cramponnait, fou de terreur, à son siège vivant. La bande déchaînée arriva, au milieu des chants et des rires, au pied de l'estrade, où les couples commençaient déjà à danser. Là, elle dut s'arrêter car la foule amassée lui barrait toutes les issues. Gaspard aperçut tout à coup les deux fils du général qui étaient venus avec lui en voiture. Ils se tenaient sur les marches de l'estrade et portaient une longue branche, à l'extrémité de laquelle on avait accroché une pancarte blanche portant en grosses lettres ces mots « Voici Sa Majesté Gaspard-Guignol, le roi des menteurs ». Ils tenaient l'affiche de façon à ce que l'inscription fût tournée du côté du jeune homme. A cette vue un éclat de rire homérique s'éleva dans la foule. Les trompettes retentirent et le cortège se remit en marche, longea l'auberge et se dirigea vers la forêt illuminée.

Gaspard eut beau crier qu'on le laissât descendre, personne n'y fit attention. Alors, d'une main il tira l'oreille du premier porteur, de l'autre les cheveux du second :

— Aïe, pourquoi me pinces-tu? hurla l'un. Pourquoi me tires-tu? pesta l'autre.

Ils s'écartèrent furieux, et Gaspard tomba par terre. Les deux fils du général se campèrent alors devant lui et se mirent à ricaner et à se moquer de lui :

— Nous avons un petit drapeau pour toi, dit l'aîné, dis-nous, si oui ou non, il bouge au vent?

Mais au même instant, ils s'arrêtèrent interdits, car une voix impérieuse les appelait. C'était celle de leur père qui était attablé avec Mme Behold et quelques amis, non loin de là, à l'écart des autres tables. Tous, du reste, se levèrent, car de gros nuages menaçants envahissaient le ciel, et le tonnerre s'était mis à gronder.

Mme Behold accueillit Gaspard par ces mots : « Tu en fais de belles! Tu n'as pas honte? Allons! Viens, nous rentrons ».

Elle prit bruyamment congé, se précipita vers la sortie et appela d'une voix criarde le cocher : « Assieds-toi », dit-elle rudement à Gaspard quand ils eurent rejoint la voiture. Elle-même grimpa sur le siège à côté du cocher et saisit les rênes. Ce fut alors une course folle, d'abord à travers la forêt, puis sur la route aveuglante de poussière. Elle harcela tellement les chevaux que ceux-ci prirent une allure excessive, faisant jaillir les étincelles sous leurs sabots. Les étoiles avaient disparu; devant eux s'étendait la campagne noyée dans l'obscurité; les éclairs se succédaient et le tonnerre se rapprochait.

En moins d'une demi-heure ils furent en ville; et les chevaux fumaient lorsqu'ils s'arrêtèrent sur la place du marché. Mme Behold ouvrit la porte d'entrée et fit passer Gaspard devant elle. Il avançait à tâtons vers sa chambre lorsque soudain elle le saisit par le bras et l'entraîna dans le salon vert, grande pièce aux fenêtres closes et à l'odeur de renfermé. Elle alluma une bougie, jeta chapeau et mantille sur le sofa et s'assit dans un fauteuil de cuir. Elle fredonnait tout bas un refrain, puis elle s'interrompit brusquement et lui dit : « Viens ici, petit niais ».

Gaspard obéit.

— A genoux, ordonna-t-elle.

Il s'agenouilla en hésitant sur le plancher et jeta à Mme Behold un regard angoissé.

Comme dans l'après-midi elle approcha de nouveau son visage du sien. Son menton long et étroit tremblait un peu et ses yeux brillaient étrangement. « Pourquoi résistes-tu ainsi? » murmura-t-elle lorsqu'il rejeta sa tête en arrière. « Ma foi, notre jeune homme est farouche. Tu n'as donc jamais flairé de chair fraîche, petit drôle, c'est incroyable! Aurais-tu peur par hasard? Ne t'ai-je pas toujours donné les meilleurs morceaux, ne t'ai-je pas donné pas plus tard qu'hier un beau merle? J'ai un cœur solide, Gaspard, écoute comme il bat ».

Elle attira brutalement la tête de l'orphelin contre sa poitrine. Croyant qu'elle voulait lui faire mal, il poussa un cri et au même moment, elle le baisa sur la bouche.

Un frisson de terreur le glaça; son corps s'affala comme si ses os s'étaient détachés de leurs articulations. Cette vue effraya Mme Behold; d'un bond, elle se leva. Ses cheveux s'étaient dénoués et une lourde tresse reposait comme un serpent sur son épaule. Gaspard était accroupi sur le sol; sa main gauche se cramponnait convulsivement au dossier du fauteuil. Mme Behold se pencha encore une fois sur lui comme pour le respirer; elle aimait l'odeur de ce corps qui lui rappelait celle du miel. Mais à peine Gaspard eut-il senti ce contact qu'il se releva et s'enfuit à l'autre bout de la salle. Il se tint là, immobile, appuyé au mur, la tête en avant, les bras tendus devant lui.

Obscurément, il prévoyait quelque chose d'inouï. Aucun mot entendu jusqu'alors ne pouvait lui être utile, mais il avait un pressentiment, de même que la rougeur du ciel vous révèle un incendie qui flambe derrière les montagnes. Il se tâtait à la dérobée, se demandant s'il portait encore ses habits sur son corps. Il avait honte devant tout ce qui l'entourait, les murs, le fauteuil, et jusqu'à la bougie allumée. Il aurait voulu que la porte s'ouvrît d'elle-même afin de disparaître sans bruit. Un éclair remplissant le salon de sa lueur blême lui sembla être l'éclat effrayant d'un regard et le tonnerre qui suivit un épouvantable cri. Gaspard contracta ses épaules et se mit à trembler.

Pendant ce temps, Mme Behold arpentait la pièce de son pas lourd, poussant de temps à autre un ricanement sec; subitement, elle saisit la bougie et s'avança vers le jeune homme. « Petite charogne pourrie, qu'est-ce que tu te figures? dit-elle d'un ton aigu; crois-tu par hasard que tu m'intéresses? Pas plus qu'une vieille botte! Allons décampe! Et ne t'avise jamais de parler de cela, si tu ne veux pas que je te torde le cou ». Elle continuait à ricaner en parlant ainsi, comme si tout cela n'était en somme qu'une bonne plaisanterie. Elle apparaissait à Gaspard, saisi d'épouvante, d'une taille gigantesque et il lui semblait que son ombre noire remplissait toute la pièce. A demi-mort de peur, il se précipita hors de la pièce, Mme Behold à ses trousses, descendit l'escalier quatre à quatre, jusqu'à la porte d'entrée qu'il secoua vainement :

le loquet était fermé. Au dehors, il entendait la pluie crépiter sur le pavé de la rue, en même temps son oreille perçut des pas précipités, quelqu'un tourna la clé dans la serrure et le Conseiller Behold apparut sur le seuil. A la lueur des éclairs il aperçut la silhouette chancelante de Gaspard, mais les questions qu'il lui posa furent étouffées par le roulement du tonnerre.

Mme Behold était restée en haut de l'escalier, la lueur de la bougie qu'elle tenait près de son visage l'éclairait de reflets sinistres; et lorsqu'elle cria, sa voix domina le fracas de l'orage : « Ce gaillard a trop bu; on l'a saoulé au Schmausenbuk! qu'il ne se montre plus aujourd'hui! oust, au lit! »

Le Conseiller referma la porte et rangea son parapluie ruisselant d'eau. « Allons, allons! fit-il, ne tournons pas les choses au tragique ». Mme Behold ne répondit pas. Elle referma violemment une porte derrière elle; puis tout rentra dans le silence et dans l'obscurité.

— Venez avec moi, Gaspard, dit Behold, nous allons faire de la lumière et voir ce qu'il en est. Donnez-moi le bras. Bien.

Il reconduisit Gaspard dans sa chambre, alluma une lampe tout en prononçant à mi-voix des paroles d'apaisement. Puis il sentit l'haleine du jeune homme pour voir s'il avait vraiment trop bu, mais il secoua la tête et dit d'un ton étonné :

— Je ne remarque rien du tout; la Conseillère se trompe sûrement. Ne vous frappez pas, Gaspard, recommandez-vous au Seigneur et tout ira bien. Bonne nuit.

Resté seul, Gaspard laissa ses yeux ouverts aux éclairs qui se succédaient. A chaque lueur, il ressentait comme de douloureux picotement sous les paupières, à chaque coup de tonnerre il lui semblait que tout se disloquait.

Ses mains et ses pieds étaient glacés. Il n'osait pas se coucher, mais restait à la même place, comme cloué au sol. Il se rappelait avec épouvante le premier orage qu'il avait vu à la tour. Il s'était tapi dans un angle du mur et la femme du gardien était venu le rassurer. Elle lui racontait qu'on ne pouvait sortir car il y avait dehors un homme en colère. Chaque fois qu'il tonnait, le jeune homme se courbait jusqu'à terre et la femme lui disait : « N'aie pas peur, Gaspard, je suis là ».

Aujourd'hui encore, il lui semblait qu'il y avait dehors un homme en colère, mais personne n'était plus là pour le rassurer. Le merle, juché sur son perchoir, dans sa cage près de la fenêtre, se roulait en boule et faisait entendre de petits pépiements. Si cela n'eût dépendu que de lui, Gaspard lui eût rendu depuis longtemps sa liberté — car l'oiseau lui faisait pitié — mais il craignait la colère de Mme Behold.

Lorsque l'orage s'éloigna, il se débarrassa rapidement de ses vêtements, rampa jusqu'à son lit et ramena les draps sur son front pour ne plus voir les éclairs. Dans sa précipitation, il oublia même de fermer sa porte à clé et cette négligence eut une singulière conséquence.

Le lendemain matin, à son réveil, il sentit une odeur pénétrante et fade : celle du sang. Il regarda dans sa chambre et remarqua que la cage était vide. Gaspard se demandait où avait passé son petit compagnon quand il aperçut le merle couché sur la table dans une petite mare de sang, les ailes raidies : il était mort. Tout près, sur une assiette blanche, était posé son petit cœur sanglant.

Qu'est-ce que cela signifiait ? Le visage du jeune homme se crispa, les coins de sa bouche s'abaissèrent comme celle de l'enfant qui va pleurer. Il s'habilla et résolut de se rendre à la cuisine et d'interroger les domestiques.

Mais en franchissant le seuil de sa chambre, il s'arrêta surpris : Mme Behold se tenait dans le couloir près de la porte; elle avait à la main un balai et toute sa tenue était négligée. Les yeux de Gaspard s'arrêtèrent longtemps sur cette face blême et son regard était presqu'aussi las, presqu'aussi triste que quand il avait regardé son oiseau mort.

CHAPITRE X

De ce jour, la cohabitation avec Mme Behold devint intolérable au jeune homme. Cette dernière manifestait vraisemblablement les premiers symptômes de la maladie mentale qui devait si tragiquement l'emporter. Tout le monde la redoutait. A peine était-elle assise quelque part, qu'elle se levait. Debout dès cinq heures du matin, elle sonnait le branle-bas dans toute la maison, parcourait les chambres, descendait les escaliers, cognait à la porte de Gaspard pour le réveiller et faisait un tel tapage que le pauvre garçon se levait, la tête lourde, incapable de tout travail pour la journée entière. On lui défendait de parler à table et, s'il lui arrivait par hasard de désobéir, elle le menaçait de le faire manger à la cuisine avec les domestiques. S'il se présentait un étranger et qu'on fît venir Gaspard, elle se livrait à toutes sortes d'insinuations méchantes : « Je suis bien curieuse de savoir, disait-elle, si vous parviendrez à tirer quelque chose de cet âne bâté; on vous a fait croire que vous alliez vous trouver en présence d'un phénomène de sagesse, eh bien, rendez-vous compte par vous-même et dites-moi si le pauvre diable prononce une seule parole sensée ». De tels procédés gênaient l'hôte, quel qu'il fût; quand à Gaspard, il se tenait là, ne sachant de quel côté tourner les yeux.

Il fallait toujours à Mme Behold des hommes pour remplir les pièces de son hôtel, des rires pour faire écho dans ses escaliers, des traînes pour balayer la poussière accumulée depuis des années.

Malgré cela, c'était une nature très bourgeoise qui ne pouvait pardonner à l'être qui avait, ne fût-ce qu'un instant, menacé sa vertu. Pour elle, Gaspard, l'image même de l'innocence, était le monde renversé. Elle se sentait diminuée en sa présence et aspirait à se venger.

Ce changement d'atmosphère dans la maison Behold n'échappa pas aux amis de Gaspard. Le bourgmestre Binder fut le premier à déclarer avec force qu'il ne fallait pas que Gaspard y restât plus longtemps. Daumer se rallia avec ardeur à cette opinion et le journaliste Pfisterle, toujours exalté et violent, insulta le conseiller Behold dans son journal et laissa entendre qu'on voulait mettre l'orphelin hors d'état de nuire, et étouffer les voix qui cherchaient à faire reconnaître les droits de sa mystérieuse naissance. « Cet enfant énigmatique, dont le front brille d'un diadème invisible, vit comme une bête solitaire, qui se risque à faire quelques bonds pour jouir de la lumière, agite comiquement sa queue et ses oreilles, ce qui fait rire ses ennemis, puis se dresse inquiet et se réfugie dans le premier trou venu ».

Ainsi s'exprima l'irascible journaliste. Aussi les conseillers votèrent-ils, comme précédemment, une subvention à prendre sur la caisse municipale pour subvenir à l'éducation et à l'existence de Gaspard. Comme personne ne se trouvait dans d'aussi bonnes conditions que M. de Tucher, pour offrir un refuge à l'orphelin, on chercha à l'émouvoir, on fit appel à sa générosité, à la position éminente de sa famille, dont le nom seul suffisait à mettre le jeune homme à l'abri des persécutions.

M. de Tucher avait cependant des scrupules. Les critiques contre les Behold l'irritaient : « Vous avez été bien contents de les trouver et maintenant, tout à coup, vous vous érigez en juges, disait-il. Pourquoi m'en tirerais-je mieux qu'eux? Je ne tiens pas à risquer qu'on s'occupe de ma vie privée; je ne veux pas permettre au premier coq venu de troubler ma paix par son cri intempestif ».

Sa famille, et surtout sa mère, s'opposaient à cette combinaison et le mettaient en garde contre les ennuis qu'il allait s'attirer. On disait même que la vieille baronne avait fait une scène à son fils et l'avait prévenu que s'il prenait Hauser chez lui, il devrait se contenter de la seule subvention municipale pour l'élever car, quant à elle, elle ne débourserait rien.

Mais M. de Tucher était un homme de devoir. Moralement, il se considérait obligé de recueillir Gaspard. Comme il le croyait déjà à moitié perdu, il s'imaginait qu'il lui serait possible de remettre dans le droit chemin un malheureux égaré. « Il faut probablement à notre cher Gaspard uniquement une poigne solide, se disait-il, les sottises que l'on dit devant lui sur sa nature supérieure, l'étonnement et l'admiration qu'il provoque partout, tout cela ne peut que lui être funeste; la simplicité, l'ordre, une juste sévérité, bref les principes d'une saine discipline lui seront salutaires. Eh bien! Essayons ».

C'est ainsi que M. de Tucher se fixa son devoir.

« Je suis prêt à me charger de l'orphelin, déclara-t-il mais j'y mets une condition : qu'on me donne carte blanche en tout et que personne, quel qu'il soit, ne puisse me gêner dans mes plans ou intervenir entre Gaspard et moi ».

Tout cela fut naturellement accepté et promis.

A peine Mme Behold eut-elle appris ce qui se passait derrière son dos, qu'elle résolut de devancer les événements. Elle attendit une heure de l'après-midi où Gaspard n'était pas à la maison pour faire jeter dans une caisse toutes ses affaires : habits, linge, livres et autres objets; puis elle fit placer la caisse ainsi remplie, sans couvercle, au milieu de la rue. Cela fait, elle ferma elle-même le portail, eut un ricanement de satisfaction et alla se poster à la fenêtre du premier étage pour attendre le retour de Gaspard et jouir de l'ébahissement de la foule des curieux.

Gaspard revint bientôt, et fut mis au courant par le policier commis à sa garde. Tandis que ce dernier courait à l'Hôtel de Ville faire son rapport, Gaspard s'assit, le dos à la caisse; de temps à autre, il levait les yeux et regardait Mme Behold. Deux heures se passèrent avant qu'on eût pris une décision à son égard et qu'on eût prévenu M. de Tucher. Entre temps, la pluie s'était mise à tomber; et, sans le geste charitable d'une maraîchère, qui couvrit la caisse d'un sac à houblon, toutes les affaires du jeune homme auraient été trempées. Le policier revint enfin, accompagné d'un domestique de Tucher, qui traînait une petite voiture à bras sur laquelle on hissa la caisse. Ils se mirent en route suivis d'une foule de badauds qui se livraient à des réflexions stupides et qui ne les quittèrent qu'à la rue Hirschel où se trouvait l'hôtel des Tucher.

Une vie nouvelle commença pour Gaspard. Avant tout, on cessa de l'envoyer à l'école et on remplaça le lycée par les leçons d'un jeune étudiant qui venait voir son élève deux fois par jour. Puis, on ferma la porte à tous les étrangers. On supprima les leçons d'équitation. « De tels exercices conviennent aux nobles et aux riches, mais non aux gens qui ont été élevés à gagner bourgeoisement leur pain et qui seront peut-être obligés un jour de travailler avec leurs mains » proclamait M. de Tucher.

Ces mesures montraient clairement qu'il n'attachait pas la moindre valeur aux racontars sur la haute naissance de son protégé, racontars que le temps n'avait nullement fait cesser. « La situation est suffisamment difficile, répliquait M. de Tucher, lorsqu'on faisait une allusion à ce sujet, je n'ai nullement l'intention de sacrifier mes principes à un mythe ».

M. de Tucher était un homme qui avait une foi inébranlable dans ses principes. Avoir des principes était pour lui l'élément essentiel de la vie; et agir conformément à eux, un devoir tout naturel. Ces principes exigeaient que, dès le début, il mît entre son élève et lui une certaine distance indispensable au respect. Des rapports familiers n'étaient d'ailleurs pas son fait. Les manifestations extérieures des sentiments lui étaient odieuses. Le maintien droit, une démarche mesurée, un regard froid, une correction absolue de tenue et de manières cadraient parfaitement avec ses habitudes morales.

Il attachait une grande importance à la sévérité; aussi montrait-il à Gaspard un visage fermé. La première de ses maximes était : pas d'émotion. Par contre, il fallait montrer son approbation pour le devoir bien accompli. L'horaire du jeune homme fut établi de façon minutieuse. Dans la matinée, les leçons étaient suivies d'une promenade sous la surveillance d'un domestique ou d'un agent de police. L'après-midi, Gaspard s'occupait tout seul. On avait aménagé, à côté de sa chambre, une petite pièce qui devait lui servir d'atelier. C'est là que, ses devoirs terminés, il confectionnait toute sorte d'objets en bois et en carton, travail pour lequel il se montrait très doué. Il trouvait aussi beaucoup de plaisir à démonter et à remonter les montres. Bref, sa conduite donnait toute satisfaction à son tuteur qui ne pouvait s'empêcher d'admirer son application, son ardeur acharnée à s'instruire et à se former. Il ne s'élevait jamais contre la volonté de son maître et ne se révoltait jamais contre ses décisions. « Il est clair qu'on m'a mal renseigné sur lui, pensait M. de Tucher, et que les gens qui l'entouraient jusqu'ici n'ont pas su le manier. Pour la première fois, il éprouve les bienfaits d'une direction logique ».

Les principes triomphaient.

Au début, Gaspard fut heureux de se trouver si souvent et si longtemps seul; mais à la longue, il commença à sentir la contrainte qu'on exerçait sur lui. Il cessa alors de fuir les occasions qui s'offraient à lui de s'amuser ou de se distraire. S'élevait-il un tapage dans la rue Hirschel, d'ordinaire déserte, il ouvrait précipitamment la fenêtre, se penchait au dehors et restait ainsi jusqu'à ce que tout fût redevenu calme. Deux vieilles femmes s'arrêtaient-elles pour bavarder, vite il bondissait à son poste d'écoute. Il savait exactement l'heure à laquelle les garçons boulangers arrivaient de la place des Tisserands et s'amusait de leurs coups de sifflet. Dès que le postillon faisait retentir son cor à la porte Laufer, il interrompait son travail et ses yeux brillaient. De même, tout bruit à l'intérieur de la spacieuse demeure provoquait sa curiosité. Souvent, lorsqu'il avait perçu un son de voix inconnu, il entrebâillait légèrement la porte et écoutait. Les domestiques, qui avaient remarqué son manège, disaient que c'était un espion qui ne cherchait qu'à rapporter leurs propos aux maîtres. La maison elle-même lui inspirait un vague respect; lorsqu'il traversait les corridors il marchait presque sur la pointe des pieds. L'hôtel altier et isolé était bâti loin du mouvement de la ville. Pour y entrer, il fallait se soumettre à l'inspection et répondre aux questions d'un portier à barbe. Les murailles s'enfonçaient puissamment dans le sol. La façade, le toit et le pignon s'agençaient et s'emboîtaient majestueusement et il semblait que plus encore que son architecture les vieux et authentiques titres de noblesse avaient contribué à la rendre solennelle. La tour, dans la cour, avec son escalier en spirale, charmait le regard de Gaspard, surtout le soir, lorsque ses formes finement ciselées et comme noyées dans une vapeur bleuâtre semblaient s'animer sous les jeux d'ombre.

Il remarquait quelquefois derrière une fenêtre bien close une tête de vieille femme au visage parcheminé; c'était la baronne mère qui ne se montrait jamais. Elle était, lui avait-on dit, de santé précaire et gardait toujours la chambre. Ainsi, quoique porte à porte, ils étaient complètement étrangers l'un à l'autre et cela fit réfléchir le jeune homme. Peu à peu, il se rendit compte qu'il ne vivait qu'au milieu d'étrangers, et qu'on le nourrissait par pitié. On l'hébergeait chez soi, on le nourrissait, puis arrivait une voiture et on l'emmenait, et une autre maison le recueillait. Ou alors on jetait ses hardes dans la rue et il lui fallait trouver un autre asile.

Pourquoi agissait-on ainsi envers lui? D'autres vivaient toujours au même endroit; ils avaient le même lit depuis leur enfance et personne ne pouvait les en arracher; ils y avaient droit. C'était cela : ils avaient des droits héréditaires et puissants. Il existait bien des pauvres gens qui servaient les autres pour de l'argent, qui se courbaient devant ceux que l'on appelait les riches; mais même ceux-là avaient quelque part un lieu où ils pouvaient se fixer; ils tenaient quelque chose de solide dans leurs mains; ils exécutaient un travail pour lequel on les payait, puis ils étaient libres et pouvaient s'acheter leur pain.

L'un faisait des habits, un second des souliers, un troisième construisait des maisons, un quatrième était soldat : c'est ainsi qu'ils s'accordaient aide et protection mutuelles et qu'ils recevaient l'un de l'autre nourriture et boisson. Oui, c'était cela, bien cela ! Ils avaient un père et une mère qui les présentaient à la communauté humaine montrant ainsi d'où ils étaient venus et ce qu'ils seraient.

Mais lui, Gaspard, il ne savait pas d'où il était venu ; pour une raison quelconque et mystérieuse il était sans parents, tout seul. Mais il découvrirait pourquoi, il chercherait à apprendre où se trouvaient son père et sa mère et surtout il conquerrait une place d'où il serait impossible de le chasser.

Un soir d'hiver, M. de Tucher entra dans la chambre de Gaspard et le trouva perdu dans ses réflexions. Le baron avait en effet, l'habitude, une fois son travail terminé, d'aller voir deux ou trois fois par semaine son pupille pour s'entretenir un peu avec lui. Cela rentrait dans le programme de son plan d'éducation. Mais ses principes exigeaient qu'il maintînt entre son élève et lui une certaine distance et l'obligeaient à renoncer au plaisir d'une conversation naturelle; parfois il lui en coûtait, soit qu'il éprouvât le besoin de se livrer, soit que le regard muet de Gaspard le touchât; mais il restait impassible : ses farouches principes ne lui permettaient pas de se départir de sa réserve.

Cependant ce jour-là, la vue de Gaspard s'abandonnant à sa rêverie l'émut, et lorsqu'il demanda au jeune homme la raison de sa méditation, sa voix se fit involontairement plus douce.

Gaspard se demanda s'il devait lui ouvrir son cœur et ainsi qu'il lui arrivait chaque fois qu'il était violemment bouleversé, le côté gauche de son visage se contracta convulsivement. Avec un geste d'une grâce unique, il repoussa ses cheveux qui lui tombaient sur la figure et dit d'un ton qui partait du fond de lui-même : « Que veut-on faire de moi? » Ces paroles tranquillisèrent aussitôt M. de Tucher. Sa figure semblait dire : mes calculs sont exacts. Il répondit à Gaspard qu'il y avait songé, et le pria de lui indiquer la profession qu'il préférait exercer.

Gaspard le regarda et ne répondit pas.

— Que penserais-tu du jardinage? Ou bien voudrais-tu devenir menuisier ou relieur? Tes petits travaux en carton sont tout à fait remarquables. Et tu apprendrais vite la reliure.

— Et est-ce que je pourrais lire tous les livres que je relierais, demanda Gaspard rêveur, et il se pencha tellement en avant que son menton toucha le dessus de la table.

M. de Tucher fronça les sourcils.

— Et tu négligerais ainsi justement ton métier, répondit-il.

— Horloger peut-être, dit Gaspard, qui se faisait une idée très spéciale de cette profession. Il imaginait un homme qui se tient à l'intérieur des hautes tours, ordonne aux cloches de sonner, agence les petites roues les unes dans les autres, rend, grâce à une formule magique, le temps invisible et l'enferme dans une boîte.

Tous ces noms, d'ailleurs, ne signifiaient pas grand chose pour lui et ne facilitaient pas son choix. Il ne se laissait pas guider par sa volonté, mais par une vision extraordinairement complexe qu'il se faisait de l'univers. M. de Tucher, soupçonnant que la conduite de Gaspard manquait de sérieux, se leva, et lui dit froidement qu'il allait réfléchir à la question.

Le lendemain soir, on appela Gaspard dans l'appartement du baron : « En ce qui concerne notre entretien d'hier, voici à quoi je me suis arrêté, dit Tucher. Tu resteras encore chez moi ce printemps et cet été. Si tu es bien appliqué, ton instruction élémentaire pourra être terminée en septembre, M. Schmidt vient de m'en donner l'assurance. Afin de ne pas couper ta journée, désormais, tu ne prendras plus tes repas avec moi, on te les montera dans ta chambre. Je vais m'entendre avec un maître relieur sérieux et nous saurons alors à quoi nous en tenir. Es-tu content de ma proposition, Gaspard? Ou as-tu d'autres projets en tête? Allons! parle franchement, je te laisse toute liberté du choix ».

Un frisson furtif parcourut le corps du jeune homme. Sans mot dire, il s'assit. M. de Tucher, voulant lui laisser tout son temps, n'insista pas davantage. Il se promena de long en large dans la pièce pendant quelque temps, puis s'assit à son piano et joua lentement une phrase de sonate. Car tous les mardis et tous les vendredis de six à sept, M. de Tucher faisait de la musique, et comme le coucou de la Forêt Noire venait d'annoncer six heures, cet oubli eût été impardonnable.

Il avait choisi une mélodie assez mélancolique. Une telle musique était pour Gaspard un véritable supplice. Autant il aimait les marches, les valses et les chansons gaies — Anna Daumer, en voilà une qui connaît la musique! pensait-il toujours — autant ces airs-là lui étaient pénibles.

Comme M. de Tucher, après avoir plaqué son accord final, se retournait sur son tabouret en jetant à Gaspard un regard interrogateur, celui-ci s'imagina que le baron voulait connaître son opinion sur le morceau qu'il venait d'achever.

— Ça ne vaut rien, dit-il, et je n'ai pas besoin de musique pour être triste.

M. de Tucher interloqué, haussa les sourcils.

— De quoi te mêles-tu? Je ne t'ai pas demandé ton avis sur ce que je joue, et je n'ai nullement l'ambition d'ennoblir ton goût. Du reste, remonte dans ta chambre.

Gaspard fut content de n'avoir plus à manger avec le baron. Les tête-à-tête conventionnels, figés l'un en face de l'autre, lui apparaissaient absurdes et ennuyeux. Pourtant, il admirait beaucoup de choses chez son maître : son calme, sa parole toujours douce, sa tenue extraordinairement soignée, ses dents d'une blancheur de porcelaine, et surtout les ongles roses et bombés de ses longues mains. Il se méfiait des gens aux ongles pâles qui éveillaient en lui l'idée d'envie et de cruauté. Mais Gaspard avait le sentiment qu'on le calomniait auprès de M. de Tucher et que celui-ci s'y laissait prendre. Il aurait voulu lui crier : tout cela n'est pas vrai. Mais ce qui n'était pas vrai, Gaspard n'aurait pu le dire.

Il se sentait seul, et croyait que les hommes n'avaient qu'une idée : se débarrasser de lui. Il était plein de pressentiments et d'inquiétudes. Dans les nuits où la lune brillait, il éteignait sa lampe plus tôt que de coutume, s'asseyait à sa fenêtre et, sans détourner les yeux, suivait l'astre dans sa course. Les jours de pleine lune, il était souvent malade : il avait froid par tout le corps et, seule la vue de la lune le délivrait de son obsession. Il savait derrière quel toit ou entre quels pignons le disque brillant allait surgir; il le soulevait, pour ainsi dire avec ses mains des profondeurs du firmament. S'il y avait des nuages, il tremblait à l'idée qu'ils pussent atteindre son astre et souiller de leur contact sa lumière rayonnante.

Son oreille à cette époque semblait percevoir des voix mystérieuses. Un matin, pendant une de ses leçons, il se leva subitement, alla à la fenêtre et se pencha au dehors. M. Schmidt le laissa faire, mais comme cela se prolongeait, il le rappela. Gaspard ferma la fenêtre et revint à sa place; mais son visage était tellement pâle que l'étudiant, inquiet, lui demanda ce qu'il avait.

— J'avais cru entendre venir quelqu'un, répondit le jeune homme.

— Venir quelqu'un? Et qui donc?

— Il m'avait semblé qu'on m'appelait d'en bas.

Ceci parut étrange au professeur. Il réfléchit un instant; il aurait bien voulu poser une question à son élève. Ces derniers temps, on parlait beaucoup en ville d'une singulière histoire concernant Gaspard, ou du moins qu'on pensait devoir le concerner. Tous les journaux, ceux de l'Empire, et même ceux de l'étranger, avaient commenté cette affaire. Mais comme M. de Tucher avait défendu à l'étudiant, de la façon la plus formelle d'en parler à son élève, il se tut.

Gaspard, depuis des mois, avait pris l'habitude de lire minutieusement les journaux qu'il pouvait trouver, et d'autres qu'il se procurait secrètement. M. de Tucher redoutait, à juste titre, l'influence de pareilles lectures sur le jeune homme. De temps en temps, celui-ci découvrait quelques nouvelles à son sujet; et bien qu'il n'eût jamais trouvé de renseignemats importants, son cœur battait rien qu'à voir son nom imprimé.

Peu de temps après, le hasard fit tomber entre ses mains un numéro de la *Morgen Post* vieux de plusieurs jours; il le lut et y trouva le récit suivant : dix ans auparavant, un pêcheur avait retiré du Rhin, près de Brissac, une bouteille flottant sur l'eau. Elle renfermait un papier sur lequel on lisait ces quelques mots « Je suis enterré dans un cachot, et celui qui est assis sur mon trône ignore mon cachot. On me surveille étroitement. Personne ne me connaît. Personne ne me regrette. Personne ne sait mon nom. Personne ne vient à mon secours. » Ces lignes étaient signées d'un nom illisible et déguisé, mais dont toutes les lettres étaient contenues dans le nom de Gaspard.

Quelques journaux, à cette époque, avaient déjà relaté la découverte, mais comme elle ne s'appuyait sur rien de précis, elle fut vite oubliée. Or, voici, il y avait de cela trois semaines, qu'un anonyme avait déniché cette histoire dans un vieux numéro de la *Gazette de Magdebourg*, et l'avait ressortie. D'autres journaux s'emparèrent de la question qui finit par faire couler beaucoup d'encre. On découvrit qu'à l'époque un moine avait été accusé par un gouvernement d'avoir jeté la bouteille dans le Rhin; et en outre que ce même moine avait été assassiné en Alsace, dans une forêt des Vosges, sans qu'on pût jamais retrouver le coupable.

« Si cette piste ne suffit pas à éclaircir le mystère qui plane sur l'orphelin, concluait le journaliste grincheux c'est que la justice ne vaut pas un fétu de paille. »

Gaspard ne put se détacher de cette lecture. Il passa deux heures à relire le récit de la singulière aventure, s'arrêtant à chaque mot. L'étudiant le surprit à cette occupation; il s'assura qu'il s'agissait bien de l'affaire dont il n'avait pas osé lui parler naguère, et dit à son élève : « Que faites-vous donc, Gaspard? Et du reste, que pensez-vous de tout cela? La plupart des gens considèrent que c'est une fumisterie, mais enfin, le fait existe, la *Gazette de Magdebourg* l'a mentionné en son temps. Hein! Qu'en pensez-vous? »

Gaspard écoutait à peine, et lorsque le maître répéta sa question, il leva la tête et dit à voix basse : « Je n'ai pas écrit cela de mon cachot. »

— Ni de votre cachot, ni de votre trône? ajouta l'étudiant avec un sourire entendu, je pense bien que vous n'auriez pas pu l'écrire, puisque c'est ici seulement que vous avez appris à écrire.

— Mais alors, qui l'a écrit?

— Qui? Voilà la question.

— Mon cachot, mon trône, balbutia Gaspard presque machinalement.

Il alla vers le coin du poêle, s'assit sur un escabeau, et ne parla plus. Ni appels, ni avertissements, ni ordres, rien n'y fit. M. Schmidt, qui se sentait en faute, préféra, pour éviter toute histoire, rester plus d'une heure assis sur sa chaise, en silence.

Ce même soir, il y eut une réception chez les Tucher. Tous les amis de la famille étaient invités et durant une demi-heure on entendit le roulement des voitures. Lorsque les échos des premiers airs de danse parvinrent à Gaspard, il se rendit dans le corridor pour écouter, car il n'assistait plus à de pareilles fêtes.

Tandis qu'il se tenait ainsi, appuyé à la rampe, la tête en avant, et qu'il se sentait si isolé des autres, une main toucha son épaule : c'était le laquais qui lui présentait des friandises sur un plateau d'argent. Gaspard les refusa : « Je n'aime pas les sucreries », sur quoi le domestique le toisa d'un air désagréable et s'éloigna. A ce moment, on entendit un bruit de pas, venant du second escalier plongé dans l'obscurité, et la vieille baronne revêtue d'une robe de soie grise, et la tête entourée d'une écharpe également de soie, se dressa brusquement devant lui. Elle fixa sévèrement de ses yeux bleus, ceux du jeune homme, et lui dit d'un ton arrogant : « Vous n'aimez pas les sucreries? Et pourquoi? »

Elle arrivait du rez-de-chaussée et Gaspard sentait nettement le parfum des autres qui émanait de ses vêtements. Elle avait l'habitude de se retirer de bonne heure, mais avant de se coucher, elle faisait toujours l'inspection de toute la maison pour s'assurer qu'il n'y avait pas de danger d'incendie, ou qu'un voleur ne s'était pas introduit dans l'hôtel.

A ces paroles prononcées d'une voix sèche, Gaspard baissa la tête. Son imagination devait travailler extraordinairement ce soir-là, car il fut pris soudain d'une frayeur qui le paralysa. La nuit se fit devant ses yeux. Il lui semblait avoir entendu la voix de l'homme masqué; il étendit le bras et s'écria d'un ton suppliant : « Ne frappez pas ».

La vieille dame, qui n'avait pas d'aussi mauvaises intentions, le regarda stupéfaite. Mais le cri poussé par Gaspard éveilla l'attention de quelques hôtes qui faisaient les cent pas dans le corridor. Ils se tournèrent vers M. de Tucher qui s'élança dans l'escalier suivi de quelques-uns de ses invités. Le bruit se répandit aussitôt dans les salons que quelque chose venait de se passer, et comme personne n'ignorait la présence de Gaspard dans l'hôtel, on crut immédiatement à un attentat comme celui qui avait eu lieu chez Daumer. La musique se tut, le silence se fit, beaucoup sortirent en toute hâte, les jeunes femmes surtout étaient intriguées; un grand nombre d'entre elles montèrent au premier et restèrent là à regarder le groupe.

M. de Tucher à qui tout ceci était odieux puisqu'il avait en horreur tout ce qui pouvait ressembler à un scandale, allait demander à Gaspard raison de sa conduite lorsque la vue du jeune homme glacé par la terreur et l'air stupéfait de sa mère l'arrêtèrent.

Un phénomène extraordinaire se passait en Gaspard. Il lui semblait déjà avoir vécu ce qui se passait en ce moment. L'altière vieille dame qui se tenait devant lui ne ressemblait-elle pas à cette autre dame qui était venue un jour dans une chambre où il se trouvait. Et le domestique portant son plateau d'argent ne lui rappelait-il pas également un souvenir? Et ces hommes en habits de gala qui semblaient attendre un ordre? Et ces sveltes jeunes filles blanches au regard troublé? Et cette pénombre qui baignait le haut de l'escalier de marbre? Gaspard aurait voulu crier de joie, car il se trouvait à la fois étranger au milieu de tous ces gens et adoré par eux : ils baissaient la tête en reconnaissant leur maître.

M. de Tucher mit fin à cette scène désagréable de façon discrète. Il conduisit Gaspard dans sa chambre, il lui ordonna de se mettre au lit, attendit qu'il fût couché, puis éteignit lui-même la lumière et lui dit d'un ton tranchant qu'il aurait à lui rendre compte le lendemain de sa mauvaise conduite.

Gaspard s'en souciait bien! L'admonestation dont on le menaça resta d'ailleurs lettre morte. M. de Tucher se dit qu'après tout ses principes n'avaient pas souffert de l'aventure. Son cuisinier lui déclara d'une voix caverneuse et prophétique que Gaspard était somnambule, qu'un jour il monterait sur le toit et se précipiterait dans le vide.

On n'avait toujours pas décidé si Gaspard serait menuisier ou relieur. Il fallait l'avis de M. de Feuerbach. M. de Tucher résolut de se rendre à Ansbach au mois d'avril pour s'entretenir avec le Président.

Gaspard attendait toujours. Il attendait quelqu'un

qui devait venir, quelqu'un qui vivait quelque part parmi les hommes et qui cherchait le chemin pour arriver à lui. Chaque matin, il se disait « Ce sera aujourd'hui » et chaque soir « Ce sera demain ». Toute son activité cérébrale était aiguisée. Son être était tendu vers l'inconnu. Évidemment, si l'on avait vu les événements se préparer, on aurait compris et Daumer aurait eu matière à expérience.

Il semblait à Gaspard que des forces hostiles et secrètes le guettaient. Lorsqu'une goutte d'eau tombait de quelque gouttière il était saisi de frissons; jusque dans son sommeil, des images effrayantes l'accompagnaient. Comme il s'éveillait souvent la nuit, et que les ténèbres étaient pour lui un supplice, il demanda et obtint qu'on laissât brûler une petite veilleuse à son chevet.

Une nuit, une bizarre sensation à la figure, comme un souffle froid, le réveilla. Il se redressa en sursaut, regarda son lit, le mur et remarqua une grosse araignée suspendue par un fil au-dessus de sa tête. Il sauta hors de sa couche et, incapable de bouger, vit l'insecte se poser sur l'oreiller et ramper sur le drap blanc, traînant derrière lui son fil. Le corps de Gaspard se glaça. Il pressa ses mains l'une contre l'autre et chuchota sur un ton à la fois angoissé et caressant : « Araignée, araignée, que files-tu? »

L'araignée s'immobilisa.

« Que files-tu araignée? répéta-t-il suppliant ».

L'insecte grimpa sur le montant du lit et gagna le mur.

« Pourquoi t'enfuis-tu ainsi? dit Gaspard d'une voix faible comme un souffle, pourquoi te hâtes-tu? Cherches-tu quelque chose? Je ne te fais aucun mal... »

La bête avait déjà atteint le plafond. Gaspard s'assit sur la chaise où étaient posés ses habits: « Araignée,

araignée! » dit-il tout bas d'une voix éteinte. Dehors, quatre heures sonnaient, et il n'avait toujours pas osé se recoucher. Avant de le faire, il essuya soigneusement l'oreiller et le mur avec son mouchoir.

Mais d'être resté ainsi une heure sans sommeil, et à peine vêtu, lui valut un refroidissement qui l'obligea à garder plusieurs jours le lit. Il devenait triste et se lassait d'attendre. Même quand il fut rétabli, il n'eut aucune envie de quitter sa chambre. Pour M. de Tucher, cet état n'était qu'une neurasthénie simulée. Pourtant, quand il se fut bien convaincu que ni son indifférence voulue, ni ses paroles bienveillantes n'avaient d'influence sur le jeune homme, et qu'il y avait là une tristesse profonde et sincère, il devint soucieux.

C'est à cette époque qu'un jour un étranger se présenta à l'hôtel Tucher et demanda à être conduit auprès de Gaspard pour lui remettre en mains propres une lettre. Comme M. de Tucher n'y consentait point, après un moment d'hésitation, l'homme lui remit la missive et s'éloigna. M. de Tucher se jugea autorisé à ouvrir la lettre. Son contenu était énigmatique, et plus énigmatique encore le fait qu'on avait joint au message une bague ornée d'un diamant. M. de Tucher ne sut pas trop ce qu'il devait faire. Le parti le plus prudent était de transmettre lettre et bijou au Président ou au Tribunal. Mais un tel procédé répugnait à son sens de la justice, et un accès fugitif d'attendrissement à l'égard du jeune homme lui fit renoncer à cette idée première. Il espérait en outre tirer Gaspard de sa mélancolie. Il lui apporta l'anneau et la lettre.

Gaspard lut : « Toi qui as le droit d'être ce dont on t'a privé, aie confiance en celui qui agit pour toi de loin. Bientôt, il viendra à toi pour t'embrasser. En attendant, accepte cet anneau en signe de son dévouement et prie pour son bonheur comme il supplie Dieu d'assurer le tien ».

Lorsque Gaspard eut achevé sa lecture, il cacha son visage contre son bras et, silencieusement, pleura. Assis à sa table, M. de Tucher s'amusait gravement à faire chatoyer la pierre précieuse à la lumière du soleil.

CHAPITRE XI

C'était une après-midi d'un des derniers jours d'avril. Une élégante berline s'arrêta à l'entrée de l'hôtel du Sauvage. Un homme de haute taille en descendit et salua l'hôtelier qui se précipitait à sa rencontre, car il ne s'attendait pas à un pareil client; sa maison, en effet, n'était guère fréquentée que par des marchands et des voyageurs de commerce. L'étranger retint les meilleures chambres, sans même en demander le prix, et fendit la haie des badauds pour gagner la grande porte voûtée. Le cocher et les domestiques portèrent dans les vestibules ses malles, son sac de voyage ainsi que d'autres colis. Le nouveau-venu réclama le registre des voyageurs et peu après tout le monde put lire avec respect cette inscription flamboyante : « Henry, lord Stanhope, comte de Chesterfield, pair d'Angleterre ».

L'événement fit sensation dans le quartier, et jusqu'à une heure avancée de la nuit, les gens stationnèrent dans la rue regardant les fenêtres éclairées derrière lesquelles se trouvait l'illustre personnage. Le lendemain matin, il déposa sa carte au domicile du bourgmestre et chez quelques autres notabilités de la ville; celles-ci lui rendirent sa politesse plus tard et vinrent le voir à son appartement. Le bourgmestre Binder qui se souvenait encore très bien du premier séjour du lord, fut le premier à lui rendre visite.

Durant l'entretien assez long qu'ils eurent, le comte

reconnut sans difficulté que cette fois-ci comme la première fois Gaspard Hauser était le principal motif de son séjour dans la ville. Il portait, disait-il, le plus vif intérêt à l'orphelin et fit comprendre qu'il avait l'intention d'entreprendre quelque chose de décisif.

Le bourgmestre lui répondit que dans les limites des règlements, il lui laissait carte blanche.

« Quels règlements? » coupa le lord.

Le bourgmestre répondit que M. de Tucher était le curateur de l'orphelin, que ce titre lui conférait des droits étendus et qu'il ne verrait pas sans déplaisir un étranger s'immiscer dans ses affaires. En outre, aucun changement à l'existence de Gaspard ne pouvait être apporté sans l'assentiment préalable du Conseiller de Feuerbach.

Le visage du lord devint soucieux. « Ma position ne sera pas commode », observa-t-il. Puis il demanda si l'on avait obtenu des précisions concernant l'attentat commis dans la maison des Daumer, et si quelqu'un avait touché la prime offerte par lui. Binder répondit que non et ajouta que la somme, si généreusement offerte, était toujours à l'Hôtel-de-Ville où Sa Seigneurie pouvait la reprendre quand elle le voudrait, puisque désormais tout espoir de découvrir le coupable était abandonné.

Les jours suivants, le lord passa son temps à remplir quelques obligations mondaines. On l'invitait à déjeuner, à dîner, à goûter, et il donnait lui-même d'excellents soupers préparés par un cuisinier français spécialement engagé. Si son dessein secret était de se faire ainsi des amis et des admirateurs, il réussit parfaitement, et s'il essayait de sonder tous ces braves gens et de connaître leurs opinions, il n'eut pas non plus à regretter ses frais : on parlait librement devant lui; on se sentait honoré par sa présence et on s'extasiait sur ses moindres actions.

N'importe quelle occasion lui était prétexte pour amener la conversation sur Gaspard Hauser. Sur ce sujet, il était insatiable, et voulait toujours savoir du nouveau; il fut ravi de tous les détails touchants qu'on lui rapporta et pourtant, oubli qui frappa tout le monde, il ne jugea pas nécessaire de rendre visite au professeur Daumer, mais se contenta de convoquer le geôlier Hill et de l'interroger.

Hill, que cette visite bouleversait, mit tant d'émotion dans ce qu'il raconta, qu'on fut surpris d'entendre un homme qui avait toujours vécu parmi les criminels parler du naturel plein d'abandon et de l'attitude émouvante de son ancien prisonnier pendant son séjour à la tour. Finalement, devenant lyrique, il s'écria que quant à lui, il témoignerait toujours et partout de l'innocence du jeune homme, même si Dieu affirmait le contraire. Stanhope, ému, sourit et dit qu'il n'était pas question de culpabilité, puis il congédia l'homme avec un pourboire royal.

Enfin, il se décida à se présenter à M. de Tucher et, ensuite à voir Gaspard lui-même. Lorsqu'on lui avait demandé pourquoi il différait tant cette visite, il avait répondu qu'il avait besoin, pour cette démarche, de tout son recueillement et de toute sa force d'âme; car l'idée de voir Gaspard pour la première fois lui inspirait cette espèce de crainte joyeuse que ressentent les enfants à la veille de Noël.

M. de Tucher se trouvait dans son cabinet de travail, lorsqu'on lui remit la carte de l'Anglais. Bien entendu, il avait eu connaissance de la présence du lord dans la ville, et était au courant de ses agissements. Il le considérait d'ailleurs comme un trouble-fête et était par conséquent prévenu contre lui.

D'après toutes les descriptions qu'on lui avait faites de l'étranger, il s'attendait bien à trouver un personnage aimable et séduisant. Mais lorsque cet homme s'avança vers lui, en un clin d'œil racontars et préventions s'évanouirent. Il y avait quelque chose de dangereux chez l'Anglais et M. de Tucher s'en rendit compte immédiatement, mais il émanait de toute sa personne un charme extraordinaire. Son allure altière empêchait la sveltesse de sa taille de paraître efféminée. Ses traits, fortement dessinés, comme le sont ceux de sa race, étaient nobles et faisaient oublier le teint livide de sa peau; le feu changeant de son regard rappelait tantôt la douceur de la gazelle, tantôt le calme du tigre; bref, M. de Tucher se trouva dans un état de surexcitation intellectuel agréable qui alla en augmentant pendant tout l'entretien.

Les simples questions du lord touchant l'état physique et moral de Gaspard révélaient une haute intelligence et une profonde connaissance de la vie; tout ce qu'il dit lui valut l'assentiment de son auditeur.

Il vint à parler de lui-même et des motifs de sa présence dans la ville. Mais il resta assez vague : il était manifestement maître dans l'art de dissimuler. Nul soupçon cependant n'effleura l'esprit du baron, le nom de lord Stanhope n'était-il pas une garantie suffisante? Pourquoi un lord ne parlerait-il pas franchement? En tout cas, M. de Tucher se sentit plutôt obligé que déçu par ses paroles. Sans attendre que son hôte lui en exprimât le désir, il lui proposa de faire venir Gaspard et, tout en se défendant avec un sourire des manifestations de reconnaissance de son interlocuteur, il sonna et donna l'ordre d'aller quérir le jeune homme.

Puis ils demeurèrent silencieux. Malgré lui, le baron

restait les yeux fixés sur la porte; Stanhope était assis, les jambes croisées, le menton appuyé sur sa main gauche gantée, le visage tourné vers la fenêtre. C'était une après-midi de dimanche ensoleillée; un ciel d'un bleu éclatant dominait les toits rouges de la ville étagés les uns au-dessus des autres; rapides comme des flèches, les hirondelles passaient en criant le long des façades grises des maisons. Au moment où Gaspard entra, Stanhope modifia lentement la direction de son regard, et sans fixer précisément le jeune homme, il l'examina cependant des pieds à la tête. M. de Tucher renseigna en quelques mots son pupille sur l'identité de l'illustre personnage. Gaspard marcha sur le lord; alors celui-ci se leva et dit d'une voix qui décelait une extraordinaire agitation et une émotion profonde; « Gaspard enfin! Heure bénie! » Puis il étendit les bras et l'orphelin s'y jeta comme vers une porte qu'on lui aurait ouverte après une longue attente. Un frisson de joie fit tressaillir tout son corps et il fut incapable de prononcer un mot, de faire un geste.

Voilà celui qui arrivait de très loin. C'est de lui que venaient et l'anneau et le message! Déjà dans sa chambre, lorsqu'il avait entendu la calèche s'arrêter devant l'hôtel une nouvelle vigueur s'était emparée de ses membres, et, à l'appel du domestique, il lui sembla qu'un rayon de soleil matinal illuminait la maison. En franchissant le seuil du salon, Gaspard ne vit plus que lui, l'ami, le confident. La cloche de l'horloge sonna doucement et la lumière du jour prit la teinte suave du miel.

Apparemment, l'immense émotion du jeune homme toucha vivement le comte. Pendant quelques secondes, les traits de son visage se contractèrent violemment et ses yeux prirent une expression douloureuse. Il quitta le ton conventionnel qu'il adoptait toujours et ses premiers mots de bienvenue furent prononcés d'une voix rauque. Il caressait de sa main les cheveux de Gaspard, et pressait le jeune homme contre son cœur. D'un coup d'œil furtif, il regarda M. de Tucher, qui se tenait à l'écart, et qui observait cette scène étrange, stupéfait et silencieux. Stanhope pria le baron — car il lui fallait se hâter de trouver une explication quelconque à son attitude — de bien vouloir lui permettre d'emmener Gaspard pendant quelques heures; et M. de Tucher ne put qu'accepter cette demande.

Peu après, Gaspard prenait place dans la berline aux côtés du lord. L'agent de police dut, naturellement, l'accompagner et s'assit derrière eux. Tandis que la voiture franchissait la porte et roulait vers les jardins de Maxfeld, l'entretien s'engagea entre les deux hommes.

Gaspard se plaignit; pour la première fois, il pouvait se plaindre! Pourtant dès l'instant que l'on reconnaissait et que l'on admettait l'injustice dont il était victime, il se réconciliait avec les hommes. Jusqu'à ce jour, il avait haï l'univers; maintenant le ciel s'éclairait et un bras protecteur apparaissait.

Cependant, il ne parla pas du présent immédiat; il se trouvait en présence de quelqu'un qui devait savoir! Gaspard l'interrogea, l'interrogea avec hardiesse et passion.

— Qui suis-je? Qui étais-je? Que dois-je devenir? Où est mon père? Et ma mère?

Le comte embarrassé se contentait de l'étreindre.

— Patience, Gaspard attends jusqu'à demain : on ne peut régler tout cela d'une haleine; il y a trop à dire. Raconte-moi plutôt quelle a été ta vie? Dis-moi tes rêves. On me dit qu'ils sont merveilleux; Raconte-les-moi.

Gaspard ne se fit pas prier. Ses descriptions, lourdes de réalités, stupéfièrent son interlocuteur; il le serra plus étroitement contre lui pour lui dérober son visage. Lorsque le jeune homme lui parla de l'apparition de sa mère, le sang du lord se glaça et il détourna la conversation sur un terrain moins brûlant. Il demanda à Gaspard des détails sur sa vie chez les Daumer et chez les Behold, il s'amusait des expressions originales et pittoresques de l'adolescent, de l'emploi comique qu'il faisait des proverbes et des locutions nurembergeoises. Sur le chemin du retour, il lui demanda où était l'anneau qu'il lui avait envoyé.

— Je n'ai pas osé le mettre à mon doigt, répondit Gaspard.

— Et pourquoi pas?

— Je ne sais pas.

— Tu ne l'as pas trouvé assez joli?

— Oh si! Au contraire. Il était trop beau pour moi. Sa vue seule me donnait des battements de cœur.

— Mais tu le porteras dorénavant?

— Oui, maintenant, je le porterai, car il m'appartient réellement.

La voiture s'arrêta devant la porte. Stanhope prit cordialement congé de Gaspard et lui donna rendez-vous pour le lendemain matin à l'hôtel du Sauvage.

— Au revoir, cher petit, cria-t-il encore.

Gaspard avait le cœur serré. Le temps lui parut de nouveau long. Chaque pas qu'il faisait vers la maison des Tucher signifiait un éloignement de son grand ami. Maintenant tout ce que touchait sa main, tout ce que frôlait son regard était vieux et mort. Il se trouva le lendemain matin, dès dix heures, à l'hôtel du Sauvage. Il escamota simplement sa leçon; si d'ailleurs on avait

essayé de le retenir, il serait descendu par la fenêtre.
Le lord vint à sa rencontre dans le vestibule, le baisa au front en présence de nombreux spectateurs, et le conduisit au salon où s'étalaient, sur une table, les cadeaux qui lui étaient destinés : c'était une montre et des boutons de chemise en or, des boucles de souliers en argent et du linge fin. Gaspard n'en croyait pas ses yeux; un flot de gratitude lui monta à la gorge, mais il ne put que prendre la main de son généreux ami et la presser dans la sienne. Le lord répondit à cette muette explosion de reconnaissance par un silence ému. Ils se promenèrent quelque temps bras dessus, bras dessous dans la pièce, puis le lord demanda au jeune homme doucement de s'abstenir de le remercier.

— Ces objets ne sont que d'insignifiants témoignages de mon affection pour toi, dit-il, quant aux grandes choses que je veux entreprendre, qui vivra verra. En attendant, reste ce que tu es Gaspard, car ainsi tu me plais : peu loquace, mais d'un cœur ferme. Il faut que tu me restes sûr et fidèle comme un fils, un camarade, un ami.

Gaspard soupira. C'était trop de bonheur! Jamais il n'aurait pensé qu'une bouche humaine pût s'exprimer ainsi. Il ne trouva pas de mots pour dire ce qu'il ressentait, mais ses yeux exaltés parlèrent pour lui.

Stanhope ouvrit la porte et conduisit le jeune homme dans une pièce contiguë où, sur une table, était préparé un repas pour eux deux. Ils s'assirent et le lord versait, en souriant, du vin dans les verres lorsque Gaspard l'arrêta en déclarant qu'il n'en buvait jamais.

— Comment ferons-nous alors? dit Stanhope, lorsque nous voyagerons dans les contrées du Sud? Sur tous les coteaux pousse une vigne capiteuse et l'air est tout embaumé. Qu'as-tu à me regarder? Tu ne me crois pas.

— Est-ce vraimentsûr que nous voyagerons ensemble? demanda Gaspard tressaillant de joie.

— Absolument. T'imagines-tu que je vais me séparer de toi? Et que je vais te laisser dans une ville qui a été le lieu de tes malheurs?

— Alors, nous allons partir! Vraiment partir! Et très loin! s'écria Gaspard hors de lui et pressant ses deux mains contre sa bouche dans un spasme de joie. Mais, que dira M. de Tucher? Et le bourgmestre? Et le Président? ajouta-t-il vivement tandis que sur son visage se peignait une vive contrariété à l'idée que ces hommes pourraient désapprouver ou faire échouer les plans du comte.

— Ils ne s'y opposeront pas, ils n'auront plus aucun pouvoir sur toi, ta voie passe au-dessus de leurs têtes, dit gravement Stanhope, en fixant sur Gaspard un regard perçant.

Gaspard pâlit, submergé par l'intensité de ses sentiments. Le désir et le doute se confondaient en lui, absorbant toutes les forces de son âme. Mais en même temps surgissait, de nouveau plus brillante que jamais, la femme apparue dans le château du rêve. D'un geste suppliant, il se tourna vers Stanhope et lui demanda : « Monsieur le comte, me conduirez-vous auprès de ma mère? »

Le lord déposa couteau et fourchette et appuya sa tête sur sa main.

— Il y a ici, de terribles secrets, chuchota-t-il d'une voix sourde, je te parlerai, car il faut que je te parle, mais, tu devras te taire et ne te confier à personne qu'à moi. Ta main, Gaspard, ton serment! Mon cher petit! Mon malheureux ami! Oui, je te mènerai auprès de ta mère, la Providence m'a désigné pour te venir en aide!

Gaspard s'affaissa; ses jambes se dérobèrent sous lui, sa tête tomba sur les genoux du comte. Il sentait battre ses artères; enfin, un sanglot le délivra.

— De quel langage me servirai-je pour te parler, demanda-t-il hardiment, car les paroles habituelles lui paraissaient trop froides pour témoigner son immense reconnaissance.

Le lord le releva doucement.

— C'est très bien comme cela, répondit-il, tu pourras me tutoyer et m'appeler Henry, comme si j'étais ton frère.

Le comte et son jeune ami se tenaient étroitement enlacés lorsqu'un domestique entra et annonça le bourgmestre et le Commissaire du Gouvernement. Le lord, à travers la porte ouverte, pria les visiteurs d'entrer. Il semblait, par son attitude, être désireux que les nouveaux venus fussent témoins des marques d'affection qu'il prodiguait au jeune homme. Il arpentait encore la salle, son bras autour du cou de Gaspard, que déjà les deux hommes, après un salut respectueux, s'étaient assis. Puis il accompagna Gaspard jusqu'à l'escalier, rentra en toute hâte, alla à la fenêtre, se pencha au dehors et fit encore des signes amicaux au jeune homme avec son mouchoir. L'étonnement qu'il avait remarqué chez ses hôtes ne l'arrêta pas, au contraire, il se comportait comme un amant, fier de manifester ses sentiments.

Quelques heures plus tard, on apporta les cadeaux du lord à l'hôtel Tucher. Le baron fut stupéfait à la vue de ces dons précieux!

— Je vais me charger de ces objets et les mettre en sûreté, dit-il à Gaspard, après quelques moments de réflexion, il ne convient pas qu'un futur apprenti-relieur déploie un luxe si ostentatoire.

Gaspard bondit.

— Non! s'écria-t-il! tout cela m'appartient! C'est à moi! Je veux l'avoir et personne n'a le droit de me le prendre.

Son attitude devint menaçante et son regard étincelait de colère. Le visage de M. de Tucher se décolora. Sans un mot, il quitta la pièce. « Ainsi, c'est un ingrat, pensa-t-il avec amertume, un ingrat! Un de ceux qui renient un bienfaiteur lorsqu'ils en trouvent un autre qui paye mieux. »

Ses principes ne triomphaient plus, ils échouaient au contraire piteusement. « Céder, en pareil cas, serait une faiblesse dont je rougirais, se disait M. de Tucher, mais que faire? La violence est immorale. » Il s'adressa à Stanhope et lui exposa l'affaire. Celui-ci l'écouta avec bienveillance et s'efforça d'attribuer la faute de Gaspard à un enfantillage. Il lui promit d'ailleurs d'amener son jeune ami à remettre de lui-même les objets à son curateur. M. de Tucher, charmé de l'amabilité du lord, le quitta complètement rassuré. Mais il attendit vainement la soumission de Gaspard qu'on lui avait annoncée. Sans doute la démarche du lord était restée infructueuse, car Gaspard, si malin, si dissimulé et si fourbe, devait s'entendre à rouler un homme trop bon. Le baron était trop fier pour confier à quiconque ses déboires. Il se contenta, comme un homme qui se sent joué, d'attendre tranquillement le cours des événements.

Le lord s'était borné dans les premiers temps à venir voir Gaspard à l'hôtel Tucher, ou à l'emmener, avec une autorisation en règle, en promenade en voiture. Cet état de choses se modifia peu à peu; Stanhope donnait rendez-vous au jeune homme dans des lieux étrangers où l'inséparable garde du corps était obligé de se tenir à distance. M. de Tucher se plaignit au bourgmestre, prétendant que le lord contrevenait à la parole donnée. Mais que pouvait faire M. Binder? Pouvait-on demander des comptes à ce noble personnage? Un jour, il risqua une timide allusion, le lord riposta par une plaisanterie.

Ainsi, souvent le soir, on pouvait voir ces deux silhouettes singulières traverser, bras dessus, bras dessous, les rues de la ville. Engagés dans une conversation animée, ils ne remarquaient même pas les regards qui les suivaient. Le plus souvent, ils franchissaient le fossé de la ville et se dirigeaient vers le Burg qui rappelait à Gaspard de si tristes souvenirs. C'était dans cette sombre tour qu'il avait éprouvé ses plus fortes terreurs; ses regards s'abaissaient sur la ville où les lumières clignotantes éclairaient le fouillis des ruelles et il percevait le son des cloches annonçant les heures du jour; mais le temps aujourd'hui reliait et unissait ses coups et ce n'était plus comme autrefois des pauses d'épouvante.

Stanhope ne se lassait jamais de raconter ses voyages. Il savait décrire les choses et les événements avec des mots très simples. Gaspard entendit parler des Alpes et de leurs neiges éternelles, de leurs riches vallées et des hommes libres qui y vivent. Il connut l'Italie — le mot seul était pour lui un enchantement — ses églises somptueuses, ses palais orgueilleux, ses jardins aux statues merveilleuses, ses roses, ses lauriers, ses orangers, son ciel d'un bleu féerique et ses femmes, les plus belles du monde. Il vit la mer, et sur ses flots, des voiles d'une blancheur éblouissante. La nostalgie qui le saisissait était telle que souvent il était secoué d'un rire nerveux. Pouvoir enfin se trouver dans les pays du soleil, des fruits inconnus, pouvoir y être bientôt! A cette perspective, son cœur cessait de battre : sa joie lui faisait mal.

Un jour de pluie, ils restèrent dans le salon du lord, à l'hôtel. Celui-ci ouvrit une armoire et dévoila à son ami quelques-uns des trésors qu'il avait amassés dans ses voyages. Il y avait des monnaies et des pierres rares, des gravures, des statuettes, des gemmes, des camées, des perles et d'antiques joyaux; un chapelet bénit rapporté de Terre Sainte, une coupe ornée de figures finement ciselées, une bible à la typographie et aux enluminures splendides, un poignard damasquiné à manche d'or, un sceau papal, un manteau indien en soie brodée d'étoiles, une petite lampe de Pompéi, des vases de porcelaine anciennes d'origine française, et beaucoup d'autres objets, tous étranges, tous bizarres, et tous imprégnés du parfum d'un monde lointain et d'une grande destinée.

Stanhope prenait les objets au hasard.

— Voici ce que j'ai reçu du prince électeur de Mayence, ceci est un cadeau du duc de Savoie, cette belle miniature, je l'ai achetée à un marchand de Barcelone, et cette figurine en cire vient de Syracuse. Ce talisman est un cadeau du Cheik Abderrahman, ces étoffes orientales m'ont été envoyées de Syrie par ma cousine, personne singulière qui traverse les déserts avec les Arabes et les bédouins, dort sous la tente et s'occupe d'alchimie et d'astrologie.

Flot de paroles et de perspectives splendides! Le comte se plaisait manifestement à provoquer le désir dans l'âme de Gaspard. Peut-être prenait-il ses promesses au sérieux, peut-être n'était-ce chez lui qu'un jeu agréable, peut-être encore n'était-ce que le plaisir de raconter sans cesse. Mais peut-être était-ce aussi le goût cruel de parler à l'oiseau dans sa cage de vols merveilleux, jusqu'à ce qu'il pousse le chant de la liberté.

Sa sérénité se démentait quelquefois, souvent une

ombre passait sur son visage, ses effusions même n'étaient pas toujours exemptes de tristesse; alors, il restait assis en silence et son regard sombre se perdait au loin. Un jour, Gaspard s'enhardit à lui demander :

— Henry, es-tu vraiment heureux?

— Heureux, Gaspard! Mais non! Heureux! A quoi penses-tu! As-tu entendu parler d'Ahasver, l'éternel Juif, l'éternel errant? Il passe pour le plus infortuné des hommes. Ah! Je voudrais ouvrir devant toi le livre de ma vie, car sur ses pages tristes, tu verrais le désespoir. Mais je n'en ai pas le droit, non, je n'en ai pas le droit. Plus tard, peut-être, lorsque ton sort sera décidé, lorsque tu viendras avec moi dans mon pays natal...

— Crois-tu que cela se réalisera?

Un frisson secoua Stanhope, il sembla vouloir rejeter de ses épaules un lourd manteau; une ardeur désordonnée s'empara de lui; il se mit à parler au jeune homme de sa grandeur future, mais toujours en termes mystérieux, sans manquer de lui rappeler sa promesse de se taire. Pour la première fois il parla à Gaspard de son royaume, il tremblait et insistait sans cesse sur le silence de Gaspard.

— Je te conduirai, j'écraserai tes ennemis, car tu vaux mille fois mieux que n'importe lequel d'entre eux. Nous nous dirigerons d'abord vers le sud pour les dépister, puis nous reviendrons chez moi pour dresser un piège, et pour rassembler nos forces pour frapper un coup décisif.

Il allait à la porte pour écouter, regarder partout autour de lui pour bien voir qu'il n'y avait pas d'espions cachés. Brusquement, il détourna la conversation, décrivit son pays natal, vanta le calme d'une maison seigneuriale dans la campagne anglaise, parla d'une propriété transmise par ses ancêtres, des forêts profondes et des rivières limpides, de l'air embaumé et du plaisir qu'on éprouve à trouver partout et toujours la tranquillité.

Toutes ses descriptions étaient imprégnées de mélancolie et aussi de cette espèce de remords qu'éprouve un expatrié. Mais elle contenait aussi cette sentimentalité alors à la mode, qui faisait désirer, dans certaines circonstances, même au cœur le plus endurci, d'apaiser son inquiétude au sein de la nature. Il parla de lui-même. Il se représenta comme un homme très envié, comblé d'honneurs, de charges et de richesses, victime cependant de puissants ennemis. Descendant d'une race maudite, chassé de pays en pays, il se trouvait à cinquante ans orphelin, persécuté, sans amis, sans toit et sans foyer : le juif errant.

De telles révélations augmentaient l'affection de Gaspard pour lui. En voilà un, enfin, qui jette le masque devant moi; quelle douce joie, mêlée d'amertume de voir l'idole descendre du piédestal.

Gaspard offrait maintenant le spectacle d'un homme équilibré et libre. Le regard et les traits détendus, la taille droite, le front haut, les lèvres entr'ouvertes dans un sourire heureux. Il avait pris l'habitude de monologuer à haute voix. Il riait lorsqu'on le surprenait ainsi. Les gens étaient charmés; ils ne cessaient de faire l'éloge d'un être dans lequel l'enfance et l'adolescence se mêlaient de si agréable façon. Des jeunes femmes lui envoyaient des billets tendres et M. de Tucher fut assailli de demandes pour qu'un peintre puisse faire le portrait du jeune homme. Les propos malveillants cessèrent comme par enchantement. Il n'y eut plus personne pour dire du mal de lui; ses ennemis les plus acharnés baissèrent la tête et toute la ville s'érigea en protectrice de l'orphelin. On commença à affirmer de plus en plus explicitement qu'il fallait le préserver des intrigues du comte anglais.

Aussi, Stanhope s'aperçut-il un jour, à sa propre stupéfaction, qu'il était étroitement surveillé et même espionné. Il fallait agir sans délai.

CHAPITRE XII

Depuis longtemps déjà on colportait dans tous les lieux de réunion, le bruit que le lord avait l'intention d'adopter Gaspard. Effectivement, vers le milieu de juin, Stanhope adressa au Conseil de la ville une demande officielle de lui confier le jeune homme, se chargeant d'assurer son avenir. Le Conseil lui fit répondre par l'intermédiaire du bourgmestre que d'abord une pareille requête devait être adressée à l'assemblée plénière et qu'ensuite il lui fallait avant tout justifier d'une fortune suffisante pour assurer le bonheur de son protégé.

Cette décision ne fut pas du goût de Stanhope. Il mit sous les yeux du bourgmestre ses décorations, les attestations de cours étrangères, des lettres confidentielles émanant de hautes personnalités; M. Binder, malgré tout le respect qu'il éprouvait pour Sa Seigneurie, déclara regretter de ne pouvoir rapporter la décision prise à l'unanimité par le Conseil.

Le comte commit l'imprudence, dans une réunion, à laquelle on l'avait convié, d'exprimer son mépris pour « cette bande de prétentieux ». Le propos s'ébruita. Il eut beau essayer de réparer la vivacité de ses paroles dans une lettre adressée au président de l'assemblée, en prétextant une mauvaise humeur passagère, l'incident fit sensation. Les soupçons s'éveillèrent. On commença à dire qu'il recevait souvent dans son hôtel des personnages à mines douteuses, avec lesquels il avait de longs et secrets entretiens. Et puis, comment expliquer qu'un homme qui se prétend si riche et si distingué, descende dans un hôtel de second ordre? Aurait-il peur, par hasard, d'être vu par ses compatriotes, en descendant comme eux à l'hôtel de l'Aigle, ou à la Cour de Bavière? Ces soupçons se trouvèrent confirmés par un bruit dont il fut impossible de découvrir l'origine, et selon lequel le lord aurait été autrefois employé comme propagandiste par les Jésuites de Saxe.

Stanhope résolut de quitter la ville. Il fit une visite d'adieu au bourgmestre, prétexta des affaires urgentes qui réclamaient son départ et promit de présenter dès son retour la déclaration authentique de sa fortune qu'on lui réclamait. En même temps, il lui donna la somme, en billets, de cinq cents écus qui devait uniquement servir à satisfaire aux besoins et aux fantaisies de son protégé. Comme le bourgmestre lui objectait que la garde de cet argent revenait à M. de Tucher, le lord secoua la tête et déclara qu'il y avait trop de sévérité préconçue chez le baron, qu'il agissait d'après un idéal de vertu imaginaire, que cette « plante humaine », si frêle, ne pouvait se développer que dans un milieu indulgent et affectueux. « N'oublions pas, qu'il reste au destin à acquitter une vieille dette vis-à-vis de Gaspard, et qu'il serait peu généreux de toujours vouloir freiner ce produit de la nature qui, malgré les hommes, est magnifique. »

La gravité de ces paroles, l'air imposant du lord firent grande impression sur le bourgmestre. Il exprima encore une fois le regret de ne pouvoir réaliser sur-le-champ les désirs du comte et l'assura que la ville serait toujours très honorée de le recevoir dans ses murs.

De l'Hôtel de Ville, Stanhope se rendit chez M. de Tucher. On lui répondit que le baron était parti pour la chasse avec des amis et que Gaspard était sorti, mais ne tarderait pas à rentrer. Le lord résolut d'attendre. Il arpenta nerveusement le salon, tira son porte-feuille, se mit à compter son argent, griffonna des comptes sur une feuille. Une rage froide semblait s'être emparée de lui, son cou blanc s'empourprait comme celui d'un alcoolique, il tapait du pied et tout son visage était affreusement tiraillé. « Maudits animaux », dit-il à mi-voix, tandis que ses lèvres se plissaient avec mépris. Toute trace de mesure et de dignité avait disparu de sa personne. Que le rideau tombe, ne fût-ce qu'un quart d'heure, et l'acteur montre derrière le maquillage son véritable visage.

Le comte avait mal calculé; les atouts prévus ne donnaient pas le résultat escompté; il était donc obligé de recommencer l'opération. « C'est payer trop cher ma popularité », dit-il d'un ton bourru. Propos imprudent, mais qu'heureusement il prononça en anglais. Puis il proféra des menaces mystérieuses : « Si jamais je revois *l'homme gris*, je lui tirerai les oreilles. Les couronnes ne sont pas des denrées qui se débitent au marché; on partage plus honnêtement. »

Le comte était un superstitieux. Les craquements des murs le faisaient penser à la mort; lui arrivait-il d'entrer du pied gauche dans une chambre, il devenait inquiet et mal à l'aise. Justement il venait de le faire. Pourtant, il se ressaisit, d'autant qu'il venait d'entendre dans le corridor, la voix claire de Gaspard; il reprit son masque, de nouveau ses yeux brillèrent, il avisa sur le rayon de livres un volume de J.-J. Rousseau, s'assit dans un fauteuil et feignit de lire.

Pourtant, lorsque le visage du jeune homme émergea de la pénombre, de nouveau une expression douloureuse se joua sur ses traits et une sorte de lassitude l'empêcha de parler et lui fit même détourner son regard. Ce fut seulement lorsque Gaspard, frappé de l'air étrange de son ami, l'appela par son nom, qu'il rompit le silence. Il lui aurait été facile de mettre sa mauvaise humeur sur le compte de son départ prochain, mais le regard du jeune homme annihilait sa volonté et ses desseins; il ne retrouvait sa lucidité que lorsqu'il était seul. Il ressemblait à Pénélope qui défaisait la nuit ce qu'elle avait filé le jour. Gaspard fut désespéré à l'annonce de la nouvelle et les raisons que lui donna Stanhope n'atténuèrent pas son chagrin. Le lord eut beau lui expliquer que son propre bonheur exigeait cette séparation, et lui assurer qu'il reviendrait bientôt, dans quelques mois peut-être, Gaspard secouait la tête; il s'accrochait à son ami, le priait, le suppliait de l'emmener, lui demandant même de congédier son domestique, s'offrant à le servir lui-même, ajoutant qu'il se passerait de lit, de gages, qu'il vivrait de nouveau de pain et d'eau. « Ah! Fais cela pour moi, Henry! criait-il le visage en larmes, que deviendrai-je sans toi? »

Stanhope se dégagea doucement de l'étreinte du jeune homme et les paroles de consolation qu'il lui prodigua le consolèrent lui-même. « Ta pusillanimité prouve le peu de confiance que tu as en moi, dit-il, comment peux-tu croire que Dieu qui a fini par nous réunir nous séparera de nouveau? Tu mets en doute sa sagesse et sa bonté. Le monde est un édifice harmonieux où, d'après les lois de la prédestination, tout homme trouve son compagnon, crois bien cela et le temps fera le reste. Que notre séparation soit d'une heure ou de plusieurs semaines, qu'importe, si nous avons la certitude de nous revoir. Les gens attendent bien le Sauveur jusqu'à leur mort,sans perdre patience. Il faut apprendre à te dominer, Gaspard : les fils de prince ne pleurent pas ». La nuit tombait. Le lord conduisit Gaspard à la fenêtre et ajouta : « Regarde le ciel, Gaspard, regarde les étoiles poursuivre leur route dans le firmament; c'est sous ce signe que nous nous reconnaîtrons. »

Stanhope remarqua avec satisfaction que Gaspard réfléchissait. Il semblait ne plus se révolter contre le cours du destin et comprendre qu'une nécessité supérieure plane au-dessus des grandes existences. Il semblait avoir compris que maîtriser ses passions c'est être un homme.

Le lord regarda sa montre, dit qu'il lui fallait se hâter car il voulait voyager de nuit à cause de la chaleur. Il prit congé de son jeune ami dans la rue, devant la voiture. Il lui remit une petite bourse remplie de pièces d'or et lui demanda d'en disposer à sa guise sans en référer à personne. Ce conseil irréfléchi, — à moins qu'il n'eût été donné à dessein — faillit provoquer un drame entre Gaspard et son curateur. M. de Tucher informé de cette nouvelle libéralité, exigea que Gaspard lui remit l'argent. Celui-ci refusa; mais M. de Tucher le somma d'obéir et allait même employer la force, quand Gaspard intimidé par ses menaces et déprimé depuis le départ de son ami, céda. Il persista cependant dans une attitude de sourde révolte ce qui mit M. de Tucher hors de lui. « Je te chasserai de ma maison, dit-il incapable de se maîtriser, je révélerai ta honteuse conduite, on apprendra à te connaître, petit coquin ! »

Malgré sa tristesse, Gaspard crut bon de braver son interlocuteur. « Que dirait le comte s'il apprenait cela, répondit-il d'un ton fier? »

— Le comte! Envers lui aussi, tu t'es montré ingrat, répliqua M. de Tucher. Que de fois ne m'a-t-il pas assuré qu'il t'exhortait à être raisonnable, qu'il te suppliait de ne pas mécontenter tes bienfaiteurs. Mais tu ne l'écoutes pas; tu es indigne de son affection.

Gaspard fut stupéfait. Jamais Stanhope ne lui avait parlé ainsi, bien au contraire. Il répondit que c'était faux. Alors, M. de Tucher le traita de menteur.

C'était la preuve que le système d'éducation du baron était inefficace, puisque lui-même était incapable de réprimer ses propres passions. Les fameux principes étaient définitivement vaincus. Et puis, M. de Tucher était las de cette lutte fastidieuse. Bien qu'il fût décidé à ne pas garder plus longtemps chez lui Gaspard, il résolut de différer l'exécution de son projet et comme la vue du jeune homme lui rappelait sans cesse son échec, il accepta l'invitation d'un cousin et se prépara à partir pour le reste de l'été dans une propriété située près de Hersbruck, où il retrouverait sa mère. Comme on était en vacances et que le professeur ne venait plus à l'hôtel, il n'eut pas à se préoccuper de l'instruction de Gaspard, il lui recommanda de se consacrer à ses études personnelles, lui laissa de quoi pouvoir subvenir à ses besoins journaliers et lui donna en outre quatre écus d'argent pour ses menus plaisirs. Il le quitta froidement et partit après avoir confié la surveillance du jeune homme à la police et à un vieux domestique de la maison.

Gaspard comptait les jours et les effaçait sur le calendrier, au fur et à mesure avec de la craie rouge. La maison silencieuse, la rue ensoleillée et déserte lui rendaient sa solitude pénible. Il n'avait pas d'amis; les étrangers qui affluaient encore plus nombreux depuis que l'on avait appris l'intérêt que lui portait un lord furent éconduits; quant aux simples relations il n'avait nulle envie de les voir. Le soir, quelquefois, il prenait son journal pour y écrire, alors son ami lui semblait plus proche, c'était pour lui comme un entretien à distance. Il n'oubliait pas sa promesse de garder secret ce que Stanhope lui avait révélé; néanmoins son journal devint le confident des mystérieuses allusions du lord.

Au début de septembre, Gaspard reçut une première lettre du comte qui lui annonça son retour prochain. Sa joie fut grande mais il s'y mêla cependant comme une espèce de triste pressentiment, que les rapports entre eux ne seraient plus jamais ce qu'ils avaient été. A chaque roulement de voiture et à chaque coup de sonnette, son cœur se dilatait jusqu'à éclater. Lorsqu'il arriva enfin, Gaspard fut incapable de prononcer un mot; il chancelait et battait l'air de ses mains. Il doutait presque de la réalité de l'apparition. Le comte abandonna l'attitude qu'il avait résolu d'adopter vis-à-vis du jeune homme et remit à plus tard ce changement prémédité; ses yeux se voilèrent de cette douce émotion qui l'étreignait toujours en présence de l'adolescent, le seul être qui eut, il le reconnaissait, une influence sur lui et dont il traînait la destinée derrière lui comme un chasseur son gibier mort.

Il trouva mauvaise mine à Gaspard et lui demanda s'il avait assez à manger. Le récit des discussions avec M. de Tucher provoqua ses sarcasmes, mais non sa colère.

— As-tu pensé de temps en temps à moi, Gaspard? s'informa-t-il, et Gaspard répondit avec le regard d'un chien fidèle :

— Beaucoup et toujours.

Puis il ajouta :

— Je t'ai même écrit, Henry.

— Tu m'as écrit, mais tu ne connaissais pas mon adresse!

Gaspard pressa ses mains l'une contre l'autre et sourit :

— Je t'ai écrit dans mon livre, dit-il.

Le comte devint nerveux. Mais avec une familiarité feinte, il reprit :

— Dans quel livre? Qu'as-tu écrit? Montre-le-moi.

Gaspard secoua la tête.

— Ainsi, tu me caches certaines choses, Gaspard.

— Je ne te cache rien, mais je ne puis te le montrer.

Stanhope détourna la conversation, mais résolut d'en avoir le cœur net.

Il était de nouveau descendu à l'Hôtel du Sauvage, mais se conduisait différemment. A chaque repas, il commandait champagnes et vins fins, menait grand train, comme s'il s'agissait pour lui de faire étalage de sa richesse. Il avait amené avec lui son propre carrosse, aux roues dorées, à la portière ornée de ses armoiries et de sa couronne de comte. Son personnel se composait d'un chasseur et de deux valets de chambre : ces trois personnages galonnés avaient le don d'exciter l'étonnement des Nurembergeois.

Il se hâta de déposer une nouvelle demande au Conseil pour obtenir qu'on lui confiât Gaspard. Afin de justifier de sa situation de fortune, il fit allusion, incidemment, à des lettres de crédit qu'il avait déposées, depuis son retour, chez le banquier Simon Merkel. Il parlait de ces lettres négligemment, comme s'il s'agissait de sommes insignifiantes, alors qu'en réalité, émises par les banques de Frankfort et de Karlsruhe, elles représentaient un très gros chiffre.

Dans ces conditions, il devenait impossible au Conseil d'élever la moindre objection contre les désirs de Stanhope. Dans une réunion, la question des motifs qu'avait le gentilhomme de s'intéresser au jeune homme fut posée. Que voulait-il en faire en somme? A ce propos le bourgmestre lut un passage de la requête du comte. « Le soussigné se sent d'autant plus appelé à s'intéresser au malheureux que, grâce à un long commerce avec lui, il a acquis la certitude que l'enfant lui est dévoué, attaché et reconnaissant. »

— Interrogeons Hauser lui-même, proposa un des Conseillers. Il faut savoir s'il a envie de suivre le comte.

On chercha Gaspard. Il déclara avec une profonde émotion que Stanhope prenait le plus vif intérêt à son sort et qu'il était prêt, quant à lui, à l'accompagner n'importe où.

Malgré cela, l'autorisation officielle était différée de jour en jour par une série de petites circonstances, en apparence futiles, mais qui, s'accumulant peu à peu, provoquèrent finalement une opposition unanime.

D'abord, le zèle excessif du comte pour s'assurer de la personne de Gaspard réveilla les soupçons qui n'avaient jamais cessé d'exister. Et puis, ses manières fastueuses indisposaient les bourgeois qui préféraient, même chez les grands, un train de vie modeste aux folles prodigalités qui réveillent les mauvais instincts de la populace. On était mécontent lorsque, passant dans son luxueux carrosse, il s'arrêtait exprès sur les places les plus animées et jetait à droite et à gauche dans la foule des pièces d'argent. Les gens se roulaient alors dans la boue sans aucune pudeur devant l'étranger affable et nonchalant qui les regardait de sa place.

Enfin, on prétendit que Stanhope avait emprunté sur ses lettres de crédit de fortes sommes au banquier Merkel. On prévint ce dernier qu'il ferait bien de se méfier, car le bruit courait que le lord n'était pas autorisé à disposer de ces titres, ou qu'il ne pouvait le faire que dans certaines limites.

Dans l'intervalle, M. de Tucher revint de la campagne.

Il connaissait la marche des événements et désirait arriver au plus vite à une solution définitive. Il adressa au lord une assez longue lettre dans laquelle il lui offrait, soit de prendre l'orphelin complètement chez lui, soit de déposer une forte somme pour qu'on puisse confier Gaspard à un homme intelligent et cultivé. Dans le second cas, Sa Seigneurie s'engagerait à renoncer à tout commerce, écrit ou oral, avec le jeune homme, et cela durant des années.

La lettre était d'ailleurs écrite avec les formules de politesse courante qu'exigeait l'étiquette : « C'est avec la plus profonde gratitude, très haut Seigneur, que je reconnais les innombrables preuves de bienveillance dont vous m'avez comblé depuis que vous séjournez dans notre ville. C'est pourquoi, étant donné la franchise, que vous avez si souvent exigée de moi, je suis persuadé que vous prêterez à mes paroles une oreille attentive. Gaspard n'est pas l'homme que vous croyez. Comment pourriez-vous connaître, d'ailleurs, cet être hybride, puisque dans ses relations avec vous, à qui il doit tout et de qui il attend tout, il s'est, bien entendu, montré sous le jour le plus avantageux. Vous lui avez témoigné une amitié que vous ne réservez qu'à vos pairs; malheureusement, à côté de dons certains la nature a défiguré cette âme par une vanité sans borne, vanité que vous avez vous-même bien innocemment inoculée dans ce cerveau déjà malade, poison qu'aucun médecin de l'âme, fût-il le plus habile, ne parviendra jamais à neutraliser. Loin de moi l'idée de vous en faire un reproche et je vous prie instamment de ne pas mal interpréter ce que je vous dis, mais je dois constater que tout le temps que Gaspard a passé sous mon toit, je n'ai jamais eu lieu d'être mécontent de lui, tandis que depuis votre séjour dans la ville — et je vous dis cela bien à contre-cœur — mon pupille est comme transformé. »

Un tel style devait flatter l'oreille même la plus blasée. Stanhope néanmoins feignit d'avoir été blessé. Dans une requête adressée au tribunal, il écrivit qu'il était tout disposé à se charger de Gaspard, non seulement sa vie durant, mais encore d'assurer son avenir, en cas de décès; il ajouta qu'il s'était créé entre M. de Tucher et lui une situation telle qu'elle lui rendait impossible désormais toutes relations avec le baron et qu'il fallait donc absolument changer Gaspard le plus vite possible de milieu.

Le Conseiller Hofmann se hâta d'informer M. de Tucher des insinuations du lord. Ce dernier en fut très irrité; il communiqua le texte de la lettre qu'il avait adressée à Stanhope, répéta quelle néfaste influence l'Anglais avait sur le caractère du jeune homme et demanda qu'on le relevât le plus tôt possible d'une tutelle qui ne lui avait attiré, selon ses propres termes, que soucis, tourments, charges, et finalement ingratitude et méconnaissance de ses meilleures intentions. Comme le tribunal lui demandait son avis sur le lord, il répondit qu'il estimait que c'était un homme remarquablement doué. On lui attribuait une très grosse fortune et lui-même affirmait qu'il jouissait d'une rente de vingt mille livres, ce qui d'ailleurs n'était pas énorme pour un grand seigneur et un pair d'Angleterre. « Si l'on obtient des garanties suffisantes, concluait-il, et que l'on tienne compte de certains bruits qui courent sur lui en Angleterre, je n'ai, en ma qualité de tuteur, aucune objection à élever contre l'adoption de Gaspard par Lord Stanhope, en tout cas du point de vue financier ».

Stanhope s'impatientait de toutes les lenteurs de l'administration. En dépit des commérages cependant, tous les obstacles semblaient écartés, et il allait toucher le but qu'il poursuivait depuis longtemps, si tenacement, lorsque subitement tout fut remis en question. M. de Feuerbach mit son *veto* à l'éloignement de Gaspard. Il envoya un message privé au bourgmestre, lui annonça qu'il rentrait d'une cure à Karlsbad, qu'il ignorait absolument tout ce qui se tramait, et qu'aucune décision ne pouvait être prise avant qu'il ait lui-même éclairci cette affaire suspecte, et donné son autorisation.

Le bourgmestre fit aussitôt prévenir Stanhope. Ce dernier reçut le billet de Binder tandis qu'on le rasait. Il écarta violemment le coiffeur, se leva d'un bond et, les joues toutes barbouillées de savon, arpenta la pièce en proie à la plus vive agitation. Au bout d'un temps assez long, il se souvint de sa barbe, déchira le papier en mille morceaux et se livra de nouveau à son barbier, mais avec un tel regard de haine, que la main du malheureux, épouvanté, en tremblait, et que son office terminé, il se précipita hors de la chambre.

Resté seul, l'Anglais griffonna quelques lignes d'une main rapide, ferma sa lettre et la cacheta, fit appeler son valet, lui ordonna de seller un cheval et le chargea de porter le message à destination dans les quarante-huit heures, à n'importe quel prix.

L'homme s'éloigna en silence. Il connaissait son maître. Il savait qu'il se souciait peu de plaisanterie, d'aventures galantes ou de petites intrigues. Il connaissait bien le visage bouleversé qu'il venait de voir. Plus d'une fois il avait entrepris, soit de jour, soit de nuit, de pareilles chevauchées; la consigne était : se hâter et se taire. Et même les paroles « à n'importe quel prix » n'étaient qu'une fanfaronnade car il savait que parfois, non seulement il se passait de récompense, mais il lui fallait attendre l'occasion d'attraper quelques restes dérobés à la table de son maître. Sa Seigneurie n'était pas toujours en fonds, alors on attendait l'argent qui devait venir de France ou d'Angleterre, on vous envoyait chez quelque personnage illustre, qui vous recevait fraîchement et laissait percer du mépris plutôt que du respect à l'égard de Stanhope.

Que signifiait tout cela? Quelles étaient les raisons obscures pour lesquelles ce noble gentilhomme devait se plier à de telles nécessités? Pourquoi ce descendant d'une vieille famille aristocratique, et qui portait un des noms les plus illustres de l'Europe passait-il sa vie dans une modeste auberge, à la merci de l'obséquiosité d'un hôtelier? Pourquoi?

Chaque jour et chaque heure n'était plus pour lui qu'un vestige de son passé. Le nom des Stanhope avait été jadis brillant en Europe, mais à celui qui le portait à présent il ne restait plus que la légende. Pourtant, pendant quelque temps, il avait fait les beaux jours des salons de Paris et de Vienne; il avait été riche et avait gaspillé toute sa fortune à assouvir sa jeunesse, donnant à ses pairs le spectacle d'une prodigalité sans pareille. On vantait ses fêtes et ses dîners, il voyageait toujours suivi d'une cour de cuisiniers, de secrétaires, de valets de chambre, d'ouvriers et de bouffons. Rien que dans une pergola de Madrid, il avait fait distribuer aux femmes pour vingt-cinq mille livres de fleurs. Pendant le Congrès de Vienne, il avait reçu rois et princes, organisé des courses qui engloutirent une fortune, fait représenter des opéras à ses frais, donné des concerts. Ses fantaisies somptueuses tenaient la société en haleine; il donnait à ses amis des maisons de campagne, à ses maîtresses des colliers de perles. Des années durant, il avait été le Crésus du continent : une armée de parasites l'entouraient, sachant lui soutirer son argent pour satisfaire leurs appétits féroces. Sa bonté et sa libéralité étaient proverbiales, sa façon de jeter autour de lui l'or à pleines mains, sans se soucier s'il tombait dans le ruisseau ou sur les tapis, ressemblait à la démence ou à quelque expérience insensée pour sonder la cupidité humaine.

Puis, ce fut la fin : la faillite et le suicide d'un banquier précipitèrent sa ruine. Un soir, au Palais Bourbon on joua gros et Stanhope, perdit plusieurs milliers de livres, sans rien perdre de cette verve et de cet esprit qui donnaient tant de charme à sa conversation. L'ambassadeur, lord Castlereagh, s'approcha de lui et lui murmura quelques mots. On le vit pâlir, un sourire mélancolique se joua sur ses traits fins. Le lendemain, il quittait la ville. Il comptait pouvoir mener dans sa patrie la vie d'un grand propriétaire, mais ce fut impossible; ses biens étaient grevés d'hypothèques et les créanciers accouraient de toutes parts. Il avait d'ailleurs la solitude en horreur et détestait la nature sans les hommes. Il s'enfuit. Il ne lui restait de son passé brillant que des lambeaux pour soutenir une existence que déjà l'angoisse de la faim commençait à miner. Le silence se fit autour de lui; il ne se déplaçait plus que pour relancer ses amis et ses compagnons d'autrefois, mais bientôt tout le monde fut au courant de sa situation et se méfia de lui. Dans un hôtel, à Rome, malade, désespéré, à bout de ressources, il avala de la strychnine. Une jeune Sicilienne le soigna et le sauva. Mais le poison, en quittant son corps, sembla entrer dans son âme. Il engagea une lutte corps à corps avec le destin qui l'avait jeté à terre; il devint farouche et hautain. Son mépris des hommes, qui touchait au sublime, lui permit d'exploiter leurs faiblesses. Il se mit au service des Grandes Puissances et connut les mystères répugnants de leurs antichambres et de leurs passages dérobés. Il devint l'émissaire du pape et l'agent stipendié de Metternich. Bientôt, son nom fut effacé de la liste des honnêtes gens pour être classé dans celle de ces aventuriers qui, en marge de la société, jouent un rôle ténébreux. Ses dons extraordinaires, son besoin d'activité facilitèrent sa besogne, et étouffèrent la voix de sa conscience. La haute société l'évitait, malgré les services qu'il pouvait lui rendre, mais pour les classes inférieures, il restait toujours Son Excellence. Il devint un chasseur d'hommes, un envoûteur d'âmes. Tout chez lui devint métier : métier, son sourire irrésistible, métier sa conversation enjouée et sa culture étendue. Chaque frémissement des cils, chaque révérence étaient étudiés, tout était prévu, tout avait un but.

Un jour, on lui dit : « Gaspard Hauser! » La tâche était précise, les circonstances plus sombres que jamais. On lui avait déclaré : « Tu es l'homme qu'il nous faut; l'entreprise est difficile, mais rapportera gros; elle paraît de peu d'importance et cependant des intérêts immenses sont en jeu. » Les négociations avec lui ne furent pas menées à visage ouvert, tout se passa derrière le rideau, chaque messager parlait au nom d'un anonyme. Oui, la tâche était précise : « Eloigne l'orphelin qui commence à être dangereux pour nous », telle fut la consigne.« Prends-le chez toi, conduis-le dans un pays où tout le monde l'ignorera, fais-le disparaître s'il le faut, précipite-le dans la mer ou jette-le dans un ravin, soudoie le bras d'un reître ou si c'est dans tes cordes, inocule-lui une maladie incurable. En tout cas, si tu veux que ton travail te soit rémunéré, il faut que la solution soit radicale. Nous te garantissons notre reconnaissance qui te sera comptée en espèces sonnantes ».

A quoi bon hésiter puisque, s'il réussissait, c'était la

fin de sa misère. Et puis, chaque minute qui passait faisait de lui un complice dont on se débarrasserait s'il refusait, comme d'un dépositaire inutile du secret. Il n'y avait donc pas à choisir. Le début de ses démarches remontait loin dans le passé. Déjà, à l'époque où l'assassin fut envoyé dans la maison Daumer, Stanhope, avait l'ordre d'intervenir si l'attentat échouait. La brutalité et la bassesse des moyens employés blessèrent son bon goût et révoltèrent ce qu'il y avait de bon en lui. Mais la pauvreté et la faim le firent revenir sur sa décision et c'est ainsi que de loin il se prépara à séduire sa victime.

Pourtant, quelle étrange scène lorsque pour la première fois, ils se trouvèrent l'un en face de l'autre. La voix, le regard, quelque chose toucha le criminel. Le séducteur fut séduit. L'oiseau chantait, lui aussi et l'oiseleur n'y avait pas songé. Il se sentit aimé et non pas, comme par les femmes dont il connaissait les caresses fugitives, mais par quelqu'un dont la beauté d'âme merveilleuse, insoupçonnée, toucha son cœur durci.

Il existe une légende sur un pays où ne tomba ni rosée ni pluie, ce qui causa la sécheresse et le manque d'eau. Il n'y avait qu'un seul puits qui contenait le liquide précieux, mais à une grande profondeur. Les gens commençaient déjà à désespérer, lorsqu'un jeune homme s'approcha du puits. Il jouait de la cithare, et savait tirer de son instrument des accords si mélodieux que l'eau monta jusqu'à la margelle et se déversa abondamment.

Ainsi de Stanhope. Chaque fois que Gaspard demeurait près de lui et laissait jouer les douces mélodies de son âme, son esprit sortait des profondeurs, son regard désolé remontait vers le passé, la honte enflammait son visage; il lui semblait facile d'annuler le mal, il se retrouvait lui-même, et le visage du jeune homme lui renvoyait l'image de sa propre jeunesse, et tel qu'il aurait pu être encore si la vie n'avait pas brisé ce qu'il y avait de plus noble en lui.

Mais que pouvait-il donner de lui-même? Il s'était engagé; sa vie était payée par ceux qu'il servait, ses jours et ses nuits étaient payés, son repentir, son désaccord intérieur, sa conscience bourrelée, tout était payé. Il songeait quelquefois sérieusement à fuir avec Gaspard. Mais où? Où y avait-il un abri pour celui qu'une partie du monde reniait? Quand il passait des heures calmes avec le jeune homme et qu'il contemplait son visage rayonnant de pureté, il sentait qu'il était encore, lui aussi, un homme et il s'abandonnait à une immense tristesse. Dans ces moments-là, il oubliait tout, but, mission, et se vengeait de ceux qui le tenaient en livrant ce qu'il savait de leurs secrets. Ainsi, il trahissait doublement. Il faisait à Gaspard des promesses de puissance et de grandeur; c'était tout ce qu'il pouvait faire pour lui. Lorsqu'il était loin de Gaspard, il était soulagé que le charme du jeune homme perdît de sa force et il ne sentait plus peser sur lui ce regard interrogateur qui lui paraissait être celui d'un envoyé que Dieu aurait mis à ses côtés. Il lui écrivait de petits billets courts et passionnés : « Si un jour, tu remarques de la froideur en moi, ne mets pas cela sur le compte d'un manque de cœur, mais considère plutôt que c'est l'expression d'une douleur qu'il me faut garder en moi jusqu'à la tombe; mon passé est un cimetière; lorsque je t'ai trouvé, je ne croyais plus en Dieu et tu as été le sonneur dont les cloches m'ont annoncé l'éternité ». Phrase au goût de l'époque, influencée par les poètes à la mode, mais signe cependant de la perplexité d'une âme bouleversée.

Cependant, sa situation empirait, les frais de son séjour

augmentaient constamment et ses crédits ne lui étaient pas d'une grande aide car ils n'existaient que pour la forme. La détresse le força à agir et il prit la décision de se rendre à Ansbach pour négocier avec le président Feuerbach en personne.

Un samedi, fin novembre, il donna l'ordre d'atteler sa calèche et expédia un mot à l'hôtel Tucher pour qu'on lui envoyât Gaspard aussitôt. Puis il donna l'ordre de retenir le jeune homme à l'hôtel jusqu'à son retour. Lui-même se rendit chez le baron par un chemin détourné où il était sûr de ne pas croiser Gaspard, et sous le prétexte de l'y attendre, se fit conduire dans sa chambre. Une fois seul, il se mit à fouiller fébrilement les tiroirs, les livres, les cahiers de l'orphelin. Il voulait retrouver une lettre qu'il avait adressée à sa victime, quelques semaines auparavant et dans laquelle il avait très imprudemment fait allusion à l'avenir de Gaspard. Il fallait à tout prix la faire disparaître car on l'avait prévenu que les personnages ténébreux pour le compte desquels il travaillait le soupçonnaient. Ses recherches furent vaines. Tout à coup la porte s'ouvrit et M. de Tucher parut sur le seuil. Dans sa hâte inquiète, Stanhope n'avait pas entendu les pas qui se rapprochaient. Le baron, à ce moment-là, lui sembla être de très haute taille car le sommet de sa tête touchait le panneau supérieur de la porte. Son attitude exprimait une stupéfaction douloureuse. Il y eut un long silence puis il dit d'une voix rauque : « Je ne puis croire, monsieur le Comte, que vous fassiez œuvre d'espion ».

Stanhope frémit.

— Vous me permettrez de ne pas relever une accusation de cette nature, répliqua-t-il, calme et hautain.

— Enfin, qu'est-ce que cela signifie? Que dois-je penser? J'ai l'impression que tout ceci n'est pas très propre.

Stanhope perdit contenance; il pressa une de ses mains contre son front et dit :

— Je mérite plus de pitié et d'indulgence que vous ne pensez.

Ce disant, il sortit son mouchoir de sa poche et l'appuya sur ses yeux. M. de Tucher se taisait. Il avait subitement l'intuition que tous les commérages vagues et mystérieux au sujet de Gaspard pouvaient bien, après tout, avoir un fondement sérieux.

Et Stanhope, comme s'il avait pressenti ce qui se passait chez cet homme, se ressaisit en un éclair et dit :

— Eh bien oui, je l'avoue, je tâtonne dans les ténèbres, je doute de Gaspard. Certains de ses mensonges et certaines de ses ruses me troublent...

— Vous aussi, ne put s'empêcher de crier le baron.

— Et je cherche des preuves.

— Dans ses tiroirs et dans ses armoires?

— Il s'agit de notes secrètes qu'il a refusé de me communiquer.

— Des notes secrètes! Je n'en ai jamais entendu parler.

— Elles n'en existent pas moins.

— Faites-vous allusion au journal qu'il a reçu du Président.

Stanhope sauta sur cette idée qui pouvait le tirer de son mauvais pas.

— C'est cela justement, se hâta-t-il d'affirmer, se souvenant en même temps de certaines allusions que Gaspard avait faites à ce sujet.

— Je ne sais pas l'endroit où il le garde, dit M. de Tucher, je me ferais d'ailleurs un scrupule de vous le remettre en son absence. En outre, j'ai appris par hasard qu'il avait détaché, il y a quelque temps, de ce journal, l'image de M. de Feuerbach qui se trouvait en première page, pour y mettre la vôtre.

Il prit dans une serviette, sur le pupitre, une feuille et la présenta à Stanhope : c'était le portrait de Feuerbach.

Le lord le regarda un instant et la vue de cette physionomie autoritaire lui inspira une certaine appréhension.

— Voilà donc, murmura-t-il, cet homme célèbre, je suis sur le point de lui rendre visite et j'attends beaucoup de sa justice.

Mais il sentait son courage faiblir en songeant à son voyage à Ansbach et à la nécessité de soutenir le terrible regard.

— Son Excellence sera certainement enchantée de faire votre connaissance, répondit poliment M. de Tucher.

Deux heures plus tard, la calèche de Stanhope roulait à toute allure sur la route nationale. Un violent orage avait éclaté et la poussière tourbillonnait. Le lord, enveloppé de couvertures, et affalé dans le coin de la voiture laissait errer ses regards sur le mélancolique paysage d'automne. Ses yeux, où brillait un éclat maladif, ne semblaient voir ni les champs, ni les forêts, mais fouillaient la plaine pour découvrir quelque danger caché. C'était le regard d'un traqué et d'un fugitif. A l'entrée de la petite ville d'Heilsbronn, retentirent les sons monotones d'un orgue de barbarie. Stanhope se boucha les oreilles, enfouit sa tête dans les coussins de sa voiture et gémit sur sa misère et sur sa solitude. Bientôt, il se redressa, dur et froid comme l'acier, et un sourire sarcastique passa sur ses lèvres minces.

Deuxième Partie

CHAPITRE XIII

Il pleuvait à torrents lorsque, tard dans la soirée, la calèche du lord traversa la place de la résidence d'Ansbach. Les chevaux se cabrèrent soudain devant un chien qui passait le chemin et le cocher alsacien jura si fort dans son atroce dialecte que derrière les fenêtres obscures surgirent quelques bonnets de nuit blancs. Les chambres avaient été retenues à l'avance à l'hôtellerie de l'Etoile et l'hôtelier, son parapluie à la main, se multipliait devant la porte et accueillit l'étranger par d'innombrables et de profondes révérences.

Stanhope se dirigeait vers l'escalier lorsqu'un homme en uniforme d'officier de gendarmerie, dont le manteau trempé s'égouttait, l'aborda rapidement et se présenta comme le lieutenant de police Hickel. Il lui dit qu'il avait eu l'honneur de le rencontrer quelques semaines avant chez le capitaine Wessenig, à Nuremberg, qu'il prenait la liberté de lui offrir ses services. Il s'excusa de cette présentation cavalière, mais il ne voulait pas omettre de se tenir, dès la première heure, à la disposition du comte. Stanhope le considéra d'un air étonné et hautain. Il vit un visage frais, plein, aux yeux à la fois audacieux et soumis. Il recula instinctivement, ayant le sentiment que cet homme était bon à n'importe quelle besogne. Du reste l'éclat de ce regard ne lui était pas inconnu. Mais comment l'officier connaissait-il sa venue? Qui l'avait renseigné? Il résolut de se méfier. Il le remercia brièvement et lui fixa un rendez-vous; le lieutenant salua et rentra dans la pluie aussi précipitamment qu'il en avait surgi.

Stanhope occupa tout le premier étage et, ayant horreur de l'obscurité fit aussitôt allumer des bougies dans toutes les chambres. Pendant que le domestique préparait le thé il prit dans son sac de voyage un petit livre de piété relié en marocain et commença à lire, ou tout au moins essaya. Mais en réalité, mille pensées traversaient son cerveau et le calme de la petite ville lui pesait plus que le silence d'un cimetière. Après s'être restauré, il fit appeler l'hôtelier et le questionna sur tout, sur les conditions de l'endroit, sur la noblesse et sur les fonctionnaires. L'homme en profita pour exhaler son mépris des temps actuels. Il avait connu l'époque heureuse des margraves et le jour où les courtisans et les dames d'honneur avaient dû quitter leur petit palais rococo et fuir devant la guerre menaçante, la période brillante avait pris fin. Maintenant, la ville n'était plus qu'un nid de rats, un marché aux puces de paperasses, une mare d'encre. Ah! Comme on savait rire autrefois! La vie était gaie, on jouait, on dansait et le gros bonhomme se mit à exécuter gravement des pas de menuet et des pas de deux, en s'accompagnant d'une mélodie désuète et en soulevant comiquement de deux doigts de chaque main les pans de son habit.

Stanhope garda son sérieux, il demanda négligemment si M. de Feuerbach était dans la ville, mais à ses mots le gros bonhomme s'assombrit.

— Son Excellence? gronda-t-il. Nous serions bien mieux si elle n'était pas là. Elle nous guette comme un matou maussade et grogne quand nous sifflons un petit peu.

Elle se mêle de tout; si les rues sont balayées, si le lait est baptisé; Elle est partout. Mais de politesse, point. Il y a cependant une chose qu'elle connaît bien, c'est une bonne fourchette et je me permets de vous prévenir, Monsieur le Comte, si un jour vous en avez l'occasion, louez tout ce qui est sur sa table.

Stanhope congédia aimablement le bavard, désigna à ses domestiques les habits à préparer pour le lendemain et alla se coucher. Tard dans la matinée, il se leva et envoya son valet chez Feuerbach pour demander une entrevue. L'homme revint porteur d'un message où il était dit que le Conseiller d'Etat ne pourrait le recevoir ni ce jour-là, ni même sans doute les jours suivants, et qu'il priait que l'objet de la visite lui fût exposé par écrit. Stanhope, très vexé, comprit qu'il était allé trop vite et se fit conduire chez le Conseiller Hofmann qui lui avait été recommandé.

Entre temps, la nouvelle de sa présence s'était répandue et les légendes sur sa personne commençaient à courir. On racontait qu'une demi-douzaine de sacs pleins de guinées d'or étaient attachés sur sa voiture, qu'il voulait acheter le château des margraves et son parc, qu'il était le cousin du roi d'Angleterre et Gaspard Hauser son fils. Stanhope, impassible en apparence, se réjouissait d'être le centre de tous ces bavardages.

Le Conseiller aulique ne put lui expliquer l'attitude de Feuerbach. Pour s'entendre sur les démarches officielles à suivre, ils allèrent chez le directeur des archives, M. Wurm qui jouissait de l'entière confiance de Feuerbach. Stanhope sentit que tous craignaient cet homme et que personne ne pouvait se vanter d'avoir avec lui des rapports familiers.

Le soir Stanhope accepta une invitation dans une

famille et sut mettre la conversation sur le Président. Une suite d'anecdotes ridicules et bizarres furent racontées sur lui et, pour masquer le manque de sympathie qu'il inspirait, on parla de lui avec pitié; on évoqua le malheur qui avait frappé Feuerbach en la personne de deux de ses fils, d'une union malheureuse et de la solitude misanthrope dans laquelle vivait le vieillard.

— Un fanatique! risqua quelqu'un, il livrerait ses enfants au bourreau comme Horace.

— Jamais il ne pardonne à un ennemi, dit un autre d'un ton amer, ce qui n'est guère chrétien.

— Tout cela ne serait pas si grave s'il ne soupçonnait pas tout le monde d'être des malfaiteurs, dit la maîtresse de maison, s'il ne brandissait pas, à propos de tout, le code pénal. L'autre jour, j'avais été me promener avec ma fille sur la route de Triesdorf et nous eûmes l'imprudence de cueillir quelques pommes quand tout à coup son Excellence surgit devant nous, brandissant sa canne et criant « Madame, j'appelle cela un vol! » Un vol! Je vous demande un peu.

— N'oublie cependant pas, maman, compléta la fille de la maison, qu'il avait un air amusé et qu'il put tout juste maîtriser son envie de rire quand, tremblantes de frayeur, nous rejetâmes les fruits dans le fossé.

Stanhope ne cacha point son admiration pour le Président. Il cita des passages de ses écrits et parut même connaître ses traités juridiques les plus arides. Il qualifia d'événement historique l'abolition de la torture que Feuerbach avait fait voter. Stanhope voulait éblouir son auditoire et il y réussit.

Il n'y eut plus dès lors qu'un seul sujet de conversation : Stanhope. Stanhope, le héros et le protecteur des persécutés, Stanhope le roi de l'élégance, Stanhope le libre-penseur, Stanhope le favori de la chance, Stanhope le mélancolique et Stanhope le pieux. Autant de jours, autant de visages, aujourd'hui, il est froid, demain passionné, tantôt gai et familier, tantôt pensif et digne; il est la science et le dilettantisme, la voix du cœur et celle du devoir. Il intéresse, quand chez Mme Imhoff, il avoue sa peur des revenants et quand il raconte comment il a vu, de ses yeux, un de ses compatriotes descendre aux enfers par le cratère du Vésuve, et avec quel art il récite d'autre part des vers impies de Byron!

Le cinquième jour, son messager revint. Il rapportait des pouvoirs plus étendus, des ordres que Stanhope avait devancés par son voyage à Ansbach et dans lesquels perçait une certaine crainte au sujet des mesures prises par Feuerbach. On lui enjoignit de se plier aux volontés du Président pour ne pas éveiller de soupçons, mais en même temps de poser d'autres pièges. On mentionna un document dangereux qu'il fallait anéantir ou rendre inefficace et dont on devait de toute façon prendre copie.

Le papier contenant le présent message devait être déchiré ou brûlé en présence du messager, ce qui fut fait. Mais le gaillard apportait avant tout de l'or, du merveilleux or, en espèces. Stanhope se sentit renaître.

Le lendemain soir, il invita quelques-unes des meilleures familles de la ville à une fête dans les salles du casino. Le bruit courut qu'il avait fait préparer des mets selon des recettes à lui et qu'il avait personnellement arrêté avec le chef d'orchestre le programme de la musique. Avant le bal, chacune des dames reçut un cadeau de prix : un petit bouclier en or portant une devise en émail : « Dieu et le cœur ». Puis, le lord leva son verre et invita ses hôtes à boire à la santé d'un homme qui lui était cher, mais dont il n'osait prononcer le nom devant tant d'auditeurs, aussi bien chacun devinait quelle était cette créature merveilleuse, symbole de l'époque « Dieu et le cœur », voilà pour cet homme privé de mère, « que les femmes qui ont enfanté se souviennent de lui et aussi les vierges qui se vouent à l'amour ».

On s'émut. Quelques mouchoirs blancs s'agitèrent dans de douces mains et quelqu'un grommela :

— Quel homme bizarre!

Et « l'homme bizarre », ne pouvant maîtriser son émotion, passa sur le balcon et considéra d'un air pensif les gens qui, au dessous de lui s'entretenaient par groupes ou se promenaient dans l'obscurité. Beaucoup s'étaient rangés contre le mur en face pour écouter la musique et la lumière des fenêtres enveloppait leurs visages d'un éclat blafard.

Soudain, Stanhope aperçut l'officier en uniforme qui s'était présenté à lui lors de son arrivée dans la ville. Il avait complètement oublié ce rendez-vous et l'homme venu à l'hôtel à l'heure fixée n'avait pu que laisser sa carte. A présent, il se tenait sous un lampadaire, l'air hargneux.

Le lord se sentit gêné. Il s'inclina poliment dans la direction de l'officier et celui-ci qui n'attendait que ce geste s'approcha tout près du balcon de sorte que son visage se trouvait à la hauteur de la poitrine du comte :

— Lieutenant de police Hickel, si je ne me trompe, dit Stanhope en lui tendant la main, j'ai eu la malchance de manquer votre rendez-vous, veuillez m'en excuser.

Le lieutenant de police rayonna et son regard redevint soumis.

— Dommage, remarqua-t-il, autrement j'aurais eu l'avantage d'être invité à la soirée de mylord, car ma modeste personne appartient cependant au cercle des privilégiés de cette ville.

Stanhope approuva à peine d'un signe de tête.

— Personnage antipathique, pensa-t-il.

— Votre Grandeur a-t-elle déjà rendu visite au Conseiller d'Etat Feuerbach, reprit le lieutenant. Son Excellence a été rebelle jusqu'à présent et n'a voulu correspondre avec vous que par écrit, mais j'ai réussi à la faire changer d'idée.

Tout cela fut dit de l'air le plus innocent. Cependant, Stanhope surpris demanda :

— Comment cela?

— Où les autres se cassent les dents, moi je réussis, répondit Hickel, quand on sait manier ces têtes chaudes on en fait ce qu'on veut.

Stanhope resta glacial. Il ressentait pour cet individu une espèce de répulsion, mais le lieutenant parut ne pas s'en apercevoir. Il lui conseilla de ne pas hésiter, car actuellement Feuerbach se trouvait dans un état d'indécision dont il pourrait tirer parti. Et quant au document dangereux...

Stanhope blémit :

— Le document? De quel document parlez-vous? murmura-t-il rapidement.

— Vous le saurez, si vous voulez m'accorder une demi-heure d'entretien reprit Hickel, à la fois obséquieux et ironique, ce que nous avons à nous dire a sa petite importance. Cela ne presse pas, mais je suis à votre disposition à n'importe quel moment.

Malgré son inquiétude, Stanhope affecta l'indifférence. Il ne pouvait ignorer le mot qui était tombé de la bouche d'Hickel, mais il joua néanmoins l'ignorance.

— Je m'adresserai à vous quand le moment sera venu, lieutenant, dit-il sèchement, et il rentra dans le salon, le front soucieux.

Hickel se mordit les lèvres, et regarda d'un air stupide le comte s'éloigner. Il traversa la rue en sifflotant. Soudain, il se retourna, fit une révérence ironique et dit avec une politesse affectée.

— Oui, mylord, même les grands ont besoin d'eau pour faire leur cuisine.

Stanhope revenu parmi ses invités, s'entretint avec le commissaire Stichaner et dans le courant de la conversation lui annonça qu'il avait l'intention de rendre visite dès le lendemain à Feuerbach; si ce dernier persistait dans son refus incompréhensible, il serait forcé de l'interpréter comme un affront et quitterait la ville. Ces dernières paroles furent prononcées à voix haute et à l'intention des personnes qui se trouvaient tout près, notamment de Mme d'Imhoff qui était très liée avec Feuerbach. Celle-ci se retourna.

— Mais, si je ne me trompe, mylord, son Excellence est allée vous rendre visite. Je l'ai rencontrée dans son jardin dans la soirée, au moment où elle partait pour votre hôtel. N'étiez-vous pas chez vous?

— Je suis parti à huit heures, répondit Stanhope.

Une heure plus tard, les invités prenaient congé. Le lord s'offrit à reconduire Mme d'Imhoff dont le mari était en voyage. En passant devant son hôtel, il fit arrêter sa voiture et demanda si quelqu'un était venu en son absence. Feuerbach avait en effet laissé sa carte.

Le lendemain à onze heures, le carrosse du lord s'arrêta dans la Heiligenkreuzgasse devant la porte du jardin de Feuerbach. La démarche mesurée, la taille souple et cambrée, Stanhope se dirigea d'une manière inimitable vers le bâtiment rustique en marchant scrupuleusement dans le milieu de l'allée aux arbres dénudés. Sa tenue était impeccable; à la boutonnière de sa redingote brune flamboyait un ruban rouge, un diamant était piqué dans sa cravate et, suprême artifice, un sourire las jouait sur ses lèvres glabres. Quand il eut parcouru à peu près les deux tiers du chemin, il entendit de véritables hurlements sortir de la maison et un chat passa précipitamment à côté de lui.

— Mauvais présage, pensa-t-il en pâlissant. Il s'arrêta et instinctivement regarda derrière lui, mais il y avait tant de brume qu'il ne voyait même plus sa voiture.

Il tira la sonnette et attendit assez longtemps qu'on vint ouvrir. Les cris continuaient à retentir dans la maison; c'étaient ceux d'un homme en colère. Enfin, Stanhope appuya sur la poignée de la porte qui céda et il se trouva dans un corridor. Ne voyant personne il hésitait à avancer quand, brusquement, une porte s'ouvrit et une femme, apparemment une servante, sortit précipitamment, suivie d'un personnage, à la tête puissante, en qui le lord reconnut immédiatement Feuerbach. Il fut tellement saisi à la vue de ce visage défiguré par la colère, de ses cheveux en désordre et de cette voix tonnante qu'il resta cloué sur place.

Que s'était-il passé? Malheur ou crime? Rien de tout cela : un pot de lait avait débordé à la cuisine et une fumée nauséabonde s'était répandue dans le corridor, pendant une courte absence de la servante. Et il était vraiment lamentable de voir le vieillard gesticuler, écumer, redoublant de fureur à chaque réplique de la coupable, s'égosiller de rage en tapant du pied.

— Curieux bonhomme, pensa Stanhope méprisant.

Et c'est devant ce petit tyran de province, que j'ai tremblé!

Il monta trois marches et toussota discrètement.

Feuerbach se retourna brusquement. Stanhope s'inclina profondément, déclina son nom et s'excusa avec un sourire indulgent d'importuner son Excellence. Une rougeur subite passa sur le visage du vieil homme. Il jeta au lord un regard rapide et perçant tandis qu'un frémissement parcourait son nez et sa bouche; puis il éclata d'un rire à la fois moqueur et familier. D'un geste il invita son hôte à entrer; ils pénétrèrent dans une grande pièce rangée jusque dans les moindres recoins. Feuerbach expliqua aussitôt au lord la conduite qu'il avait eue envers lui jusqu'ici et ne donna d'autres raisons que la nécessité, plus forte que toutes les conventions sociales. Mais il s'était rendu compte qu'il ne fallait pas blesser un homme du rang de Stanhope, et d'autre part des amis lui en avaient dit tellement de bien qu'il s'était rendu la veille à son hôtel. Stanhope s'inclina de nouveau, répéta tout son regret de n'avoir pu atteindre auparavant son Excellence et déclara que cette heure compterait parmi les plus heureuses de sa vie, puisqu'elle lui permettait de faire la connaissance d'un homme dont la renommée et la valeur avaient franchi toutes les frontières. De nouveau, le Président lui jeta un regard rapide et aigu, un sourire sceptique passa sur ce visage tanné, dissimulant reconnaissance et joie.

Ils s'assirent, le Président, par habitude professionnelle le dos à la fenêtre pour mettre son hôte en pleine lumière. Il lui déclara qu'une des raisons pour lesquelles il désirait le voir était une lettre qu'il avait reçue la veille de M. de Tucher dans laquelle celui-ci lui demandait de prendre Gaspard chez lui. Ce changement d'attitude du baron lui paraissait d'autant plus surprenant qu'il savait que celui-ci avait été favorable aux projets de Stanhope; Stanhope répondit de l'air le plus étonné qu'il ne s'expliquait pas non plus la conduite du baron :

— Il suffit d'avoir le dos tourné pour que les gens changent d'avis, dit-il sèchement.

— Evidemment, répliqua Feuerbach. Du reste, je ne veux pas vous le cacher plus longtemps, mylord; comme je l'ai déjà dit au bourgmestre Binder, il ne peut être question que Gaspard vous soit confié. Je suis obligé de repousser sans hésitation cette suggestion.

Stanhope se tut. Un vague mécontentement marquait son visage. Il ne cessait de fixer les pieds du Président et, faisant un effort pour parler il dit :

— Permettez-moi de vous dire, Excellence, que la situation de Gaspard est intenable à Nuremberg. Critiqué par tout le monde, incompris par tous ceux qui se disent ses protecteurs, il est écrasé du poids d'une reconnaissance dont le destin l'accable et dont il ne pourra jamais se libérer. D'autre part, on m'a assuré que la ville ne subviendrait à ses besoins que jusqu'à l'été prochain et le mettrait ensuite en apprentissage chez un artisan; ceci, Excellence, me paraît regrettable (ici la voix de Stanhope s'enfla quelque peu et son visage aux yeux baissés prit une expression d'orgueil) oui, il me paraît regrettable de transplanter une fleur rare dans un pré que tous les pieds ont foulé.

Le Président avait suivi avec attention les paroles de son interlocuteur.

— Oui, répondit-il, je sais tout cela. Une fleur rare, vous avez raison. N'a-t-on pas cru tout d'abord se trouver en présence d'un habitant d'une autre planète miraculeusement venu sur notre terre, ou devant cet être dont parle

Platon qui a été élevé dans les enfers et n'est venu à la lumière du ciel qu'à l'âge d'homme.

Stanhope approuva.

— Mon affection pour lui, reprit le lord, qu'on juge exagérée, a pris naissance dans ces récits ; elle trouve aussi sa justification dans l'histoire de ma famille, continua-t-il d'un ton dégagé. Un de mes aïeux fut persécuté sous Cromwell et se réfugia dans un caveau. Sa propre fille le cachait et le nourrissait d'aliments volés jusqu'au jour où il put s'enfuir. Et depuis ses descendants ont toujours eu une certaine senteur de caveau. Je suis le dernier de la famille, et sans enfants, seul un rêve, ou si vous préférez une idée fixe me rattache à la vie.

Feuerbach rejeta sa tête en arrière, la ligne de sa bouche se tendit comme celle d'un arc :

— Une responsabilité intérieure m'empêche de vous être agréable, dit-il avec noblesse, il s'agit ici d'une chose si monstrueuse qu'elle dépasse tout sacrifice d'amour ou de bonté. Il s'agit de prouver qu'il existe un droit et qu'il existe une justice même quand les crimes sont recouverts d'un manteau de pourpre.

De nouveau, Stanhope approuva, mais machinalement cette fois, et en tressaillant. Devant la puissance qui émanait de Feuerbach et qui rendait naturel le ton pathétique qu'il employait, il eut peur de celui qui lui avait tout à l'heure paru risible. Il sentit qu'il était inutile de s'élever contre cette volonté de fer. La fatalité l'avait acculé à de louches besognes, mais à ce moment, désemparé, il ne pensait plus qu'à sauver ce qui lui restait d'honneur. Il se pencha et dit doucement :

— Et pensez-vous que ce droit que vous voulez faire éclater vaudra les souffrances de celui à qui il appartient ?

— Oui, même devrait-il en mourir.

— Et s'il meurt avant que vous n'atteigniez votre but?

— Alors, c'est de sa tombe que sortira la punition.

— Dans votre intérêt, dit Stanhope presque imperceptiblement, je vous demande d'être prudent.

Feuerbach eut l'air surpris. Il eut un brusque soupçon. Mais les yeux bleus devant lui rayonnaient, transparents comme des saphirs, et le fin visage reflétait la tristesse. Le Président se sentit soudain attiré vers cet homme et spontanément sa voix s'adoucit :

— Vous aussi, vous me parlez de prudence? Mon langage vous semble téméraire; il l'est du reste. Mais je suis las de servir sur un bateau qui court à sa perte par l'ignorance de ses officiers. Je pense qu'il est difficilement compréhensible pour un libre citoyen de l'Angleterre qu'un homme comme moi doive sacrifier sa tranquillité et la sécurité de son existence pour éveiller la conscience de son pays. Il est superflu, dès lors, de me rappeler à la prudence. Je ne crains rien, puisque je n'ai rien à espérer.

Stanhope laissa passer quelques secondes avant de répondre. Il reprit d'un air nonchalant :

— Mon avertissement vous surprendrait moins si je vous avouais que je connais les choses que vous insinuez. Je ne suis pas ici par hasard et une raison extérieure me pousse à m'occuper de cet orphelin; cette raison c'est une femme, et la plus malheureuse des femmes, dont je me considère comme l'envoyé.

Feuerbach se dressa comme si la foudre était tombée dans la chambre.

— Mylord, cria-t-il, vous savez donc tout!

— Je sais, dit Stanhope très calme, tout en observant le Président,crispé au dossier de son fauteuil et dont le visage se contractait, je sais, reprit-il avec un sourire désabusé. Vous allez me demander : pourquoi ces détours? Que voulez-vous faire de ce garçon? Je vous répondrai : je veux le mettre en sécurité, je veux l'emmener dans un autre pays, je veux le cacher, je veux le soustraire au poignard qui le menace sans cesse. Et si vous voulez tout savoir, Excellence, je serai plus clair encore. Je connais des choses qui glacent mon sang quand la nuit, je me réveille et que j'y pense entre deux sommeils, dans un délire fiévreux. Epargnez-moi plus de détails. Des raisons plus fortes que les serments me lient. Vous paraissez, je ne sais comment, connaître cet horrible gouffre de honte, de meurtre et de misère; j'ose vous dire que moi qui approche de près les rois et les maîtres de cette terre et qui les connais bien, je n'ai jamais vu un visage aussi noble et aussi douloureux que celui de cette femme. A l'instant où je la vis, je devins son esclave. Mon unique idée fut dès lors d'adoucir, dans la mesure de mes moyens, les blessures que lui infligeait le destin. Je veux taire l'épouvantable martyre qu'elle endure et comment je découvris ceux qui depuis dix ans poursuivent auprès de cette malheureuse abandonnée leur œuvre maudite. J'ai assez à faire pour dompter ma vraie nature et pour paraître naturel à leurs yeux; il me faut mentir, flatter, ramper, combattre les ruses par les ruses; je me suis déguisé et j'ai accepté des tâches honteuses. Et pourtant la colère me ronge et je me demande comment il est possible de continuer à vivre avec dans la poitrine cette révélation. Car on continue à vivre et c'est le pis : on mange, on boit, on dort, on va chez son tailleur, on se promène, on se fait tailler les cheveux, et un jour suit l'autre comme si rien ne s'était passé. Et c'est exactement de même chez ceux qui devraient être rongés par le remords : ils mangent, boivent, dorment, rient, s'amusent et les crimes glissent sur eux comme l'eau sur un toit.

— C'est vrai, c'est bien vrai, s'écria Feuerbach passionnément.

Il arpenta plusieurs fois la chambre puis s'arrêta devant Stanhope et demanda gravement :

— Et la femme? Sait-elle quelque chose? Quelque chose de lui? Qu'attend-elle? Qu'espère-t-elle?

— Je ne puis rien dire, reprit le lord de la même voix triste; il n'y a pas longtemps on racontait chez la comtesse Bodmer qu'elle avait éclaté en sanglots lorsqu'on avait prononcé devant elle le nom de Gaspard Hauser. Mais je n'ai pas eu confirmation de cet incident. Par contre, j'ai eu connaissance d'un autre fait assez surnaturel. Il y a deux ans, un jour à midi, la princesse se trouvait seule dans la chapelle du château et priait. Quand elle eut fini et qu'elle voulut se lever, elle aperçut tout à coup devant elle l'image d'un bel adolescent au visage désespéré. Elle cria le nom de son fils, Stephane, et s'évanouit. Plus tard, elle fit part de cette vision à une de ses intimes, qui avait vu Gaspard à Nuremberg et qui fut frappée par la ressemblance. Et le plus curieux, c'est que cette vision s'est produite le jour et à l'heure même de l'attentat dans la maison de Daumer. Il est en tout cas certain que des deux côtés une mystérieuse attirance se manifeste. Il est clair aussi, Excellence, que toute hésitation peut être fatale. Je fais appel à vous dans mon angoisse; un jour peut-être, nous aurons à répondre de nos négligences devant un juge et rien ne pourra effacer l'irréparable.

Stanhope se leva et alla à la fenêtre; ses paupières étaient à demi-closes, son regard voilé. Il trahissait, mais qui? Il mentait, mais à qui? A ses émissaires? Au jeune homme qu'il s'était attaché? A Feuerbach? A lui-même? Il ne le savait pas. Il était ému par ses propres paroles, car elles lui semblaient vraies. Tout ce qu'il avait dit lui semblait vrai et, sincèrement, il se croyait le véritable sauveur. Il s'attendrissait sur sa propre générosité. Il subissait une éclipse de mémoire, la lassitude et le dégoût qu'il manifestait s'adressaient à ce fantôme qui, tout à l'heure avait été assis à sa place. Vingt ans de son passé s'effaçaient et il se trouvait purifié par une hallucination de bonté et de miséricorde.

Feuerbach s'était rassis à son bureau. La tête appuyée sur sa main, il songeait.

— Nous sommes les serviteurs de nos actes, mylord, dit-il après un long silence, et sa voix d'habitude si grave ou si aiguë, était devenue douce; redouter une issue fatale équivaudrait à abandonner la lutte avant la bataille. Je serai franc également, mylord, considérez que je me trouve ici dans un poste perdu, j'avais d'autres ambitions, du moins je le croyais, que de finir mon existence dans une province obscure. J'ai rendu à mon roi des services qui ont été reconnus et qui ont peut-être contribué à lui faire donner le noble surnom de « Juste ». Je voulais faire plus, grandir son peuple, faire de sa couronne un symbole d'humanité! J'ai échoué. On m'a repoussé. On m'a récompensé, certes, mais comme un valet.

Il s'arrêta, frotta son menton du dos de sa main et reprit rageusement :

Dès ma prime jeunesse, je me suis voué à la défense du droit et de la justice. J'ai préféré l'esprit des lois à leur texte même. J'ai étudié le mal comme un savant une plante. Le criminel pour moi était un malade; dans son esprit avarié je tâchais de discerner quelle était la part de responsabilité dans ses fautes. J'ai compulsé les maîtres du droit et les grands apôtres de l'humanité, j'ai voulu arracher le siècle à sa barbarie surannée et construire des voies pour l'avenir. Mes écrits, mes livres, mes essais, tout mon passé, c'est-à-dire toute la chaîne des jours et des nuits en témoignent. Jamais je n'ai vécu pour moi, à peine pour ma famille; j'ai été frustré des plaisirs de la société, des joies de l'amitié et de l'amour; je n'ai tiré aucun avantage des faveurs acquises; aucun succès ne me contentait, j'étais pauvre, je suis resté pauvre, toléré par ceux d'en haut, sali par ceux d'en bas, maltraité par les forts, joué par les faibles. Mes adversaires étaient plus puissants, leurs doctrines plus séduisantes, leurs moyens sans scrupule; ils étaient nombreux, j'étais seul. On m'a chassé comme un chien malade, on m'a calomnié, on m'a couvert de boue. Il fut un temps où il m'était impossible de traverser les rues de la Résidence sans essuyer les plus grossières insultes de la populace. Et lorsqu'enfin, par suite d'ignobles intrigues j'ai dû résilier mes fonctions de professeur à Landshut, lorsqu'on eut monté contre moi tous les étudiants et que je dus m'enfuir dans mon pays natal, abandonnant femme et enfants, on vint me poursuivre jusqu'ici. C'était pendant la guerre, tout était sans dessus dessous, le parti autrichien fit répandre le bruit que j'avais partie liée avec les Français pour préparer à Napoléon un empire occidental et renverser les princes régnants; de leur côté, les Français soupçonnaient mes relations avec l'Autriche. Quelqu'un osa même, un de mes collègues, savant célèbre et considéré, un lâche, auquel l'histoire donnera sa part de honte, osa, dis-je, me traiter publiquement d'espion, prétextant mon protestantisme pour éveiller la méfiance du roi à mon égard. Je n'ai pas sombré, mes ennemis se dispersèrent, mon prince me rappela, gracié, mais gracié seulement. Un nouveau monarque occupa le trône, et je restai en faveur. Aujourd'hui, je suis un vieillard et je vis dans le silence. Mes ennemis se sont adoucis et font semblant, eux aussi, de me considérer. Ils ne savent pas ce qu'il en coûte à un homme de voir son existence anéantie quand il est encore en pleine force.

Feuerbach se leva et respira profondément. Puis il saisit sa tabatière et prisa :

— Je ne me rends pas compte, mylord, reprit-il en se tournant vers Stanhope, de ce qui me pousse à vous parler ainsi, et j'en suis moi-même surpris. Vous êtes le premier qui entendez des mots que vous pourriez prendre pour les griefs d'un homme vaincu et qui pourtant ne me sont dictés que par la nécessité. En ce qui concerne Gaspard, ce n'est pas son cas particulier qui m'intéresse. C'est plutôt de savoir si tous mes sacrifices auront été vains et si tous ceux qui pensent comme moi ne récolteront jamais qu'indifférence et impuissance. Je dois tenter l'expérience, advienne que pourra, je dois savoir si on prend au sérieux ma cause. J'ai des preuves, mylord, des indices terribles; je peux punir, je tiens la foudre et peux provoquer l'orage. Tout est fixé par moi et réuni en un document spécial; on le sait, on ne me poussera pas à l'extrême, car je suis décidé à tout pour sauvegarder le bien précieux dont, devant Dieu et les hommes, je suis le gardien. Toutefois, j'attendrais; les grandes choses exigent de la patience. Mais on n'éloignera pas Gaspard : il est l'arme vivante et le témoin dont j'ai besoin et qu'il me faut toujours à portée de la main. En le perdant, je perdrais le fondement de ma dernière œuvre, oui, je le sens bien, de la dernière et tout espoir de me faire entendre serait perdu. Et vous, qu'attendez-vous? Vous êtes pour la générosité! Moi pour la justice.

Le visage de Stanhope avait blémi peu à peu comme si son sang se retirait. Il s'était assis, accroupi presque comme pour se terrer. De temps en temps, ses yeux jetaient des éclairs comme ceux des bêtes sauvages, il retenait sa respiration, jouait avec la chaîne de son lorgnon et quand Feuerbach eut terminé il se dressa brusquement. Il avait de la peine à se contenir, à trouver ses mots, sa bouche était tiraillée comme s'il voulait cacher un fou-rire ou une douleur physique et quand il saisit la main du Président, il était glacé. Encore une fois, son double se tenait à ses côtés, cette ombre de sa vie, de ses actes et il lui glissait à l'oreille le mot de trahison; mais ses yeux étaient humides lorsqu'il dit :

— J'ai compris. Tout ce que je puis vous dire est ceci : Excellence, faites de moi votre ami, considérez-moi comme votre allié. La confiance que vous m'avez témoignée me touche car quelle preuve avez-vous de ma loyauté? Qui vous dit que vous n'avez pas ouvert votre cœur à un imposteur qui dissimule simplement mieux que les autres? J'aurais pu enlever Gaspard, je le pourrais encore.

— Si le visage avec lequel vous vous trouvez devant moi ment, coupa Feuerbach, alors pour ma part, je renonce à trouver la vérité sur terre. Enlever Gaspard, l'enlever, continua-t-il en riant avec bonhomie, mais vous plaisantez, car je déconseillerais cela à tous ceux qui aiment encore à se promener sous le soleil.

Stanhope resta songeur quelques minutes. Puis il dit brièvement :

— Mais que faire? Il faut aller vite. Où mettre Gaspard?

— Il faut qu'il vienne à Ansbach, répliqua Feuerbach nettement.

— Ici? Chez vous?

— Chez moi, non. Pour plus d'une raison, c'est malheureusement impossible. Il me faut de la solitude, je dois travailler beaucoup, voyager beaucoup, ma santé est ébranlée et mon caractère se prêterait peu au rôle qu'il me faudrait jouer. Et d'autre part la nature de cette affaire s'oppose à ce qu'elle me soit par trop personnelle.

— Mais alors?

— Je chercherai une famille où il sera bien soigné et où il trouvera aussi bien un appui moral que spirituel. Aujourd'hui même, je demanderai son avis à Mme d'Imhoff qui connaît bien les gens d'ici. Soyez assuré, mylord, que je veillerai sur Gaspard comme sur mon propre enfant. Les incidents de Nuremberg ne se renouvelleront pas. Bien entendu, il n'y aura rien de changé dans vos relations avec lui; ma maison est la vôtre. Sous l'enveloppe du fonctionnaire et du juge, il y a, sachez-le, un cœur sensible à l'amitié et dans ce triste pays il est rare de rencontrer un homme.

Ensuite, ils se mirent d'accord sur les lettres à écrire à M. de Tucher et à la municipalité de Nuremberg. Puis, Stanhope prit congé.

Longtemps encore, le Président, l'air absorbé, se promena dans la pièce. De minute en minute son visage s'altérait. Une méfiance soudaine, et qui allait en augmentant, l'avait envahi. Il était trop psychologue pour négliger certains indices qui l'avaient frappé. Brusquement il porta la main à son front, alla à son bureau et rédigea en grande hâte trois lettres. L'une adressée à un ami anglais à Paris, homme d'une situation élevée, l'autre à l'envoyé spécial de Bavière à Londres et la troisième au docteur von Kleinschrodt, ministre de la Justice à Munich. Dans les deux premières, il demandait des renseignements précis sur le lord, dans la dernière, il demandait un congé et annonçait sa prochaine venue dans la capitale. Il fit expédier sur l'heure, et par exprès, les trois lettres.

CHAPITRE XIV

Stanhope avait renvoyé son cocher et décida de rentrer à pied chez lui; dans les rues désertes, son pas retentissait comme dans une église. Il était bouleversé, et hors d'état de réfléchir. Arrivé à son hôtel, il s'enferma et pendant une demi-heure se livra à des exercices d'escrime au fleuret. Il ne s'arrêta que lorsqu'il entendit au dehors une voix qui parlementait avec son valet auquel il avait donné l'ordre de ne laisser entrer personne. Stanhope reconnut la voix et eut un mouvement d'indifférence; son fleuret à la main, il alla ouvrir la porte. C'était Hickel, qui entra aussitôt et salua gauchement le lord qui le regardait sans rien dire.

Stanhope lui demanda les motifs de sa visite et l'officier, en éclaircissant sa voix bredouilla quelques paroles incohérentes d'où il ressortait qu'il était au courant de la visite de Stanhope à Feuerbach. Malgré la platitude de ses manières, il perçait dans toute sa personne une familiarité insolente et désagréable. Stanhope ne quittait pas des yeux l'homme en uniforme.

— Pourquoi m'avez-vous offert votre aide pour rencontrer le Président? demanda-t-il sèchement.

— Sans mon intervention, le Président vous aurait-il reçu? C'est à savoir, car il sait fort bien se dérober. Oui, continua-t-il en haussant les épaules, les grands seigneurs ont leurs lubies.

— Mais qui vous autorise à vous proposer comme intermédiaire?

— Intermédiaire, mylord, est un trop grand mot pour ma très simple personne.

— Mais c'est vous-même qui vous attribuez cette importance. Vous aimez à rester obscur. Vous avez prononcé quelques phrases l'autre soir, que j'aimerais que vous éclaircissiez.

Stanhope cachait sous une dignité feinte le manque d'assurance qu'il ressentait en face de cet homme.

— Je suis tout entier à votre disposition, mylord, reprit Hickel, mais puis-je demander jusqu'à quel point vous avez confiance en moi?

— Confiance en vous? Pourquoi? Je n'ai rien à vous communiquer.

— Mais mylord, vous êtes en présence d'un homme sûr.

— Que veut dire tout ceci? s'emporta Stanhope. Me proposez-vous des devinettes?

— Avant votre arrivée, mylord, on s'est assuré ici un homme de confiance, dit Hickel, soudain glacial.

Stanhope pâlit et baissa la tête.

— Vous avez par conséquent des ordres précis? dit-il sourdement.

— Des ordres? Non, répondit l'autre avec hésitation. On a fait appel à ma bonne volonté et on m'a désigné pour me mettre à votre disposition, mylord.

Stanhope, ce jour-là eut l'impression d'être mort et ensuite d'avoir été ressuscité et d'avoir été rendu à sa destinée.

Il désirait aller à cinq heures au thé de Mme d'Imhoff et demanda au lieutenant de police s'il voulait l'accompagner dans sa voiture. Bien que le ton de l'invitation ne fut pas engageant, Hickel accepta, reconnaissant, car il désirait être vu en ville avec Stanhope.

A cette heure, les rues étaient plus mouvementées qu'à midi, les vieux fonctionnaires et les rentiers faisaient leur promenade quotidienne et beaucoup d'entre eux s'arrêtèrent pour saluer les deux hommes. Une fois de plus, le cocher proféra des jurons dans son dialecte car, à l'angle d'une rue, un homme immobile au milieu de la chaussée rêvait aux étoiles, paraissant ignorer l'approche du carrosse. Effrayé par les invectives, il fit un bond de côté, mais pas assez rapidement pour éviter la boue soulevée par les chevaux et les roues. Hickel se pencha à la portière et ricana à la vue du malheureux qui, les bras écartés, considérait d'un air penaud les dégâts sur ses habits.

— Quel est ce maladroit? demanda Stanhope choqué par la gaieté du lieutenant de police.

— C'est l'instituteur Quandt, mylord.

Par une curieuse coïncidence, le même nom fut prononcé une demi-heure plus tard chez Mme d'Imhoff. Le président et son ami étaient en effet tombés d'accord pour confier Gaspard à la garde de l'instituteur.

— C'est quelqu'un d'intelligent et de cultivé, estimé de tous, à la fois comme homme et comme citoyen, dit Mme d'Imhoff.

— Et il est prêt à assumer cette grave responsabilité? demanda le lord distraitement. Mais Mme d'Imhoff ne répondit point.

Lorsque le lendemain matin, Stanhope se fit annoncer chez le président, il y trouva déjà M. Quandt. Ils étaient visiblement tombés d'accord car Feuerbach était de bonne humeur et lorsque le lord s'excusa auprès de Quandt de l'incident malencontreux de la veille, le Président s'amusa fort de l'embarras de l'instituteur et l'accabla de sarcasmes sur la distraction des penseurs. Quandt s'inclina devant Stanhope, à la manière d'un musulman devant son calife; on aurait dit qu'il se sentait flatté d'avoir été jugé assez digne d'être éclaboussé par le carrosse de l'Anglais.

— Allons, Quandt, pas tant d'histoires, coupa le Président, je parie que votre femme vous a bien attrapé et qu'elle a eu du mal à nettoyer votre redingote.

— Seul, mon manteau a souffert, Excellence, répliqua Quandt en souriant.

Stanhope restait grave. Ils avaient été reçus cette fois dans le salon de réception de Feuerbach où trois hautes fenêtres s'ouvraient sur le jardin. La pièce était confortable et d'une impeccable propreté. Dans un renfoncement du mur, il y avait un beau tableau à l'huile de Napoléon Ier, Empereur; Stanhope feignit de l'examiner avec intérêt, mais en réalité il ne perdait pas un mouvement de l'instituteur.

Quandt était maigre, de taille moyenne; au dessus d'un grand front, ses cheveux tabac étaient curieusement plaqués sur la tête par un cosmétique. Les yeux étaient timides, tristes presque, et clignotants. Le nez busqué dénotait la vanité; la bouche cachée sous une moustache mince et mordillée était amère et trahissait un certain penchant au dénigrement.

Stanhope ne fut pas mécontent du résultat de son examen; il demanda à Feuerbach si les pourparlers avaient abouti et, ce dernier ayant acquiescé, il se tourna vers Quandt et lui tendit la main d'un air reconnaissant, en lui annonçant sa visite pour l'après-midi. Fort impressionné par tant de faveur, l'instituteur s'inclina de nouveau très bas, salua le Président et partit.

Stanhope en fit de même bientôt, car Feuerbach devait se rendre au tribunal. Arrivé à l'hôtel, l'Anglais passa deux heures à la rédaction d'une lettre qu'il fit aussitôt porter par un messager. A une heure et demie, le lieutenant de police se présenta comme convenu; ils déjeunèrent et se rendirent chez Quandt.

La petite maison de l'instituteur située près du Kronacher Buck, à proximité de l'Obere Tor était propre et nette; Mme Quandt, jeune femme plaisante et fraîche, affublée comme pour une noce, d'une robe couleur vanille, se confondit en révérences sur le seuil. La table du salon était encombrée de gâteaux et le service à café des grands jours se détachait, accueillant, sur la nappe blanche.

Le lord se montra aimable et paternel avec elle; elle était enceinte, il la félicita, lui fit tous ses vœux et lui demanda si ce serait son premier enfant; la jeune femme rougit et répondit qu'elle avait déjà un fils de trois ans. Elle servit le café et sur un signe de son mari se retira discrètement : les trois hommes restèrent seuls.

Stanhope avoua ne pouvoir se faire encore à l'idée de se séparer de son protégé, mais se déclara par contre enchanté de l'ordre et de la paix de ce foyer et de savoir l'orphelin désormais en d'aussi bonnes mains. On pouvait enfin espérer que le malheureux, qui avait jusqu'ici été traité si maladroitement et qui en avait souffert physiquement et moralement était parvenu à bon port. Quandt se frappa la poitrine avec reconnaissance.

— Oui, intervint Hickel en avalant sa dernière bouchée de gâteau et en s'essuyant la bouche et les moustaches du dos de la main, il faut qu'enfin la lumière se fasse autour de cet enfant mystérieux.

Stanhope fronça ses sourcils en signe de mécontentement, ce qui n'échappa pas à l'officier qui sourit bêtement.

— Malheureusement, reprit Stanhope d'une voix monotone et froide, de quelque côté qu'on se tourne, on ne trouve que méfiance et doute. Il n'est donc pas surprenant que le premier mouvement de sympathie se change en amertume. A peine s'abandonne-t-on à l'affection que des voix qui ont leur importance s'élèvent, réveillant l'étincelle cachée de la méfiance.

— J'ai donc raison! reprit Hickel, il faut faire table rase de tout, apprendre à vivre à ce garçon, et le guérir de ses prétentions.

Stanhope blêmit et son regard devint hautain.

— Lieutenant, dit-il d'un ton cassant, je n'admets pas ce ton. Que tout témoigne contre ce jeune homme n'empêchera pas qu'il soit une créature faussée par un criminel inconnu.

Hickel baissa la tête et de nouveau un sourire vide passa sur ses lèvres.

— Excusez-moi, mylord, dit-il, mais je vous donne l'avis de tout le monde, du moins des gens éclairés et raisonnables. Pas plus tard qu'hier j'ai entendu le baron von Lang et le pasteur Fuhrmann se gausser de l'orphelin et de la bêtise des Nurembergeois. Vous auriez dû les entendre. Ici, on sait et on a même publié officiellement ce que M. de Tucher vous a écrit au sujet de l'ingratitude et de la déchéance morale de Gaspard. Montrez donc à M. Quandt la lettre du baron et il sera convaincu que je n'ai fait qu'exprimer ce que pense tout homme raisonnable.

— Ce n'est pas tout à fait exact, répliqua Stanhope, en avalant son café à petites gorgées, M. de Tucher fait allusion à certaines mauvaises habitudes de Gaspard. Mais, moi aussi, je sais voir; un cœur aimant n'est jamais aveugle et, à défaut de lucidité, il sait pressentir. Du reste, n'influençons pas notre honorable hôte, c'est lui-même qui jugera. Il sait redresser les arbustes faibles et s'il purifie ce joyau de ses taches, je saurai l'en récompenser de façon princière.

Hickel fit la grimace et se tut. Quandt avait suivi la conversation avec intérêt. Pourquoi cette discussion? pensa-t-il, n'est-il pas aisé de reconnaître un vaurien! Il suffit d'ouvrir les yeux, le bon est bon, le mauvais mauvais; où est la difficulté? Arracher le mal qui n'a pas de profondes racines est une affaire de volonté et de perspicacité. Mais il me semble qu'il y a ici d'autres mystères, car ces deux hommes n'expriment pas franchement ce qu'ils pensent.

Il développa devant Stanhope attentif ses idées sur la morale, sur les relations humaines, ses principes pédagogiques; il préconisait la sévérité et l'encouragement; il était un peu gauche et pédant, mais clair et étonnamment simple. Seul son air soucieux prêtait quelques apparences de difficultés à sa philosophie. Stanhope approuva à plusieurs reprises de la tête, tandis qu'Hickel donnait des signes manifestes d'impatience. Au moment du départ, l'officier profitant de ce que le lord saluait Mme Quandt, prit l'instituteur à part et lui glissa : « Ne vous laissez pas berner par les discours du lord, cher ami. Le brave homme se leurre lui-même et nierait l'évidence même. Vous lui rendriez un immense service en démasquant cet imposteur ».

Une fois de plus, on trahissait le jeune homme. Pauvre Gaspard! On te cache dans une petite ville, dans une petite maison, où tu vivras ignoré et les murs du monde se resserreront de nouveau autour de toi jusqu'à redevenir un cachot.

CHAPITRE XV

Le baron de Tucher à lord Stanhope.

Depuis assez longtemps, je suis sans nouvelles de vous. La situation fausse dans laquelle je me trouve vis-à-vis de Gaspard m'oblige, au risque de vous importuner, d'être plus pressant et de vous prier de vouloir régler au plus vite cette situation. D'autant plus que l'intérêt que je porte à l'orphelin n'est plus le même et que lui-même d'ailleurs subit le séjour dans ma maison comme un prisonnier plutôt que comme un hôte ou un membre de ma famille. Ce jeune homme a besoin d'une existence stable; des espérances exagérées lui ôtent tout équilibre et chaque jour il se perd davantage dans une inquiétude fiévreuse qui l'empêche de se consacrer à ses études; même le moins averti serait frappé par son état nerveux. Il passe ses soirées à écrire et sa plus grande joie est de dessiner sur une carte au crayon toutes les routes qu'il espère parcourir avec votre Seigneurie; méthode pratique peut-être, mais unilatérale d'apprendre la géographie. Il ne parle, ne pense et ne rêve que voyages et si vous prenez encore quelqu'intérêt au sort de ce malheureux, je ne saurais trop vous demander, mylord, d'abréger son séjour chez moi. Vous êtes le seul être au monde dont le nom compte pour lui, et la confiance illimitée qu'il vous marque touche un homme que l'instabilité d'humeur et les caprices de cet être indéchiffrable ont malheureusement lassé.

Daumer au président Feuerbach.

Votre Excellence a bien voulu me charger de la tâche honorable de la renseigner sur l'état d'esprit actuel de Gaspard Hauser. Je vous avoue que je me suis trouvé quelque peu embarrassé car depuis un an et demi j'ai évité d'approcher celui que l'on garde si jalousement; car ici chacun est jaloux de ses moindres privilèges. Et ainsi une cause qui regarde toute l'humanité et que chacun devrait faire sienne devient une affaire de parti. Que votre Excellence veuille bien excuser ces lignes dictées uniquement par l'inaltérable intérêt que je porte toujours à Gaspard surtout à un moment où il donne plus que jamais des soucis à ses amis. Le message confidentiel de votre Excellence a eu raison de mes scrupules et j'ai donc rendu visite ces jours-ci à Gaspard dans la maison de Tucher. De son côté, pour la première fois depuis longtemps, il est venu chez moi et je vous donne quelques renseignements qui, bien qu'un peu vagues, vous instruiront sur lui. Gaspard est maintenant un adolescent qui a trop grandi et qui paraît facilement vingt-deux ans. S'il entrait dans une société qui ne le connût point, il frapperait par sa bizarrerie, car bien que ses manières dénotent un homme du monde, sa démarche hésitante et prudente rappelle celle du chat; ses traits ne sont ni vieux, ni jeunes, mais les deux à la fois et les plis de son front trahissent une précoce maturité. Sa lèvre est cachée par un duvet blond, ce qui l'embarrasse et ne cadre point avec les larges boucles brunes de son visage de jeune fille. Son amabilité est touchante et son air sérieux est enveloppé de mélancolie. Ses manières sont quelque peu précieuses, mais conservent toujours de la distinction. Seules, certaines de ses attitudes ont gardé de la lourdeur; son parler est dur et il trouve difficilement ses mots. Il émet volontiers, d'un air important, des choses qui feraient rire chez tout autre, mais qui provoquent, venant de lui, un sourire indulgent; il est amusant à l'extrême quand il parle de ses projets d'avenir, de son installation future et de la façon dont il se comportera avec sa femme. Pour lui, une femme est un ustensile domestique indispensable, quelque chose comme une maîtresse-servante qu'on garde le temps qu'il faut et qu'on chasse quand elle brûle la soupe ou reprise mal le linge. Son caractère toujours aussi calme rappelle un lac dans la paix de la nuit. Il est incapable d'offenser qui que ce soit, de maltraiter une bête et compatit avec le ver de terre qu'il a eu peur d'écraser. Il aime les hommes, fait une divinité de tout visage humain et en attend tout son bonheur. Il n'y a plus que sa destinée qui soit extraordinaire. Un adolescent sans jeunesse, sans enfance, et ne sachant pourquoi, sans patrie, sans parents, sans amis, sans compagnons, le seul de son espèce pour ainsi dire. Chaque instant le replonge dans son isolement au milieu d'un monde qui l'entoure, dans son impuissance, dans sa dépendance des décisions bonnes ou mauvaises des autres. Et c'est ainsi que tout en lui est défense; son don d'observation, son étonnante faculté de saisir les particularités de chacun, la finesse avec laquelle il sait asservir à ses désirs la bonne volonté de ses protecteurs. Oui, Excellence, il est sans amis, car nous qui l'aimons et qui l'entourons ne sommes rien d'autre que les spectateurs impuissants d'une existence extraordinaire. Même cet homme tant discuté, lord

Stanhope, peut-il vraiment prétendre être l'ami de Gaspard? Que croire? Qui dissipera nos doutes à ce sujet? Je prévois une catastrophe quand je pense aux espérances que le jeune homme fonde sur le lord; il faudrait que celui-ci fût un saint pour réaliser toutes les promesses qu'il a éveillées en Gaspard. Si elles ne se réalisent point, et même si une partie ne se réalisait pas, je prédis une issue tragique car une telle nature, arrachée à la misère et haussée sur les sommets de la vie, dont la paix a été troublée par les espoirs les plus séduisants réclame et exige le bonheur intégral; et la moindre déception provoque en elle un irréparable désastre. J'avoue que mon tempérament pessimiste, plus que le mécontentement grandissant d'ici, m'autorise à vous parler de la sorte. Le bruit court depuis ce matin que Gaspard sera mis en pension à Ansbach. Mme Behold, ennemie déclarée du jeune homme, colporte cette nouvelle dans toute la ville en se réjouissant que le voyage en Angleterre et tous les autres châteaux en Espagne se soient envolés. Ma sœur me dit que Mme Behold tenait cette nouvelle de son amie, Mme Quandt, avec laquelle elle est intime. Dieu veuille que Gaspard ignore ces racontars. Je serais infiniment reconnaissant à votre Excellence de vouloir me donner des renseignements précis pour que je puisse, dans l'intérêt de notre protégé, mettre fin à tous ces bavardages.

Le président Feuerbach à M. de Tucher.

Selon le désir que vous avez exprimé, je vous fais savoir, par la présente, qu'à partir de ce jour, vous êtes relevé de votre fonction de tuteur de Gaspard Hauser.

Vous en serez informé également officiellement par une circulaire du Tribunal de Baillage, ainsi que de la décision qui donne plein pouvoir à Stanhope sur la personne de Gaspard Hauser; ce n'est là qu'une simple formalité, car Gaspard sera accueilli dans la famille de l'instituteur Quandt en attendant que la situation embrouillée et inextricable s'éclaircisse. Pendant cette période lord Stanhope supportera les frais d'entretien et d'instruction du jeune homme sur lequel je veillerai personnellement pendant les absences de son tuteur. Le lieutenant Hickel, un officier sérieux, se présentera chez vous le 7 de ce mois, il a été désigné par décret pour exécuter le transfert de Gaspard à Ansbach. A la dernière minute lord Stanhope a préféré ne pas assister à un acte qui doit garder aux yeux du public un caractère purement administratif, ceci avec mon assentiment. Je ne vois pas d'inconvénient à ce qu'on informe Gaspard du changement qui va avoir lieu et je juge exagérées vos craintes à ce sujet. Je vais partir moi-même dans quelques jours pour un voyage à Munich que je médite depuis longtemps et dont il résultera, je l'espère, quelque chose de favorable et de durable pour Gaspard.

Baron de Tucher au président Feuerbach.

Je dois informer votre Excellence que la mort subite de mon oncle m'oblige à partir pour Augsbourg. J'ai confié la garde de Gaspard, qui est toujours hébergé dans ma maison, au bourgmestre Binder ou au professeur Daumer, en leur laissant la liberté de le prendre chez eux, ou de le laisser chez moi pour le reste de son séjour. Je n'ai osé prévenir le jeune homme du changement qui l'attend et je dois avouer qu'une appréhension me retient. Gaspard croit toujours qu'il va visiter l'Angleterre et l'Italie avec son puissant protecteur. Un éloignement, même passager, de Stanhope lui paraît impossible et celui qui lui apportera pareille nouvelle devra déployer bien de la persuasion pour le convaincre. A mon humble avis, c'est une faute de transplanter ce garçon dans un milieu médiocre qui ne contentera point son besoin de vie et d'activité. Ses prétentions ont grandi et il a dépassé le cadre d'une simple vie bourgeoise. Ces derniers mois, son application au travail a été nulle, toute sa pensée, toute sa volonté tendent vers le lord et si celui-ci l'abandonne, il laissera derrière lui, j'en suis convaincu, un malheureux, un déraciné pitoyable et inutile qui sera toujours en dehors de la vie. Si la caractéristique des enfants de prince est d'être désarmés devant l'existence, Gaspard, certes, est l'un d'eux. Peut-être la vie le trempera-t-elle et en fera-t-elle un homme capable de gagner une couronne d'une autre nature. Pour moi, l'affaire Gaspard Hauser est close et malgré tant de désillusions et d'amertume, elle m'a permis d'entrevoir tant de vanité et d'intrigues humaines que j'en ai tiré un enseignement pour le reste de mes jours. Ainsi, chacun à sa façon paye sa part.

Daumer au président Feuerbach.

Je me crois obligé de faire à votre Excellence un rapport détaillé des événements de ces derniers jours dans la mesure du moins où mes yeux ont pu discerner la vérité. Peut-être certaines choses, que je relaterai, paraîtront extraordinaires, surtout dans la bouche d'un homme qui a la mauvaise réputation d'un rêveur. Mais j'ai confiance en la juste clairvoyance de votre Excellence et en restant objectif, la cause plaidera par elle-même et mon rôle se bornera à énumérer les événements, ce qui ne sera pas toujours facile.

Il y a quatre jours, M. de Tucher vint chez moi et me prévint qu'il devait partir à cause d'un deuil. Quelque temps avant il m'avait déjà prié, ainsi que M. Binder, de bien vouloir surveiller Gaspard jusqu'à son départ pour Nuremberg. Comme je marquais quelque surprise, M. de Tucher me laissa entendre que son attitude était dictée par la façon cavalière dont quelques personnes l'avaient traité. Il fit allusion à la lettre que votre Excellence m'avait adressée, et qui m'avait décidé, à contre-cœur, à rendre visite à Gaspard et à m'occuper de lui à nouveau. M. de Tucher prit cela très mal. Je n'entrepris pas de le calmer, d'autant que j'aime à croire que cette conduite part d'un mobile plus profond et plus humain. Car quand je lui demandais s'il avait prévenu Gaspard de l'arrivée du lieutenant Hickel, il me répondit nerveusement qu'il préférait que je m'en chargeasse, disposant d'une force de persuasion plus grande et d'un crédit plus influent auprès du jeune homme.

Dans l'après-midi, je résolus d'aller voir Gaspard. Lorsque j'entrai dans sa chambre, il lisait un livre de piété. Le regard qu'il me porta fut gai, mais tout aussitôt ses joues devinrent d'une pâleur mortelle. Je dus m'asseoir sans dire un mot. J'oubliai complètement mon rôle, comprenant qu'il avait déjà lu dans mes yeux tout ce que j'avais à lui apprendre. L'angoisse existait déjà dans son subconscient, je ne puis l'expliquer autrement et je sentis son cœur se déchirer. Il se leva et vacilla, je voulus le soutenir, mais il ne me voyait plus et paraissait être entièrement anéanti. Je le suivis jusqu'à son lit sur lequel il s'abattit en sanglotant de telle manière que j'en fus épouvanté. Je tâchai de le consoler, en lui disant que rien n'était fait encore et que tout pouvait s'arranger. Il pleura durant une demi-heure, puis se leva et alla s'accroupir dans un coin de la pièce, le visage caché dans ses mains. Je ne cessai de lui parler et je ne sais plus tout ce que j'ai pu lui dire. Vers six heures du soir je le quittai et bien qu'il n'ait pas dit un seul mot, je pensai qu'il surmonterait son chagrin. Je le recommandai aux domestiques et me proposai de revenir quelques heures plus tard, mais malheureusement mon travail me retint jusqu'à une heure avancée de la nuit. Quand j'avais quitté Gaspard, il était assis sur un escabeau entre le poële et le placard et quelle ne fut pas ma surprise douloureuse de le voir à huit heures et demi du matin toujours à la même place et dans la même attitude, le visage entre ses mains comme je l'avais laissé quatorze heures auparavant. Le lit était dans le même état, un peu aplati seulement par son premier mouvement de douleur; il n'avait touché à rien sur la table, son dîner, une assiette de bouillie était recouverte d'une peau épaisse, et à côté une tasse de café du matin refroidissait; il régnait une atmosphère étouffante dans la pièce. Le domestique répondit à mon interrogation muette en haussant les épaules; je m'avançai vers Gaspard, le secouai par l'épaule et saisis sa main glacée; il ne prononça pas un mot et continua à regarder devant lui les yeux fixes. Un quart d'heure passa, j'eus peur et décidai d'aller chercher le médecin; peut-être prononçai-je même cette intention à voix basse, car Gaspard me devina, bougea, leva la tête comme lorsqu'on sort d'un puits et me regarda. Et de quel regard! Dussé-je atteindre l'âge le plus avancé, jamais je ne l'oublierai. Il ne m'est pas donné malheureusement de comprendre tout de suite les situations et au lieu de me taire, je continuai mes consolations; mais je sentis aussitôt qu'il était préférable de ne pas faire naître un dernier espoir dans cette âme tourmentée; ma seule excuse est de n'avoir pas su au juste ce qui se tramait et de n'avoir eu que vaguement le sentiment d'être le témoin de choses formidables. Mais je ne veux pas importuner votre Excellence par des considérations personnelles et je reprends mon récit.

J'avais déjà perdu beaucoup de temps et devais partir. A grand'peine, j'avais pu persuader Gaspard de se coucher. Il m'avait promis aussi de venir déjeuner chez nous, ce qui dépassait mes espoirs. Un peu rassuré, j'allai à mes affaires et rentrai déjeuner chez moi à midi et demi comme de coutume. Nous attendîmes quelque temps Gaspard. Je pensai qu'il s'était endormi puisqu'il n'avait pas dû fermer l'œil de la nuit et nullement inquiet je repartis pour le lycée à deux heures, en me proposant de passer à cinq heures chez le baron de Tucher. Il était cinq heures et il faisait déjà sombre lorsque j'arrivai devant la maison. Mais quelle ne fut pas ma surprise quand le concierge m'apprit que Gaspard était parti à midi pour venir chez moi. Je fus stupéfait; plus que la responsabilité, le sort même du malheureux me préoccupait et je regagnai en hâte mon domicile. Gaspard n'y avait pas paru; j'envoyai ma sœur chez le bourgmestre et ma vieille mère se mit aussi en quête du disparu; entre temps, je me concertai avec Regulein et lorsque ma sœur Anna rentra en disant qu'elle n'avait rien appris, je résolus d'avertir la police qui avait elle aussi sa part de responsabilité dans cette affaire, ayant ostensiblement relâché sa surveillance. Je donnais rapidement quelques instructions et m'apprêtais à sortir quand Gaspard apparut sur le seuil.

Mais était-ce lui réellement? Ou son ombre? Je ne

crois pas exagérer en vous disant que nous faillîmes pleurer. Sans un regard pour nous et sans saluer, il alla lentement jusqu'à la table, tomba dans le fauteuil de bois, appuya son menton sur sa main et fixa, immobile, la lumière de la lampe. Nous étions tous trois comme foudroyés. Entre temps, ma mère était revenue et ce fut elle qui la première s'approcha du jeune homme en lui demandant où il avait été. Il ne répondit rien. Ma sœur pensa l'encourager en lui enlevant son chapeau et en lui caressant les cheveux. Peine perdue; il fixait la lumière, la joue dans la main. Je l'examinai de plus près, mais son visage ne trahissait rien; il n'était même pas douloureux, mais indifférent, presque stupide. Ma mère insista encore pour savoir où il avait passé son temps. Alors, il nous regarda tous à tour de rôle, secoua la tête et joignit ses mains dans un geste de supplication. Nous décidâmes de garder le jeune homme pour la nuit. Pour étouffer le scandale, nous avions déjà envoyé la servante chez le bourgmestre et chez tous ceux que nous avions dérangés au moment de la disparition. Ma mère passa à la cuisine pour préparer le dîner, mais à ce moment le domestique des Tucher vint chercher Gaspard car le lieutenant de police Hickel était arrivé et voulait l'emmener le soir même avec lui. Je ne fus pas surpris, mais très mécontent et répondis sèchement au valet; je crois que je lui dis qu'il ne s'agissait pas d'un sac de pommes de terre à expédier et que le lieutenant pouvait attendre un peu. Chacun, je pense, peut excuser mon mouvement de nervosité à cette minute. Un peu plus tard cependant, je fus pris de scrupule et, regrettant mes paroles, je décidai Regulein à aller parler à l'officier. Tout aurait pu s'arranger, malheureusement Regulein, bavard comme d'habitude, fut enchanté de raconter à l'étranger toute l'histoire de la disparition du jeune homme, ce qui donna lieu à une scène très pénible. A sept heures passées, Regulein n'étant pas rentré, le dîner fut servi et nous nous mîmes à table en famille, comme autrefois, avec Gaspard. Mais que les temps étaient changés et que Gaspard lui-même avait changé! Je voyais le jeune homme les yeux baissés, jouant machinalement avec sa cuiller; son regard était inquiet et sa peau frissonnait. Mais je ne pus m'abandonner longtemps à mes observations. Vers huit heures la sonnette de la porte fut secouée avec violence. Anna descendit en courant et aussitôt un officier en uniforme de police, que je reconnus avant qu'il ne se nommât, entra dans la pièce. Gaspard avait tressailli au moment du coup de sonnette. Il faut dire que Gaspard n'avait rien pu entendre des conciliabules de Regulein, aussi se leva-t-il et lorsqu'il aperçut le lieutenant, ses joues devinrent aussi pâles que la veille lorsque j'étais entré chez lui. Je ne puis m'empêcher de croire, quand je repense aux événements que Gaspard, par une espèce de vision intérieure, pressentait tout ce qui se tramait depuis vingt-quatre heures et qu'il n'avait même pas besoin d'une confirmation matérielle. J'étais moi-même tellement abasourdi que je dus recevoir Hickel fraîchement. Heureusement, il n'y prit point garde, s'inclina vers les dames et s'adressant directement à Gaspard, dit avec une surprise feinte : « Voilà donc le fameux Hauser! Mais c'est un homme, et nous allons pouvoir nous expliquer ». Gaspard fixa sur lui un regard calme et pénétrant. Un silence se fit; je cherchai le moyen de garder Gaspard pour la nuit, car il me paraissait dangereux de le confier dans cet état à un étranger. Je l'expliquai franchement à Hickel; celui-ci m'écouta jusqu'au bout, puis me déclara qu'il avait des ordres précis de ramener Gaspard immédiatement, et qu'il n'y avait pas une minute à perdre pour faire ses malles car la voiture attendait. Ma sœur Anna, toujours impulsive, me cria de n'en rien faire et courut aux côtés de Gaspard comme pour le protéger. Alors, Hickel sourit et dit avec un ton plein de sous-entendus que si ce délai nous importait tant et que si nous avions encore tant de choses importantes à nous dire, il ne voulait pas faire le trouble fête, mais que je devais m'engager à amener Gaspard ce même soir à neuf heures précises devant la maison des Tucher. Perdant moi aussi mon sang-froid, je lui demandai vivement si ce départ était si urgent que cela. L'officier haussa les épaules, tira sa montre et me dit froidement qu'il fallait que je me décide. Alors, Gaspard parla d'une voix claire et ferme que je ne lui connaissais pas et déclara qu'il voulait partir immédiatement. Mais il tremblait d'épuisement et visiblement tenait à peine sur ses jambes. Ma mère et ma sœur le supplièrent de rester. Hickel, aux paroles de Gaspard, avait souri de nouveau; puis il se tourna vers moi : « Alors, entendu pour neuf heures, monsieur le professeur », et en se levant, il déclara à Gaspard, le doigt levé : « Et soyez exact, Hauser ! Il faudra aussi me raconter où vous avez traîné toute l'après-midi. Et n'essayez pas de me mentir ! Je ne plaisante pas, moi ! »

L'officier partit en saluant, nous laissant dans un état de doute, d'inquiétude et de révolte. C'était pire que toutes nos prévisions. Les dernières paroles de l'officier surtout nous effrayaient. Quel serait l'avenir de Gaspard, que pouvait-on en espérer, si on le traitait de cette façon brutale. Je décidai d'aller chez le bourgmestre pour le consulter. Anna avait préparé en hâte le divan, elle y conduisit Gaspard qui s'y laissa tomber et s'endormit aussitôt. Pendant que je m'habillais on sonna et, justement c'était Binder. Je le mis rapidement au courant des faits, il fut surpris de la conduite de l'officier, décida d'aller lui parler et m'invita à l'accompagner. Laissant Gaspard à la garde des femmes, nous sortîmes. Malgré l'heure tardive, une foule de gens composée en grande partie de la lie de la population, s'était massée devant la maison des Tucher, informée je ne sais trop comment du départ du jeune homme et manifestant plus ou moins bruyamment leur mécontentement. En pénétrant dans la chambre à coucher de Gaspard, un curieux spectacle s'offrit à nous. Les tiroirs et les armoires étaient complètement vides, tout, le linge, les vêtements, les livres, les papiers et les jouets étaient éparpillés sur les chaises et par terre et Hickel donnait des ordres aux domestiques qui entassaient pêle-mêle toutes les affaires dans une malle et dans une petite caisse. Quand il nous vit, et qu'il lut la désapprobation dans nos regards, il dit en souriant qu'un nouveau régime allait commencer pour l'orphelin et que tout serait éclairci. M. Binder, l'air sombre, lui demanda ce qu'il voulait dire et ce qu'il appelait tout éclaircir. En même temps, il se présenta en déclinant son titre. Hickel parut gêné, et détourna la conversation; il prétendit aimer Gaspard et vouloir avant tout préserver le jeune homme d'espoirs vains. Le sang me monta à la tête et je demandai qui donc lui avait donné ces espoirs, sinon quelqu'un qui maintenant avait tout l'air de vouloir s'éclipser. Voilà un enfant que l'on affuble de vêtements précieux et quand il se montre ainsi revêtu on l'accuse d'être un ambitieux dangereux. Comprenne qui voudra, mais un tel jeu est criminel! Je fus violent, imprudent, j'en conviens, mais le calme ironique du lieutenant m'irritait. Je fus d'autant plus ahuri qu'il m'approuva sur tous les points sans donner d'autres explications. Se tournant vers les domestiques, il fit accélérer le travail car il ne voulait pas partir trop tard. Alors, M. Binder lui fit remarquer que le départ pouvait bien être retardé jusqu'au lendemain, que le jeune homme avait besoin de repos et qu'il le prenait sous sa responsabilité. Hickel répliqua que c'était absolument impossible et qu'il avait des ordres formels. Nous étions à bout d'arguments.

L'officier, ravi visiblement de notre déconvenue, s'assit sur le bord de la table. A ce moment, des pas retentirent, nous nous retournâmes et vîmes Gaspard suivi de ma sœur. Celle-ci me chuchota que l'orphelin s'était réveillé peu après notre départ et avait déclaré vouloir s'en aller avec l'étranger. Rien n'avait pu le dissuader ou le retenir. Gaspard regarda longuement dans la pièce, puis il dit à l'officier : « Vous pouvez m'emmener lieutenant. Je sais où vous me conduirez; je n'ai pas peur ». Il y avait dans ces simples mots tant de noblesse et tant de fermeté que, je l'avoue, je fus touché profondément. A ce moment j'aurais donné beaucoup pour garder Gaspard encore une heure avec moi. Le lieutenant, enchanté de la tournure inattendue que prenaient les événements, répondit en ricanant : « Et pourquoi auriez-vous peur? Nous ne partons pas pour la Sibérie! » Puis, s'approchant du jeune homme, il posa les mains sur ses épaules et l'interrogea :

— Pour une fois, soyez sincère, Hauser, et dites-moi où vous avez passé l'après-midi?

Gaspard se tut, réfléchit et répondit d'une voix sourde :

— Je ne puis le dire.

— Comment! Qu'est-ce que vous racontez? Parlez!

— J'ai cherché quelque chose.

— Cherché quoi?

— Un chemin.

— Cré nom ! hurla le lieutenant, ne jouez pas la comédie et n'essayez pas de m'en conter, car je saurais vous faire comprendre de quel bois je me chauffe ! Sachez bien qu'on ne la fait pas aux gens d'Ansbach.

M. Binder et moi, comme vous le pensez, fûmes révoltés par ce ton arrogant, mais Hickel, sans manifester le moindre regret, ordonna sèchement à Gaspard d'être prêt à partir dans une demi-heure. Entre temps, le baron Scheurl, l'assesseur Enderlin et d'autres amis de Gaspard qui avaient tous appris son départ, arrivèrent pour lui dire adieu et je ne trouvai plus l'occasion d'échanger trois mots avec lui. Bientôt après, nous nous rassemblâmes dans le vestibule. Au dehors, la foule s'était accrue et on eût dit que tout Nuremberg était là. Des menaces partaient des différents groupes et le lieutenant demanda au bourgmestre la protection de la police. Mais celui-ci refusa et se contenta de se montrer au public, ce qui rétablit aussitôt le calme. Quand Gaspard se dirigea vers la voiture, il y eut des bousculades, les gens se pressant pour le voir une dernière fois. En face, les fenêtres des maisons étaient éclairées et des femmes agitaient leur mouchoir. Les caisses et bagages furent fixés, le cocher claqua de la langue, les chevaux s'ébranlèrent : il était parti.

J'ai la conviction profonde que votre Excellence est un des rares protecteurs sincères du jeune homme et c'est ce qui m'a poussé à vous raconter en détail ces derniers événements. Quelques heures seulement se sont écoulées depuis, il est minuit et ma main est fatiguée d'écrire, mais je n'ai pas voulu attendre de peur de fausser mes souvenirs. Car l'ami ne doit pas craindre de prendre des heures sur son sommeil pour donner à son récit un tour impartial dans un domaine où sans cesse sévit la calomnie.

Peut-être votre Excellence croira-t-elle que j'interprète mal les choses, ou que je surestime leur importance; et c'est possible, mais j'ai cru remplir mon devoir et je n'ai rien omis. Oui, Gaspard me donne de lourds soucis, mais je suis venu au monde pessimiste et mon œil distingue l'ombre avant la lumière.

En terminant, je ne voudrais point omettre de vous dire que le baron de Tucher m'a remis, lors de sa dernière visite, les cent ducats d'or qu'il avait reçus pour Gaspard du comte Stanhope. J'expédierai cette somme, par le prochain courrier, à votre Excellence.

Mme Behold à Mme Quandt.

Chère Madame,

Vous trouverez peut-être extraordinaire que je vous écrive puisque je ne suis qu'une étrangère pour vous, bien que vous ayez passé votre jeunesse dans la maison de mes parents; je m'en excuse. A ma stupeur, j'apprends que Gaspard séjournera à l'avenir chez vous et je crois que je fais bien de vous donner quelques renseignements sur ce « phénomène ». Vous savez sans doute qu'il est l'enfant miraculeux de Nuremberg. On aurait fini ici par rendre fou ce garçon à force de flatteries et de gâteries. Les gens sont bien curieux dans notre ville. Aussi, par pitié chrétienne et, je le jure, sans arrière-pensée, nous avons pris le jeune homme chez nous. Les autres craignaient un nouvel attentat, mais nous ne redoutions rien et avons considéré Hauser comme notre enfant. Mal nous en a pris. Aucune reconnaissance de la part du jeune homme, et par-dessus le marché les calomnies de ses amis. Que d'ennuis, que d'amertume nous a valu sa manière de mentir dont personne ne parle. Bien entendu, il promettait toujours de ne plus recommencer, nous lui pardonnions, mais sans résultat. Le mensonge le tient et il sombrera de plus en plus dans ce vice abject. On a beaucoup parlé de sa grande pudeur et de son innocence.

Là encore je sais une petite histoire, car j'ai vu de mes propres yeux comme il poursuivait d'assiduités malhonnêtes et non équivoques ma fille de 13 ans, qui est actuellement en pension en Suisse. Il le nia et pour se venger assomma le pauvre merle que je lui avais donné. Dieu veuille que vous ne fassiez pas les mêmes expériences avec lui! En réalité, ce n'est pas un malfaiteur, mais un pauvre diable, un très pauvre diable. Je pense vous être utile, ainsi qu'à votre mari en soulevant le coin du voile. Le comte Stanhope qui lui porte tant d'intérêt devra bientôt reconnaître l'évidence et regretter d'avoir nourri un serpent dans son sein. S'il était venu chez moi! Mais ce roué de Hauser a toujours su l'empêcher avec de bonnes raisons de faire ma connaissance. Surveillez-le de près, car il est cachottier, il dissimule tout le temps quelque chose, ce qui ne présage rien de bon. Je vous serais obligée de m'écrire ici dans quelque temps pour me dire ce que vous pensez de lui, car malgré tout le mal qu'il m'a fait, il a toujours une petite place dans mon cœur et je n'ai qu'un désir, c'est qu'il s'améliore avant qu'il n'entre dans le grand monde qui nécessite beaucoup plus de force que le nôtre.

De moi-même, je ne peux dire grand'chose sinon que je suis souffrante, un docteur pense que c'est un abcès à la rate, un autre diagnostique une maladie de cœur. Le prix de la vie n'est pas pour vous encourager. Dieu merci, les affaires de mon mari sont généralement satisfaisantes.

Rapport du lieutenant Hickel au sujet du transfert de Gaspard Hauser.

Conformément aux instructions, je suis arrivé le 7 courant à Nuremberg et me suis rendu aussitôt aux appartements du baron de Tucher, mais ne trouvai point Hauser chez lui et appris à ma surprise qu'il était parti sans être surveillé et sans qu'on sût où il avait passé toute l'après-midi, ce qui est contraire aux ordres donnés. On me fit savoir qu'il était actuellement chez le professeur Daumer, probablement pour essayer de faire retarder le voyage et de trouver un appui dans ce sens auprès de ses amis. En effet, lorsque je me présentai chez M. Daumer, on invoqua les excuses les plus invraisemblables et Hauser lui-même débita quelques sottises puériles, ce qui ne m'empêcha pas de m'en tenir à ma consigne. Un interrogatoire serré, sur l'emploi de son après-midi resta sans résultat; le gaillard donnant des réponses absurdes. Mon attitude énergique fit qu'on renonça à le retenir plus longtemps et à neuf heures la voiture fut avancée; dans la rue il y avait foule et les gens surexcités s'agitaient quelque peu, mais mes menaces de faire intervenir la police les calma. J'avais dit au cocher d'aller vite et un quart d'heure après nous sortions de la ville. Trois heures durant, jusqu'à Grosshaslach, mon gaillard se contenta de fixer l'obscurité sans rien dire. Il devait être bien malheureux à l'idée que tous ses grands projets stupides étaient finis. J'avais fait venir un sergent à Grosshaslach et pendant qu'on restaurait les chevaux, nous entrâmes au poste de relais. Hauser se laissa tomber sur le banc près du poêle et s'endormit. On ne m'ôtera toutefois pas de la tête que ce sommeil était feint, d'autant que chaque fois que je disais des choses désagréables sur lui, il clignait des yeux. Pour en avoir le cœur net, pour savoir ce qui était vrai dans la légende de son sommeil de plomb, j'eus recours à une petite ruse. Je fis signe au sergent, nous nous levâmes doucement, comme si nous partions, mais à peine avais-je saisi le bouton de la porte que notre homme se dressa d'un bond, fit mine d'être encore un peu endormi et nous suivit. Nous eûmes du mal à ne pas éclater de rire. En voiture, Gaspard me demanda à brûle-pourpoint si Stanhope séjournait toujours à Ansbach, je lui répondis que le lord y résidait encore mais s'apprêtait à partir pour la France. Alors, Hauser poussa un grand soupir, se cala dans un coin, et s'endormit véritablement cette fois, comme le prouvait sa respiration profonde. Le reste du voyage se passa sans incident et c'est par une tourmente de neige que nous atteignîmes à trois heures un quart l'hôtel de l'Etoile. Cette fois j'eus beaucoup de peine à réveiller Hauser et je dus le semoncer énergiquement pour le faire sortir de la voiture. Le gardien seul veillait et comme je ne voulais pas réveiller M. de Stanhope, j'installai le jeune homme dans une mansarde; je le fis coucher, et par précaution, ordonnai au sergent de monter la garde.

Pour conclure, si l'on veut mon avis personnel sur la personne et l'attitude de ce gaillard, je dois reconnaître qu'il ne m'inspire ni sympathie, ni pitié. Son caractère têtu et renfermé révèle, sinon une mauvaise nature, tout au moins une nature viciée et déplaisante. Je ne lui ai trouvé aucune des qualités extraordinaires qu'on lui prête, sinon des dons de cabotinage merveilleux; et je modère mes termes. Je crains fort qu'on n'ait bien des déboires avec lui.

Binder au Président Feuerbach.

Pour couper court à tous les racontars qui pourraient ennuyer votre Excellence, au sujet de Gaspard Hauser, je m'empresse de vous faire savoir le résultat de mon enquête concernant la disparition de Gaspard Hauser et l'emploi qu'il fit des quatre à cinq heures de son dernier après-midi dans notre ville. Certes, on n'en peut rien tirer car les faits n'expliquent rien de plus que le jeune homme par son silence. Je serai bref. Le lendemain matin, après le départ de Gaspard, le geôlier Hill vint me faire savoir que la veille à midi, Gaspard était venu le trouver chez lui, dans la tour et l'avait prié de lui montrer la cellule dans laquelle il avait été enfermé naguère. Par hasard aucun prisonnier ne s'y trouvait et Hill l'y conduisit, non sans avoir essayé de comprendre les mobiles de cette demande. Après qu'il eut réfléchi quelques instants, le jeune homme se dirigea dans l'angle où sa couchette s'était trouvée, s'assit par terre et tomba dans une rêverie profonde. Hill s'inquiéta et comme tous ses efforts pour l'arracher à cette léthargie restaient vains, il retourna à son logement pour en parler à sa femme. Ils discutaient sur ce qu'il fallait faire lorsque Gaspard redescendit et entra dans leur petite chambre. Bien qu'il la connût, il la parcourut du regard comme il l'avait fait dans la cellule. Hill et sa femme commençaient à croire que le pauvre garçon avait perdu la raison. Mme Hill lui posa quelques questions auxquelles il ne répondit pas. A ce moment, ses yeux tombèrent sur les deux enfants du geôlier qui jouaient sur une marche près de la fenêtre.

Il sourit, s'approcha d'eux et s'assit sur le bord de la marche. Hill fit ce qu'il y avait de mieux à faire : il attendit. Gaspard regarda les enfants comme si de sa vie il n'en avait vu; il se penchait, examinait leurs doigts, leurs lèvres, et dévorait chacun de leurs gestes; Hill eut de la peine à retenir sa femme qui commençait à avoir peur. « Je connais trop bien la douceur de Gaspard », me raconta-t-il. Soudain, le jeune homme bondit, lança ses bras en l'air comme s'il voyait un spectre, gémit et s'élança hors de la pièce. Hill le suivit, pensant que Gaspard se trouvait dans de mauvaises dispositions et qu'il ne fallait pas l'abandonner. Il l'aperçut courant vers la Füll, et ne le perdit pas de vue. Gaspard continua sa course désordonnée à travers les rues, puis sur le Glacis et vers Saint-Jean. Hill le suivit à une distance de cinquante mètres. Bien qu'il eut l'air de courir sans but, les pas du jeune homme étaient rapides comme s'il poursuivait quelque chose qui fuyait devant lui. Puis il prit la Mühlgasse où commence la campagne et où la rue se transforme en un chemin vicinal qui longe le cimetière de Saint-Jean et aboutit à la forêt près de la Pegnitz. C'est là que Gaspard s'arrêta; le mur est si bas qu'un homme moyen le dépasse facilement; Gaspard déposa son chapeau et passa sa main sur son front. Votre Excellence n'est pas sans savoir l'effet qu'avait déjà produit sur lui cet endroit funèbre. Hauser paraissait frissonner; il respirait la bouche ouverte, ses traits exprimaient l'horreur, sa peau devenait grise et on eût dit qu'il ne pouvait se détacher de ce lieu. Subitement, il repartit à une vitesse telle que Hill eut du mal à le suivre. Celui-ci pensait au surplus que Gaspard allait se jeter à l'eau car, près de la rivière, sa démarche devint hésitante. Mais, il se dirigea vers la forêt et y disparut. Le geôlier craignant qu'il ne lui échappât appela à l'aide quelques terrassiers qui creusaient une tranchée; trois ou quatre d'entre eux l'aidèrent à explorer les bois. Ce fut cependant Hill qui, très longtemps après, et déjà fort inquiet le découvrit. Il l'aperçut agenouillé au pied d'un chêne immense, les mains levées et il l'entendit crier passionnément : « Arbre! O arbre! ». Uniquement ces deux mots, mais prononcés avec tant de ferveur qu'on eût dit la prière d'un désespéré. Hill avoua n'avoir pas eu le courage de l'appeler; d'ailleurs dans toute cette histoire cet homme simple a fait preuve d'un tact et d'une bonté qui forcent l'admiration. Les ouvriers cependant arrivaient, Hill leur fit signe; Gaspard effrayé s'était relevé et les dévisageait à tour de rôle; il n'eut pas l'air de reconnaître le geôlier. Ce dernier remercia les hommes et les renvoya. Soutenu par lui, Gaspard se laissa emmener sans résistance. Maintenant, son agitation était tombée, il était d'un calme absolu. Hill lui demanda où il désirait se rendre et Gaspard lui répondit que Daumer l'attendait à déjeuner. En riant, Hill lui rappela que midi était passé depuis longtemps; le crépuscule tombait lorsqu'ils rentrèrent en ville. Gaspard marchait très lentement et bien que Hill fût attendu au commissariat à quatre heures, il reconduisit le jeune homme jusque chez Daumer et ne se retira que lorsque la porte se fut refermée sur lui.

Voici, Excellence, l'exacte reproduction du récit de cet homme. Son authenticité n'est guère douteuse et j'en ai fait dresser acte. Personnellement, je ne saurais tirer aucune conclusion de ces événements, aussi ne voudrais-je en rien influencer votre Excellence. Je me suis fait conduire hier par Hill à l'endroit où Gaspard avait été découvert agenouillé, espérant y trouver quelque indice. Malgré la proximité de la ville c'est un lieu désert, propice à la méditation et où les arbres sont touffus. Sans hésitation, Hill reconnut le chêne et me montra les empreintes de pied et la mousse foulée. Mais je n'ai rien vu d'autre qui fût digne d'attention. Le policier dont la négligence a causé cet incident a été puni.

Lord Stanhope à « L'Homme ténébreux ».

Je suis toujours dans ce trou perdu, bien que j'aurais voulu passer Noël à Paris. J'ai besoin de conversations faciles, de bals masqués, d'opéras italiens, de promenades sur les boulevards. Ici, tous les yeux sont braqués sur moi, chacun me veut; on dit que dans la famille d'un conseiller aulique une pendule en or a été engagée afin de donner une soirée en mon honneur. On soupçonne une femme d'une noblesse très ancienne, Mme d'Imhoff, d'avoir des relations intimes avec moi; probablement parce que la malheureuse a un mauvais mari, ce qui alimente depuis des années les potins. Imbécillités, car elle est honnête. Des autres, mieux vaut n'en point parler. Ces braves Allemands sont d'une servilité répugnante. Le gros Directeur qui me salue avec une déférence slave me brosserait les bottines avec joie si je le lui commandais. Je pourrais jouer, si je voulais, un rôle de Caligula.

Mais, venons au fait. Il n'existe plus aucune raison pour prolonger mon séjour ici. J'ai accompli la tâche qu'on attendait de moi. Que veut-on de plus? De quoi me croit-on encore capable? Si votre Honneur ou votre Maître a d'autres désirs particuliers, qu'il me les fasse savoir, car j'en ai assez. J'en ai jusqu'au cou. Je vis avec l'idée de devenir prélat à Rome ou d'entrer au cloître, mais auparavant, il me faudrait une grosse somme pour me racheter. Si le pape n'est pas accommodant, je rentrerai dans le sein de l'église puritaine; au moins, je n'aurai pas besoin de me faire pousser la barbe. Dans mon pays aussi il y a des masques et sûrement un travesti plus digne. Le ministre H. à S. est-il au courant et l'a-t-on assuré contre toute attaque. A quelle banque puis-je prélever ma prochaine solde? Trente deniers? Par quoi puis-je multiplier la somme, car ma vie est basée sur la multiplication. M. de F. est parti, il y a quelques jours pour Munich. Le document en question est comme un morceau de viande guetté par un corbeau, mais pour le moment hors d'atteinte. Quel en sera le prix? Je dois le savoir, car actuellement les moindres serviteurs de Satan ont leurs exigences. Si M. de F. réussit à parler à la reine comme il se le propose, il faudrait chercher un représentant compétent pour éteindre le début d'incendie. Ici un passage curieux de la dernière lettre de votre Excellence me vient à l'esprit : « Vous commencez, mon cher comte à donner trop de poids à ce qui est maudit et corrompu pour lui conférer un caractère d'utilité et d'adresse » que je traduis par ceci : « Quelle fripouille vous êtes ». Connaissez-vous la jolie réplique du prince M. à un ambassadeur américain qui le traitait de crapule? « Mon très cher, répliqua le prince de son sourire le plus doux, vous ne saurez donc jamais mesurer vos termes ». On naît voyou aussi bien qu'on naît gentilhomme. Quiconque prétend intervenir dans la destinée d'un autre est un philistin ou un imbécile, sinon tous les deux à la fois.

Des constellations analogues ont brillé au-dessus de votre berceau et du mien. Vous êtes un serviteur fidèle; c'est une merveilleuse excuse.

Jetez ce qui vous lie, fuyez dans la solitude, sur la mer,

dans le désert, au pôle, sur une autre planète, vers vous-même et vérifiez s'il vous est encore donné de vous réjouir de l'éclat du ciel et du soleil, et si c'est le cas, alors nous reprendrons notre conversation. Cachons-nous dans la nuit comme les loups et concentrons notre courage, car la victime pourrait se défendre.

Notre protégé m'a donné dernièrement pas mal de soucis et je dois reconnaître que c'est lui qui me retient encore dans ce coin mortel. Je le suspecte et souvent j'ai l'impression d'être un musicien sourd qui jouerait d'une flûte bouchée. Il y a aussi autre chose qui me retient et que je voudrais dire à votre Excellence sans l'importuner. En tous cas et je parle sérieusement, renvoyez-moi de votre arène. Je suis las, fatigué, mes nerfs ne m'obéissent plus et je commence à perdre le goût de l'aventure. Lorsque le lièvre affolé se jette de lui-même dans la gueule du chien le plus méchant, je ne ressens que dégoût, je suis trop esthète pour m'en réjouir et je ne sais même pas si je ne ménagerais pas une brèche pour permettre au pauvre animal de s'échapper. Et s'il s'échappait, il pourrait se changer en lion, revenir et obliger la meute sanguinaire à se terrer. N'ayez pas peur, ce ne sont que fantaisies d'une conscience sénile. Je suis — moi aussi — un serviteur fidèle — de moi-même. L'œuvre commande. Seul le voleur sans philosophie mérite le gibet. Dans ma jeunesse, en regardant « Le garçon à la guitare » de Carpaccio à Venise, je pleurai. Maintenant, même si on arrachait l'enfant du sein de sa mère pour lui briser la tête dans un ruisseau, je resterais froid. C'est l'effet de la philosophie. Si elle se monnayait mieux je serais plus gai. A cette occasion, j'ai eu un rêve amusant récemment. Nous deux, moi et vous, marchandions au sujet d'une certaine affaire, quand vous m'avez interrompu de ces mots : « Prenez ce que je vous offre car si vous vous réveillez maintenant, vous n'aurez rien du tout. » Je trouvai cet argument irréfutable et me réveillai, couvert de sueur.

J'en ai assez. Mon chasseur vous transmettra cette lettre qui vous mécontentera par son vide. L'acceptation ci-jointe, que vous voudrez bien signer, vous désobligera davantage. J'ai payé d'avance une demi-année à l'instituteur. C'est un homme utile, incorruptible comme Brutus et maniable comme un bon cheval. Il a des principes, comme tout Allemand, ce qui lui donne de l'assurance.

Que Dieu vous protège. Ma nuit exige du sommeil.

CHAPITRE XVI

Le matin qui suivit l'arrivée de Gaspard, le lord resta plus longtemps que de coutume dans son appartement. Même lorsqu'il sortit pour sa promenade habituelle, il ne fit pas signe à Gaspard. Lorsqu'il revint, le jeune homme l'attendait devant le salon. Il ne vit pas le geste que fit Stanhope pour l'étreindre et resta les yeux fixés au sol. Ils entrèrent dans la chambre, Stanhope ôta sa pelisse blanche de neige et lui posa des questions anodines : comment il allait, comment le départ et le voyage s'étaient passés, etc. Gaspard répondit avec courtoisie et brièveté. Il se montra aimable et nullement rancunier. Stanhope eut quelque peine à prolonger cette conversation. Il fut même effrayé quand le jeune homme le regarda fixement de ses yeux lie de vin. Il fut soulagé quand on annonça Hickel. Il le reçut dans son antichambre et ils conversèrent à voix basse pendant une demi-heure. Dès qu'il eut quitté la pièce, Gaspard s'approcha du bureau, retira le diamant de son doigt et le déposa avec précaution sur une lettre commencée; puis il s'approcha de la fenêtre et considéra la tempête de neige. Stanhope revint seul et demanda à Gaspard s'il savait où il logerait. Le jeune homme répondit que oui.

— Tu ferais bien d'aller tout de suite chez l'instituteur, reconnaître ta future habitation, dit le lord.

Gaspard approuva et répéta :

— Oui, je ferai bien.

— Ce n'est pas loin dit Stanhope, et nous pourrions y aller à pied. Mais, si tu le désires, et si tu crains la curiosité des gens, qui est inévitable, je puis commander la voiture.

— Je préfère marcher, répondit Gaspard. Les gens se lasseront vite quand ils verront que je marche, moi aussi, sur deux jambes.

A ce moment, Stanhope aperçut la bague. Surpris, il la saisit, regarda le jeune homme, puis, le front plissé, avec un vague sourire, il la déposa dans un tiroir qu'il referma à clé. Comme si rien ne s'était passé, il enfila son manteau et dit :

— Je suis prêt.

Les gens ne furent pas trop curieux et tout se passa sans incident.

Au-dessus de la porte des Quandt, on avait fixé une couronne d'immortelles au milieu de laquelle on avait accroché une flamboyante enseigne de carton : « Sois le bienvenu ». Quandt, dans sa redingote brune des dimanches, vint au devant des arrivants; sa femme, pour dissimuler son état, s'était drapée dans un châle écossais. On visita d'abord la petite chambre de Gaspard à l'étage supérieur. La pièce mansardée d'un côté fit dans l'ensemble bonne impression. Au-dessus du canapé désuet était placée dans un cadre noir une gravure représentant une jeune fille d'une rare beauté tendant douloureusement les bras vers quelqu'un dont on n'apercevait que les jambes et un pan de manteau.Le mur opposé était garni de rectangles d'étoffe où étaient brodés des proverbes.

Sur le rebord de la fenêtre, des pots de fleurs étaient alignés et par-dessus les toits bas, le regard pouvait embrasser une vue étendue, limitée à une certaine distance par des collines. Une profonde tristesse s'empara du jeune homme. Il se souvint de ses rêves d'autrefois qui s'évanouissaient tous maintenant.

En bas, dans la salle à manger, le plancher propre sentait encore la lessive. Quandt expliqua au lord les points essentiels de son programme. De temps en temps, il regardait Gaspard d'un œil pénétrant, semblable à celui du tireur qui fixe son but avant d'épauler. Stanhope déclara qu'il était ravi que Gaspard puisse enfin avoir une éducation suivie, car tout le reste n'avait été que des essais. Si M. de Feuerbach n'avait pas gardé Gaspard à Ansbach — ceci était à l'adresse du jeune homme qui écoutait sans mot dire — ils seraient déjà en route pour l'Angleterre

— Mais, malgré tout, je me réjouis de le savoir en d'aussi bonnes mains. Un malheur est quelquefois bon à quelque chose.

Son ton était sec; son chapeau ou sa canne n'auraient pas été moins éloquents. Le compliment qu'il débitait était fade et usé, mais il satisfit pleinement Quandt. Celui-ci prenait de plus en plus confiance et déclara qu'à son avis Gaspard devrait s'installer le jour même. Stanhope se tourna vers le jeune homme qui baissa la tête. Le lord eut un sourire indulgent.

— Ne précipitons rien, dit-il, demain matin, je ferai transporter son bagage ici et il passera encore la journée d'aujourd'hui avec moi.

A la nuit tombante, ils se retirèrent. L'instituteur les accompagna jusqu'à la rue. Puis il rentra, ferma doucement la porte selon son habitude, repassa dans son salon et, les deux mains appuyées sur sa poitrine, resta immobile au milieu de la pièce en hochant la tête pendant un bon quart d'heure.

— Qu'est-ce que tu as? lui demanda sa femme.

— Je ne comprends pas, je ne comprends pas, répondit l'instituteur soucieux en arpentant la pièce comme s'il cherchait quelque chose par terre.

— Qu'est-ce que tu ne comprends pas? lui demanda-t-elle nerveusement.

Quandt avança une chaise, s'assit à côté de son épouse et la regarda quelque temps de ses yeux pâles avant de parler.

— As-tu remarqué quelque chose de merveilleux chez cet homme, quelque chose qui le distingue des autres?

Mme Quandt sourit.

— J'ai simplement remarqué que la politesse ne l'étouffait pas et qu'il portait des bas de soie comme un marquis.

— Oui, pas très poli, et des bas de soie, c'est juste, répondit Quandt. Eh bien, les bas de soie, on l'en déshabituera et aussi de son petit gilet à la mode. Ce n'est pas dans le ton d'une maison simple. Mais, je te le demande : comprends-tu les hommes? Comprends-tu le monde? Depuis des années, on parle de lui comme d'un miracle unique. Des hommes intelligents en discutent; est-ce possible? N'y a-t-il donc personne pour voir clair avec les yeux que Dieu lui a donnés.

Pendant ce temps, Gaspard et Stanhope étaient arrivés à l'hôtel. Stanhope irrité par le mutisme de son compagnon, était d'assez mauvaise humeur.

Il sonna le domestique, fit allumer des bougies et un feu. Le conseiller aulique se fit annoncer, mais le lord fit dire qu'il n'était là pour personne. Il rangea des papiers, tout en interrogeant Gaspard sur l'impression que lui avaient produite les Quandt. Le jeune homme répondit vaguement. En réalité, il ne se souvenait même plus, ni de Quandt ou de sa femme, ni de la maison. Il se rappelait seulement que Mme Quandt avait bu son café dans sa soucoupe en y écrasant un petit morceau de sucre, ce qui lui avait paru stupide.

Brusquement, Stanhope se retourna et lui cria :

— Et cette histoire de la bague? Qu'est-ce que cela signifie?

Gaspard ne répondit pas. Il regardait le vide tristement. Stanhope s'approcha de lui, le toucha et lui dit d'un ton sec :

— Parle, ou gare!

— Je souffre, répondit le jeune homme, et son regard indifférent glissa sur le lord comme sur quelque chose de répugnant et alla se poser sur la tapisserie où le feu faisait jouer des ombres.

Qu'aurait-il pu répondre? Devait-il parler de l'affreuse nuit dans la maison des Tucher où, accroupi, les poings sur la poitrine, le cœur déchiré, il s'était senti seul et privé de tous. Dire combien il avait cherché, cherché, comme on creuse la terre d'un jardin. Comment au jour, il s'était sauvé, comment il avait côtoyé la rivière, comment il s'était agenouillé devant un arbre. Non, il n'y avait pas de mots pour communiquer de telles choses.

Il continua à fixer le vide tandis que Stanhope, les mains dans le dos, parcourait la pièce en parlant par saccades.

— Tu m'accuses peut-être et il faudrait que je me, justifie. God dam, j'ai lutté pour toi comme pour moi-même, j'ai engagé mon honneur et ma fortune, je n'ai reculé devant aucune humiliation. Je me suis mêlé au bas peuple et aux imbéciles, que demandes-tu de plus? L'impossible? Et ce n'est pas fini. Je suis encore à tes côtés; mais si tu exiges quelque chose de moi au lieu d'accepter avec gratitude ce que je fais, alors, séparons-nous.

— Bavard! pensa Gaspard, qui avait de la peine à suivre le flot des paroles. Stanhope songea un instant que Gaspard était peut-être sous l'influence de quelqu'un, car il se rendit bien compte qu'il n'avait plus devant lui la créature sans volonté d'autrefois. Il fit une allusion, mais Gaspard se montra si surpris qu'il en fut rassuré. Gaspard, une main sur l'autre, s'efforça de s'exprimer clairement. Il déclara qu'il n'avait pas voulu blesser Stanhope en lui rendant sa bague, qu'il s'était seulement passé quelque chose qui concernait les *histoires*; on lui aurait toujours raconté des *histoires* sur lui-même, qu'il avait écoutées sans bien comprendre. Elles lui rappelaient son cheval de bois avec lequel il avait joué dans son cachot et qui cependant n'était pas vivant.

— Mais, à présent, ajouta-t-il, à présent, le cheval de bois est vivant.

— Quoi! s'exclama Stanhope vivement, parle. Il regarda le jeune homme à travers son lorgnon, dans une attitude qu'il voulait orgueilleuse, mais au fond pour cacher son embarras.

— Oui, le cheval de bois vit maintenant, répéta le jeune homme mystérieusement.

Stanhope réfléchit :

— J'ai été trop généreux, songea-t-il; lorsqu'on permet aux rêveurs de se réveiller, ils saisissent les rênes et effrayent les chevaux. Plus de faiblesses maintenant.

Il s'assit à table en face de Gaspard et lui dit entre ses dents : « Je crois te comprendre. On ne peut t'en vouloir si tu as tiré de mes récits, peut-être imprudents, des conclusions. Aujourd'hui je serai absolument clair. Je vais seller ton cheval de bois vivant et si tu en as envie, tu le monteras... Non, je ne t'ai pas trompé : par ta naissance, tu égales les plus grands des princes, tu es victime d'une abjecte machination, digne de Satan. Si tu n'avais à craindre que les justes et les moralistes je ne serais pas obligé de te mettre en garde comme je le fais aujourd'hui. Car, écoute-moi : aussi fondées que soient tes prétentions et tes espérances, aussi funestes seront-elles le jour où tu feras le premier pas vers leur réalisation. Le moindre geste, le moindre mot dans ce sens est une condamnation à mort. Avant d'avoir avancé la main pour prendre ce qui t'est dû, tu seras anéanti. Peut-être que demain, ou dans un an, tu douteras de ce que je te dis, mais je t'en supplie, crois-moi. Retiens ta langue, crains l'air et le sommeil. Un jour, il est possible que tu sois ce que tu es vraiment, mais jusque-là, si tu tiens à ta vie, ne bouge pas et laisse à l'écurie ton cheval de bois.

Gaspard s'était redressé lentement; une formidable épouvante, comme une avalanche l'envahissait. Pour calmer son esprit, il fixa avec une attention insensée les objets autour de lui : table, armoire, chaises, candélabres, garniture de cheminée.

Stanhope, lui aussi, s'était levé; il s'approcha de Gaspard :

— Il n'y a rien à faire, tu es né sous ce signe, ta mère t'a mis au monde sous ce signe; c'est celui du sang. Il te juge et te justifie, c'est ton guide et ta perte. Allons dormir, ajouta-t-il, il est tard, demain matin, nous irons prier à l'église et implorer la lumière de Dieu.

Gaspard ne comprenait pas. Le signe du sang, mais le sang n'est-il pas la force qui court dans les veines, le sang n'est-il pas la base de tout. Quand on éteindra les bougies se dit Gaspard, tout sera mort, le sang et les mots, lui et moi; je ne veux pas dormir cette nuit, pas mourir. Oui, Gaspard eût voulu reprendre ce que sa bouche avait dit, le cacher au plus profond de lui. Dorénavant il accepterait les hontes, il fallait vivre, vivre, vivre.

Stanhope ne voulut pas que Gaspard passât la nuit dans sa mansarde. Il fit disposer un lit sur un canapé et sortit tandis que Gaspard se déshabillait. Au bout de quelque temps, il revint pour s'assurer du sommeil du jeune homme et éteignit les lumières. Il laissa ouverte la porte de communication avec sa propre chambre. Malgré ses sombres pensées, Gaspard s'endormit rapidement, entraînant dans le sommeil son cœur tourmenté. Après trois ou quatre heures, il commença à s'agiter, puis il se réveilla avec un profond soupir et fixa l'obscurité. Les flocons de neige qui tombaient heurtaient légèrement les vitres, comme de légers coups frappés par une main. Dans l'autre chambre, il entendait la respiration régulière de Stanhope endormi et le souffle de cet autre homme lui était pénible et semblait un chuchotement menaçant : prends garde, prends garde. Bientôt, il n'y put tenir, son corps lui semblait attaché par des milliers de liens et il se leva uniquement pour vérifier s'il pouvait encore se mouvoir. Il jeta une couverture de laine sur ses épaules, et alla à la fenêtre. L'univers entier lui paraissait rempli des mots prononcés quelques heures auparavant, tels des baies sanglantes. Tout était danger, rien que danger, un souffle humain était un danger. Il frissonna, ses genoux plièrent, il se sentait léger et lourd à la fois. Tout avait changé pour lui, le monde s'était rétréci. En bas, un veilleur de nuit passa sans bruit et l'éclat de sa lanterne dora la neige. Gaspard le suivit des yeux, car il voyait un rapport entre cet homme et sa destinée. Ils traversent ensemble un champ plein de neige, l'homme demande à Gaspard s'il a froid et lui prête un pan de son manteau; ils avancent ainsi sous le même vêtement et tout à coup le jeune homme s'aperçoit que ce visage qui se penche vers lui avec tant de bonté est celui d'une femme désespérée.

Et le mot monstrueux du comte lui revint à la mémoire : « Sous ce signe, ta mère t'a mis au monde ». Gaspard enfouit son visage dans ses mains. Soudain, un bruit de pas le fit retourner; le lord était devant lui en robe de chambre. Gaspard l'avait réveillé.

— Qu'as-tu, demanda-t-il.

Gaspard s'avança vers lui :

— Conduis-moi près d'elle,Henry, dit-il d'un ton suppliant, je voudrais voir ma mère, ne fût-ce qu'une fois, la voir seulement une fois, une seule fois!

Stanhope recula.

— Patience, dit-il, patience.

— Mais combien de temps encore?

— Tu as ma promesse.

— Mais comment te croire?

— Mettons un an.

— C'est long.

— Long et court. Une petite année, et puis...

— Et puis, quoi?

— Je reviendrai.

— Pour me chercher?

— Pour te chercher.

— Jure-le.

Gaspard attacha sur le comte un regard angoissé. La blancheur de la neige éclairait la nuit, et ils pouvaient distinguer mutuellement leurs traits.

— Je le jure.

— Tu le jures? Mais comment le saurai-je?

Stanhope était mal à l'aise; ce tête à tête à une heure si indue, les questions de plus en plus pressantes du jeune homme l'impressionnaient.

— Arrache-moi de ton cœur si je ne le fais pas, murmura-t-il sourdement. Et à ce même moment il pensait à l'homme que le diable avait projeté vivant dans le Vésuve incandescent. Gaspard reprit :

— Dis-moi son nom, son nom.

— Non, jamais. Mais aie confiance en moi. Un Dieu veille sur toi, Gaspard, et maintenant, rien ne te sera plus refusé car tu as largement payé pour ton bonheur. Ici bas, tout doit être payé; c'est le sens de la vie.

— Tu me promets de revenir dans un an?

— Dans un an.

Gaspard saisit la main de Stanhope et le regarda; le lord baissa les yeux et son visage s'altéra. Il rentra dans sa chambre et se surprit à réciter tout bas et machinalement son *pater*.

Il ne s'endormit que vers le matin. Lorsqu'il se leva à midi, Gaspard était déjà debout depuis longtemps; il était assis près de la fenêtre et paraissait étudier les fleurs du givre.

Vers une heure, ils sortirent bras-dessus, bras-dessous; les passants purent les voir marchant dans la neige épaisse, se dirigeant par la Herrieder Tor vers le marché. Là, il y avait une foule de paysans et de négociants. Devant le portail de l'église Gumbertus, Stanhope s'arrêta et demanda à Gaspard d'y entrer avec lui. Après quelque hésitation, le jeune homme le suivit dans la basilique aux murs nus et dont la haute voûte était couverte de bois noir.

Stanhope marcha rapidement vers l'autel, s'agenouilla sur les marches de pierre, et resta ainsi immobile. Gaspard, un peu gêné, regarda autour de lui pour s'assurer que personne n'était témoin de cet acte de contrition; mais l'église était vide.

« Pourquoi s'incline-t-il tellement, pensa-t-il, Dieu n'est pourtant pas sous terre ». Peu à peu, le silence commença à l'oppresser, il regarda en haut et vit, par une fenêtre ouverte le soleil luttant pour percer la brume hivernale. Son visage se colora et il eut un élan de muette adoration vers le ciel.

— O soleil, dit-il à mi-voix et avec ferveur, fais que tout change, que tout change. Tu sais comme tout est mal, tu sais qui je suis. Brille, soleil, afin que je puisse toujours te voir comme mes yeux le désirent.

Comme il parlait, une raie de lumière dorée coula sur les marches blanches et Gaspard, ravi, crut que le soleil lui répondait.

CHAPITRE XVII

Le déménagement de Gaspard dans la maison de l'instituteur se passa sans incident.

— Alors, dit Quandt pendant le premier repas pris en commun, et lorsque la soupière fut posée sur la table, c'est une nouvelle vie qui commence pour vous. Espérons qu'elle sera pieuse et active. Si nous travaillons comme il faut, et si nous n'oublions pas le Créateur de toutes choses, nos efforts ici-bas sont toujours couronnés de succès.

Après le déjeuner, Quandt alla à l'école et lorsqu'il en revint, il demanda comment Gaspard avait occupé son temps. Sa femme ne lui répondit que vaguement et il le lui reprocha.

— Nous devons faire attention à lui, ma chère Josette, et le surveiller.

Et Quandt, en effet, le surveilla. Tel un comptable appliqué, il ouvrit un compte en lui-même où il enregistra tous les faits et gestes de son pensionnaire et il lui sembla que dans cette comptabilité scrupuleuse où le doit et l'avoir auraient dû se balancer, le côté du débit était trop surchargé. Ceci l'affligea non sans le réjouir. Car il existait chez cet homme une curieuse dualité; d'une part, le personnage officiel, le citoyen, le contribuable, le collègue, le chef de famille, le patriote; et d'autre part, Quandt lui-même. Le premier Quandt était un héros de vertus, un album de qualités. Le personnage public, le citoyen, le patriote prenaient part cordialement à tous les événements, mais le second, le vrai Quandt se frottait les mains quand une catastrophe arrivait, une mort, ou même une jambe cassée ou le renvoi d'un fonctionnaire de mérite, ou le vol d'une caisse dans une association, ou une roue endommagée d'une voiture de poste, ou un petit incendie chez un riche paysan, ou le mariage scandaleux d'une comtesse avec son valet. Le premier Quandt s'acquittait consciencieusement de ses obligations et le second, qui était un peu révolutionnaire, surveillait les agissements du gouvernement mondial et veillait à ce qu'aucun ne reçût plus d'honneurs que ne méritaient ses talents et ses qualités. Le premier Quandt paraissait satisfait de son sort, le second se trouvait partout et toujours frustré et offensé. Il pourrait sembler difficile que deux hôtes si dissemblables puissent vivre sous un même toit et pourtant les deux Quandt s'entendaient à merveille. Cependant, comme bien souvent la digue la plus puissante ne suffit pas à arrêter l'inondation, de même l'envie immergeait parfois les champs paisibles et soignés du Quandt pieux et philanthrope. Ainsi, un tel a été décoré qui passait sa vie à fainéanter derrière son poële; un autre, qui était déjà riche, a encore hérité de 10.000 écus, un autre a fait une découverte que quiconque aurait pu faire s'il s'était intéressé à ce sujet. Pourquoi lui et pas moi? s'insurgeait en secret le Quandt révolté. C'était en lui un conflit perpétuel : pourquoi lui, pourquoi pas moi?

Quandt souffrait sans doute de certains atavismes : son père avait été pasteur et il descendait de paysans par sa mère. Et il avait du pasteur et du paysan; ses tendances matérielles étaient cachées sous une couche de théologie. Et le paysan venait sans cesse se heurter au pasteur car jamais un cœur épris de religion n'a pu être vindicatif, envieux et ambitieux. Quandt aimait avant tout la vérité, il le proclamait et c'était exact. Rien n'était assez clair pour lui, aucun compte n'était assez précis, partout et toujours on se trompait. Il affirmait n'avoir jamais menti de sa vie et de fait, il avait rompu avec son seul ami pour l'avoir surpris, mentant. Devant cet homme qui offrait apparemment les plus rares qualités, Gaspard devait se sentir désarmé. Car, il ne pouvait pas le percer à jour comme nous le pouvons, nous, l'auteur, et vous, le lecteur. Nous pouvons suivre, nous autres, Quandt, entrant dans une épicerie et demandant poliment une demi-livre de fromage, tout en surveillant de ses yeux inquiets les achats de ses concitoyens; nous l'entendons s'entretenir avec l'inspecteur Kakelberg du relâchement moral de ses élèves, nous le voyons à l'église tous les dimanches, bien lavé et peigné, ouvrant modestement son livre de messe, et nous savons qu'il est respectueux envers ses supérieurs et sévère avec ses inférieurs. Mais nous savons par-dessus le marché que chaque soir, avant de se coucher, assis, en chemise de nuit, sur le rebord de son lit, l'air sombre il pense que le conseiller Hermann l'a salué ce même jour négligemment; à notre regret, nous sommes obligés de constater qu'il fouette avec un bambou bien sec ses élèves indisciplinés et nous ne pouvons cacher qu'il n'a pas toujours envers sa femme les égards qu'il affiche pour elle devant les autres.

Ainsi Quandt représentait pour Gaspard Hauser, qui ne jouit pas comme nous et comme vous du don d'ubiquité, une personnalité sombre et terne, mais irréprochable.

Tout d'abord, il se sentit mal à l'aise dans cet intérieur étroit où on ne pouvait s'isoler avec ses pensées;

sa seule consolation fut que le lord qui avait fixé son départ pour les premiers jours de décembre prolongeât son séjour. Il prétexta l'attente de lettres importantes, mais en réalité, il n'attendait que le retour de Feuerbach dont l'absence l'inquiétait comme l'orage à l'horizon inquiète le voyageur.

Gaspard aussi le retint et de façon curieuse. Stanhope avait l'habitude d'emmener le jeune homme avec lui chaque après-midi en promenade pendant une heure environ; en général, ils prenaient le chemin vers le Schlossberg et vers la vallée de Bernadott, qui ouvrait une brèche harmonieuse dans les vastes forêts sombres, qui fermaient l'horizon. Ces marches dans l'air froid procuraient au jeune homme un grand bien-être. Leurs conversations glissaient du particulier au général et ils goûtaient ensemble le charme d'une douce intimité. Il y avait entre eux comme un accord, une paix suprême avant la transformation qu'ils pressentaient et qui devait détruire ce qui restait de beauté dans leur amitié. Ainsi ils allaient ensemble, unissant leurs idées sur un plan extérieur à eux-mêmes, effaçant par un don spontané et réciproque leur différence d'âge et d'expérience. Le lord était touché par la forme que prenaient leurs relations. Dans ces moments, il se sentait enfin libre, débarrassé de toute contrainte et de toute surveillance; il se retrouvait lui-même et songeait, non sans mélancolie, aux ravages que la vie avait faits en lui, anéantissant pour ainsi dire la liberté de son esprit, ce qui est au fond le seul élément digne chez un homme.

De préférence il parlait des êtres et de leurs destinées. Il racontait comment celui-ci avait débuté, comment celui-là avait fini; les causes qui avaient perdu un autre et celles qui avaient fait triompher un troisième. Il citait un homme heureux, reçu à la table du roi et mourant misérablement deux ans plus tard dans une mansarde. Rien n'était sûr ni stable ici-bas. Certaines lois inconnues régissent la vie des hommes. Stanhope parlait souvent du livre de lord Chesterfield, un ancêtre éloigné qui dans des lettres célèbres à son fils avait établi d'excellentes maximes; il en savait des pages par cœur. Ce même ancêtre, pour ridiculiser l'orgueil de la noblesse, avait fait suspendre dans son château deux tableaux représentant un homme et une femme nus avec l'inscription « Adam et Eve Stanhope ».

Le lord était souvent surpris de l'intelligence du jeune homme; il était naïf et taciturne, mais ses réponses étaient toujours justes. Dans la discussion, il était de premier ordre, conciliant les arguments contradictoires avec aisance et fantaisie.

Mais bientôt, tout se gâta, et pour un prétexte futile.

Un jour, alors qu'ils revenaient vers la ville, Stanhope vanta les avantages qu'il y avait pour un jeune homme à coucher dans un journal ses impressions, ou tout au moins à les communiquer verbalement. Et comme Gaspard lui demandait des explications Stanhope interrogea sournoisement le jeune homme pour savoir s'il tenait toujours un journal. Gaspard le reconnut.

— Et m'en liras-tu, à l'occasion, des passages?

Gaspard se troubla, réfléchit et après une hésitation le promit.

— Profitons donc de cette heure propice et commençons tout de suite, dit Stanhope. Je voudrais seulement avoir un aperçu et suis curieux de voir comment tu le rédiges.

Arrivé chez Gaspard, Stanhope l'accompagna dans sa chambre et s'assit sur le canapé en attendant la lecture.

Le feu crépitait dans le poële; au dehors, depuis midi déjà, le vent soufflait le dégel; le jour tombait et les collines se voilaient de violet.

Gaspard s'occupait à ranger des livres, mais le temps passa sans qu'il fît mine de faire ce que Stanhope attendait.

— Eh bien, Gaspard, dit enfin le lord avec impatience, je suis prêt.

Le jeune homme rassembla alors toute son énergie et déclara qu'il ne pouvait tenir sa promesse. Et comme Stanhope le regardait fixement, il baissa les yeux. Très bas, et avec gêne, il déclara que son journal se trouvait caché derrière de nombreux objets et qu'il lui était difficile de l'atteindre.

— Ah! Ah! s'écria Stanhope en ricanant, tu trouves vite des excuses, Gaspard, je ne t'aurais pas cru si habile.

A ce moment, on frappa à la porte et Quandt se glissa dans la pièce. Il feignit d'être surpris de trouver Stanhope et lui demanda s'il daignait prendre quelque rafraîchissement. D'un signe, et sans quitter le jeune homme des yeux, Stanhope refusa.

Quandt sentit tout de suite qu'il se passait quelque chose d'anormal et demanda au lord s'il avait quelque raison de se plaindre de Hauser. Stanhope répondit affirmativement et en quelques mots raconta ce qui s'était passé. Puis, se tournant vers Gaspard, il dit d'une voix haute et sèche :

— Si tu avais, dès le début, l'intention de ne pas m'initier à tes secrets, tu n'aurais pas dû faire de promesses; et si tu regrettais celles-ci, tu n'avais qu'à les reprendre, au lieu de recourir à un mensonge indigne de toi et de moi.

Il se leva et sortit de la pièce suivi de l'instituteur.

Arrivé dans le vestibule, il demanda à Quandt s'il avait déjà pu se faire une opinion sur les qualités et la bonne volonté du jeune homme.

— Justement, répondit celui-ci, je voulais vous prier de m'accorder un quart d'heure d'entretien.

Décrochant une petite lampe à huile, il fit passer le lord dans son bureau. Celui-ci s'assit dans un fauteuil et croisa ses jambes d'un air ennuyé. Quandt rassembla toutes ses notes et expliqua que dès le début il s'était beaucoup occupé de Gaspard, qu'il lui avait donné des dictées, l'avait fait lire, calculer, revoir les grammaires allemandes et latines, tout cela au hasard et pour se faire un jugement.

— Et alors? demanda Stanhope, dont les narines se gonflaient d'ennui, quel résultat?

— Résultat assez piteux, malheureusement!

Et ce « malheureusement » était prononcé avec l'accent d'une grande douleur. Oui, malheureusement l'écriture de Gaspard laissait à désirer.

— Elle n'est ni faite, ni déliée et l'orthographe et lui se détestent, ajouta-t-il.

M. Quandt souffrait qu'un homme ne sût pas distinguer le datif de l'accusatif.

— Et il n'a pas la moindre idée de l'importance du subjonctif. En narration, il n'est pas maladroit et dépasse même le niveau habituel. Il connaît bien les ponctuations, place le point, la virgule, le point d'exclamation, d'interrogation où il faut et utilise même le point virgule si discuté par les grammairiens. Mais l'arithmétique, hélas! il ne connaît pas les quatre opérations fondamentales; les zéros sont pour lui des obstacles infranchissables. Il est nul dans la théorie des fractions, dans le système algébrique, et dans les proportions directes et indirectes. C'est assez étonnant car ce sont justement ces matières-là qu'il étudie le plus volontiers.

— Comment expliquez-vous ceci? demanda le lord avec l'air d'un homme endormi à qui on chatouille la plante des pieds.

— Voici. Tout problème se présente comme une chose à part. Et il aime à vaincre les difficultés. Toutefois, quand il rate un problème facile, il se fâche s'il ne trouve pas sa faute, son étourderie.

Et puis, il y avait l'histoire, la géographie, la peinture, le dessin. En histoire, Quandt n'a jamais rencontré une telle indifférence, qu'il s'agisse de son pays ou d'autres, de rois, d'hommes d'État, de batailles, de révolutions, de héros ou d'explorateurs.

— Seule l'anecdote l'intéresse; avec une petite histoire on le captive. C'est lamentable!

— Et la géographie?

— Il n'en a aucune idée. J'ajoute qu'il est souvent inattentif et distrait. L'émerveillement des Nurembergeois au sujet de sa prodigieuse mémoire est pour moi une énigme inouïe.

Stanhope en avait assez. Il ne se souciait guère d'entendre la suite sur la peinture et le dessin, et se leva. Quandt poursuivait en lui disant que ces matières, sans être de premier ordre, avaient leur utilité.

— Oui, il faut cultiver aussi les choses secondaires. L'esprit d'un être est comme un jardin dans lequel les belles choses poussent à côté de ce qu'il y a d'utile. Pour Gaspard, le plus puissant stimulant est la vanité. Flattez-le, vous en ferez ce que vous voudrez. Une dernière question, mylord, avez-vous réfléchi au catéchisme? J'en ai déjà parlé avec le pasteur Fuhrmann qui est disposé à donner deux leçons par semaine à Gaspard.

Stanhope ne fit pas d'objections. Il allait partir lorsque Quandt osa à ce moment porter la conversation, avec embarras, sur la pension du jeune homme; sa femme ne cessait de se plaindre de l'augmentation continue de la vie. En grand seigneur, Stanhope accorda une augmentation; il fut convenu que douze kreutzer seraient consacrés au déjeuner du jeune homme et huit à son dîner.

Pour effacer la mauvaise impression de cette demande qui l'humiliait, l'instituteur proposa au lord de lui rendre compte périodiquement, pendant son absence, des progrès du jeune homme. Stanhope, excédé, lui en laissa toute liberté.

— Je me permets de suggérer, reprit Quandt, que les lettres que le jeune homme vous adressera soient considérées comme des exercices de style. Sans les dénaturer le moins du monde, je corrigerai les fautes à l'encre rouge et ainsi vous serez toujours au courant de ses progrès.

Stanhope trouva cette idée géniale. Ils sortirent, Quandt le premier, sa lampe à huile à la main. Soudain, il fit un pas en arrière et leva la lumière; une forme sombre se tenait accoudée à la rampe de l'escalier : c'était Gaspard.

— Ah ! Ah ! pensa-t-il, il a écouté. Et il lança à Stanhope un regard significatif.

Le jeune homme s'avança vers l'Anglais et d'une voix suppliante lui demanda de monter dans sa chambre. Le lord répondit froidement qu'il était pressé et que Gaspard n'avait qu'à parler. Gaspard secoua la tête et Stanhope comprenant qu'il avait changé d'avis fit semblant de céder à contre-cœur et monta l'escalier; sans en être prié, l'instituteur suivit et resta sur le seuil de la porte. Gaspard déclara qu'il voulait bien montrer son journal au lord, mais à condition que celui-ci ne le lise pas. L'Anglais furieux, croisa les bras sur sa poitrine et se maîtrisant dit :

— Aie confiance, jamais je ne me mêlerai de tes affaires personnelles, sans que tu me le demandes.

Gaspard ouvrit alors le tiroir de sa commode, et souleva le coin d'un mouchoir de soie sous lequel se trouvait le cahier bleu. Stanhope s'approcha, regarda et dit au jeune homme :

— Quelle mise en scène enfantine! Je ne voulais pas voir ton trésor. Tu m'avais proposé de me le lire, mais assez de bêtises comme cela!

L'instituteur aussi s'était approché et lorgnait le fameux cahier d'un regard sceptique. Sans un mot, Stanhope quitta la pièce.

— Si l'on veut mon humble avis, dit Quandt en le raccompagnant, j'avoue que je ne crois pas beaucoup à ce journal. Qu'un être comme Gaspard ait assez d'énergie pour tenir un journal, je ne puis le croire.

— Alors, il nous montrerait du papier blanc, coupa Stanhope sèchement.

— Non, mais...

— Mais quoi?

— Il faut tirer l'affaire au clair et voir ce qui se cache là-dessous.

L'Anglais haussa les épaules et prit congé.

Mais le lendemain, il se rendit de nouveau chez Quandt, entra dans la chambre de Gaspard et réclama froidement les lettres qu'il lui avait adressées pendant leur courte séparation à Nuremberg. Gaspard les lui remit sans rien dire. Il n'y en avait que trois et parmi elles, celle, dangereuse, que le comte regrettait d'avoir écrite. Elles se trouvaient dans une serviette spéciale, enveloppée de papier d'or. Stanhope les compta, les mit dans sa poche et un peu radouci dit :

— Passe me prendre ce soir à huit heures à l'hôtel, nous sommes invités au château de Mme d'Imhoff. Habille-toi bien.

Gaspard acquiesça. Au moment de sortir, la main sur le bouton de la porte, Stanhope se retourna encore :

— Je pars demain, dit-il.

Il avait soudain, en effet, pris en horreur cette ville et ses habitants, il ne songeait qu'à la quitter le plus rapidement possible et avait abandonné l'idée d'attendre Feuerbach car celui-ci avait fait savoir qu'il ne serait de retour qu'au Nouvel An.

— Déjà demain, répéta Gaspard tristement, puis il ajouta doucement : mais ce qui a été convenu entre nous demeure?

— Ce qui a été convenu demeure.

La soirée chez les Imhoff était une fête donnée en l'honneur du départ du lord. Etaient invités : le président Mieg, le conseiller Hofmann, le directeur Wurm, le commissaire général von Stichaner avec femme et filles; d'autres personnalités aussi; et tout le monde vint en grande tenue. On était très intrigué de savoir quel serait le premier contact de Gaspard avec la société de la ville.

Le jeune homme ne déçut pas. On le fêta, on l'accapara, on lui fit les compliments les plus exagérés, on vanta ses oreilles bien formées, ses mains fines et on trouva que sa cicatrice au front lui allait très bien. On s'extasia sur sa conversation et sur ses silences qui ne dépassaient pas cependant le cadre de la politesse. Lorsqu'on sortit de table, le domestique du lord apporta à ce dernier un paquet contenant une dizaine de gravures, représentant Stanhope en tenue de pair et portant la couronne de lord. L'Anglais distribua les portraits « à ses chers amis d'Ansbach », comme il disait, avec son plus séduisant sourire. Chacun trouva que le portrait était fort ressemblant et très bien exécuté; il fut chaleureusement remercié. Puis les conversations reprirent. Elles roulèrent sur l'art du portrait en général. On discuta pour savoir si l'on pouvait juger du caractère d'un être d'après les simples traits de son portrait. Le Conseiller Hofmann, esprit négatif, le contesta vivement et cita maints exemples de portraits qui, en fin de compte, ne reproduisaient que les traits les plus flatteurs du modèle. L'artiste ou le peintre, selon lui, se contentait de saisir ou d'exagérer une particularité qui le frappait, de sorte qu'il ne restait presque plus rien de la vraie nature de son modèle. Il fut contredit et quelqu'un affirma que tout dépendait du génie de l'artiste. Stanhope, vexé des remarques du Conseiller, s'échauffa beaucoup, contre son habitude, et affirma que personnellement il pourrait définir d'après un portrait quel que soit le modèle ou l'artiste le caractère de la personne reproduite. A ces mots, la maîtresse de maison sourit. Elle passa dans une pièce contiguë et revint bientôt portant une peinture à l'huile dans un cadre ovale et la présenta à Stanhope. Les invités se pressèrent autour de lui et poussèrent un cri d'admiration. Ce portrait, d'une vie et d'un naturel prodigieux, représentait une jeune femme d'une éclatante beauté : le visage d'un blanc d'albâtre était légèrement rosé; des traits fins et réguliers, un regard qu'une certaine myopie rendait plus charmant et timide et le tout baignant dans une lumière admirable.

— Eh bien, mylord? demanda Mme d'Imhoff malicieusement.

Stanhope, l'air important, répondit :

— En vérité, chez cette femme s'allient la douceur orientale et la grâce andalouse.

Mme d'Imhoff baissa la tête comme si elle approuvait :

— Bien, mylord, dit-elle, mais nous désirerions être renseignés sur son caractère.

— Ah ! On veut m'attraper, riposta gaîment Stanhope, eh bien, je pense qu'il s'agit de quelqu'un qui supporte avec une extraordinaire résignation les infortunes et les souffrances. Elle est douce, pieuse, goûte la paix des champs et la vie à la campagne et aime les beaux-arts.

Mme d'Imhoff ne put réprimer un éclat de rire.

— Je parie que c'est uniquement pour me taquiner, que vous tenez ces propos erronés, dit-elle.

Le conseiller eut un sourire ironique, Stanhope rougit.

— Si je me suis trompé, madame, dit-il galamment, veuillez m'en donner la preuve.

— Pour vous la donner, je serais obligée d'abuser peut-être un peu de votre patience, répondit Mme d'Imhoff redevenue grave car je devrais vous conter l'histoire peu commune de cette femme qui est ma meilleure amie et je risquerais de faire disparaître la gaîté de mes hôtes. Cependant, comme on la suppliait de toutes parts, elle céda.

— Mon amie vint à dix-huit ans à la cour d'une résidence de l'Allemagne du centre. Elle était orpheline de père et de mère et n'avait comme seul appui que son frère. Celui-ci que, pour faciliter mon récit, j'appellerai le baron, passait, malgré sa jeunesse, il n'avait que dix ans de plus que sa sœur, pour un homme de grande valeur; le prince, bien que faible et débauché, reconnut ses capacités; il lui confia une des plus hautes situations du pays et le couvrit d'honneurs et de distinctions. Cependant le baron ne se rendait aux fêtes de la cour que pour présenter sa sœur dans les salons et les cercles de la noblesse. Il avait du reste la satisfaction de la voir briller partout où elle apparaissait, non seulement par sa beauté, mais par sa grâce et la vivacité de son esprit. Un jour, la vie paisible de ces deux êtres fut bouleversée de façon effroyable. Le baron découvrit par hasard que des fuites énormes s'étaient produites dans l'administration des finances — il s'agissait de plusieurs centaines de milliers d'écus – et que le prince, ruiné par ses maîtresses et par un système de protectionnisme éhonté, se trouvait mêlé à ces fraudes graves pour l'intérêt public. Le baron ne sut que faire et se confia à sa sœur. Celle-ci lui répondit : « Il n'y a pas à hésiter, va chez le prince, et fais-lui comprendre sans ménagement la gravité de ses actes. » Le jeune homme obéit, le prince furieux, le chassa après lui avoir fait comprendre qu'il devait démissionner. Le baron raconta à sa sœur son entretien et celle-ci le poussa à porter l'affaire devant les Landstände [1]. Une fois encore le jeune homme se disposa à suivre son conseil; toutefois, auparavant, il se confia à un de ses amis qui sembla approuver sa décision. Le lendemain soir, ce même ami lui envoyait un mot pour le prier de venir immédiatement le rejoindre dans un pavillon de chasse situé près de la ville; il devait avoir une conversation importante avec lui. Sans hésiter, le jeune homme, malgré l'heure tardive et la nuit sombre, fit seller son cheval et partit. Depuis, on ne l'a jamais revu. Certains prétendent avoir entendu vers minuit, près du pavillon de chasse, des coups de feu; toujours est-il que le jeune homme avait disparu et que son sort reste mystérieux. On peut se figurer le désespoir de sa sœur. Mais elle refusa de se

1. Etats provinciaux.

laisser aller à sa douleur et déploya dès le premier jour une étonnante activité. Se doutant de la mort de son frère, elle fit tout pour retrouver le cadavre. Elle embaucha des ouvriers qui pendant des semaines fouillèrent le sol à proximité du pavillon de chasse. Elle implora le soi-disant ami, rusa, menaça, en vain; il prétendait tout ignorer. Tout le monde affirmait ne rien savoir. Elle se jeta aux pieds du prince qui l'écouta, visiblement ému, et qui promit de tout mettre en œuvre pour découvrir les coupables. Peine perdue. Quelques jours après, elle tomba malade, on cherchait à l'empoisonner sans doute; ses malaises se renouvelèrent à plusieurs reprises. Mais subitement le prince mourut d'une attaque. Elle n'avait plus de raison de demeurer dans cette région affreuse pour elle, elle voyagea. Dans toutes les cours d'Allemagne et même plus tard à Londres et à Paris, elle essaya de gagner à sa cause pour obtenir, sinon justice, du moins des éclaircissements, des ministres, des rois ou des hommes d'État. Représentez-vous ce que fut la vie de mon amie durant plus de trois ans, toujours en voyage, toujours pressée, constamment en butte à des difficultés de tous ordres. Une grande partie de sa fortune passa à ces recherches stériles. Enfin elle se rendit compte qu'elle n'arriverait à rien, que la solidarité des méchants et des indifférents était trop puissante, elle abandonna brusquement toute autre tentative et se retira dans une petite ville universitaire où elle se consacra avec ardeur à l'étude de la politique, du droit et de l'économie. Elle substitua à son affaire personnelle la chose publique. Son âme généreuse s'éprit des idées traitant de la liberté des peuples et du droit des hommes. Il y a deux ans, elle a épousé, sans l'aimer, un médiocre, uniquement parce que cet homme, sur son premier refus, s'était ouvert les veines; on le sauva et elle l'épousa. L'union fut du reste rompue d'un commun accord quelques mois plus tard et l'homme s'exila en Amérique où il exploite une ferme. Mon amie reprit sa vie errante; je reçois des lettres d'elle tantôt de Russie, tantôt de Vienne ou d'Athènes; depuis quelques mois, elle habite en Hongrie. Partout, elle étudie la situation des paysans et la misère des ouvriers, et cela sans aucune sentimentalité, mais au contraire avec une rare compétence. Sa connaissance parfaite des constitutions, des lois et des affaires publiques a forcé l'admiration de plus d'un de ceux qui sont versés dans la matière. Elle a maintenant vingt-cinq ans, et ressemble toujours beaucoup à ce portrait exécuté il y a six ans. Après cela, vous me concéderez, mylord, qu'il est difficile de lui prêter de la douceur orientale et de la résignation. Certes, elle est douce, mais différemment de ce qu'on entend généralement par ce mot. Sa douceur contient la joie et l'activité, elle aime la vie.

Un profond silence fit comprendre à Mme d'Imhoff l'effet produit par cette histoire; car n'est-il pas merveilleux de se laisser conter de pareilles aventures dans la sécurité d'une pièce bien chauffée et bien éclairée. L'homme près de la cheminée se frotte les mains avec béatitude lorsque la tempête souffle au dehors. Il frissonne agréablement à l'idée qu'il y a des gens qui circulent sans manteaux ni gants, et il arrive même parfois à sympathiser avec eux.

Au début du récit, Gaspard s'était trouvé à l'écart du cercle des auditeurs; peu à peu il s'était approché jusqu'à se trouver tout près de la narratrice, au point de pouvoir suivre le mouvement de ses lèvres. Quand elle se tut, il éclata de rire. Mme d'Imhoff avoua par la suite n'avoir jamais vu une telle expression de joie enfantine car son rire puéril dépeignait son état d'âme. Chacun attendait ce qu'il allait dire, mais il demanda simplement : « Quel est son nom? »

Mme d'Imhoff passa affectueusement son bras autour des épaules du jeune homme et lui dit en souriant qu'elle ne pouvait le divulguer maintenant, mais que plus tard peut-être il l'apprendrait car son amie lui portait un grand intérêt. Il devint pensif et ni la conversation redevenue bruyante, ni le chant de Mlle von Stichaner ne le tirèrent de sa méditation. Il songeait au sort de l'inconnue et pour la première fois son cœur compatit aux souffrances d'autrui. Les femmes ne sont peut-être pas tout à fait comme je les imagine, pensa-t-il.

CHAPITRE XVIII

Avant son départ, Stanhope fit remettre à Gaspard deux paires de bottines, une boîte de dentelles de Bruxelles, et six mètres de drap fin pour confectionner un costume. Il passa sa matinée avec le jeune homme et revint après déjeuner chez Quandt pour faire ses adieux. A trois heures le carrosse arriva. Gaspard accompagna le lord dans la rue. Il était livide; trois fois il étreignit celui qui allait partir, serrant les dents pour ne pas crier; n'était-ce pas une partie de sa propre vie, la plus profonde, qui s'en allait, et pour toujours, il le sentait bien. Que cet homme revînt ou non, il emportait avec lui la confiance, les beaux rêves et les désillusions. Stanhope aussi était ému aux larmes. Dans de tels moments, il s'abandonnait volontiers à l'attendrissement. Son dernier mot fut comme une défense contre ses scrupules, comme s'il voulait arrêter la roue du destin. La voiture s'ébranlait déjà lorsqu'il cria gravement à Quandt et à Hickel : « Veillez bien sur mon fils! ». Quandt se frappa la poitrine avec conviction. La voiture enfila la rue de Krailsheim. Cinq minutes plus tard, M. d'Imhoff et le conseiller Hofmann arrivèrent et apprirent avec regret que c'était trop tard. Pour changer ses idées tristes, ils proposèrent au jeune homme une promenade dans le parc de la résidence. Quandt approuva ce projet et Hickel demanda à les accompagner. A peine avaient-ils passé le premier tournant que Quandt revint précipitamment dans sa maison, fit un signe à sa femme, qui sans un mot (car c'était chose convenue entre eux) le suivit dans l'escalier et se posta comme sentinelle en haut de celui-ci. Quandt pénétra dans la chambre du jeune homme et entreprit de chercher le journal. Dans ce but, il avait fait faire une double paire de clés avec lesquelles il put ouvrir la commode et l'armoire. Il ne trouva rien dans le tiroir de la commode, le cahier bleu n'y était plus. Alors, il bouleversa inutilement l'armoire, les vêtements, fouilla le tiroir de la table, regarda sous le canapé, parmi les livres; mais en vain. Fatigué il s'essuya le front et appela sa femme : « Vois-tu, Josette, je l'ai toujours dit : ce gaillard a plus d'un tour dans son sac ».

— Hé oui, répondit la femme, il est faux comme un jeton et ne nous donne que des ennuis.

Elle avait dit cela uniquement pour faire plaisir à son mari, car au fond elle aimait bien le jeune homme qui se comportait avec elle plus aimablement et plus gentiment que quiconque. Quandt resta maussade toute la journée, comme si on l'avait privé d'une bonne action. Et après tout, n'était-ce pas sa mission sur terre de discerner le mensonge de la vérité et de montrer aux hommes sa connaissance parfaite du cœur humain. Il n'avait pas le droit d'être indulgent lorsqu'il s'agissait de mensonge. Le soir même, tout plein de ses sentiments, il tint à sa femme un long discours qui était à peu près celui-ci :

— Regarde, Josette, n'as-tu pas été frappée de son maintien si rigide et si droit à table? Comment croire qu'il a végété pendant dix ans dans un cachot souterrain? Comment y croire lorsqu'on a toute sa raison? Franchement, où est sa naïveté tant vantée? Il est bon garçon, c'est possible, mais qu'est-ce que cela prouve? Et comme il sait flatter les gens haut placés, en parfait sournois qu'il est! Ton amie, Mme Behold avait raison; sais-tu que souvent lorsque j'entre à l'improviste dans sa chambre, car il importe que je le surprenne, je le trouve, et c'est comique, accroupi dans un coin. A-t-il des absences? ou les simule-t-il simplement, je ne sais. Toujours est-il que dès qu'il m'aperçoit, il prend un air faussement aimable qui vous désarme malheureusement. Une fois même, je l'ai trouvé en plein jour toutes les jalousies baissées. Qu'est-ce que ça veut dire? Il y a quelque chose là-dessous.

— Qu'est-ce que tu veux qu'il y ait là-dessous? lui demanda sa femme.

Quandt haussa les épaules et soupira.

— Dieu le sait. Je l'aime bien cependant. C'est un être intelligent et souple, mais il cache quelque chose et il y a autour de lui une atmosphère sinistre.

Mme Quandt, que ce bavardage lassait, se coiffait pour la nuit. Son joli visage avait l'expression d'un oiseau stupide et fatigué et ses yeux rapprochés clignaient à la lueur de la bougie. Soudain, elle laissa tomber son peigne et dit : « Écoute Quandt ». Quandt tendit l'oreille. La chambre de Gaspard se trouvait au-dessus de la leur et ils percevaient maintenant, dans le silence, les pas ininterrompus de leur pensionnaire.

— Que peut-il faire? pensa-t-elle.

— Oui, que peut-il faire? répéta Quandt en regardant le plafond, on m'a pourtant raconté qu'il se couchait comme les poules, je ne m'en aperçois pas. Tu vois, il n'y a rien à y comprendre. Nous lui ferons perdre cette habitude des promenades nocturnes.

Quandt ouvrit doucement la porte et se glissa au dehors en pantoufles. Il monta l'escalier avec précaution et arrivé devant la porte du jeune homme, essaya de regarder par le trou de la serrure. Ne voyant rien, il colla son oreille contre la cloison. Dans la pièce, le mystère vivant se promenait forgeant ses plans obscurs.

Quandt appuya sur le loquet, la porte était verrouillée. Alors, il éleva la voix et réclama énergiquement du calme; sur-le-champ tout devint silencieux.

Lorsque l'instituteur redescendit auprès de sa femme elle venait de ressentir brusquement les premières douleurs de l'enfantement. Étendue sur son lit, elle gémissait, réclamant la sage-femme. Quandt allait envoyer la bonne, mais sa femme l'arrêta :

— Non, pas elle, elle est bête et se perdra. Vas-y toi-même.

Et Quandt dut s'exécuter, furieux de cette course car il s'était réjoui de trouver son lit et d'autre part il n'aimait pas circuler dans les ruelles désertes; pas plus tard qu'à la Pentecôte, un comptable avait été attaqué et à moitié assommé derrière l'église Saint-Charles.

En maugréant, il passa ses vêtements, réveilla la bonne et lui enjoignit de chercher une voisine amie qui avait offert son secours, le cas échéant, puis il revint en pantoufles, bouleversa le bahut à la recherche de ses pistolets, renversa la table de couture, ce qui le fit pester et maudire son sort. Sa femme, tordue par la douleur, trouvait dans son état la hardiesse de lui lancer à la tête toute sorte de vérités qu'elle gardait généralement pour elle; ce qui eut pour effet de le faire partir plus rapidement, après avoir porté dans la chambre à côté son fils réveillé par le tumulte. Gaspard, qui allait se mettre au lit, entendit les plaintes de la femme, toujours plus aiguës, et fut terrifié. Puis il y eut un silence, le bruit d'une porte qui s'ouvre, de pas qui vont et viennent et les hurlements redoublèrent. Le jeune homme crut qu'une catastrophe était arrivée et son premier mouvement fut de s'enfuir. Il s'élança vers la porte, l'ouvrit et se précipita dans l'escalier. La porte de la salle à manger était ouverte et un air surchauffé le frappa au visage. La servante et la qui voisine s'affairaient autour du lit de Mme Quandt qui se tordait sur son lit en appelant son mari et Dieu.

Il vit une petite tête, un corps petit et blanc, toute une minuscule créature.

Il voulut s'enfuir et s'effondra sur la dernière marche.

De nouveau il entendit la porte de la maison, Quandt apparut avec la sage-femme, mais déjà la voisine s'avançait vers lui rayonnante :« Une petite fille monsieur l'instituteur. » « Ah, voyez! » s'écria Quandt d'une voix fière, comme s'il avait accompli quelque chose de remarquable. Un léger vagissement prouva la présence de la nouvelle citoyenne.

Puis la bonne passa en chantant et Gaspard vit qu'elle portait une cuvette pleine de sang.

Gaspard se leva et rentra en chancelant vers sa chambre. Il se dévêtit comme un homme ivre, se roula dans ses draps et enfouit son visage dans son oreiller. Il eut la vision d'un disque pourpre comme une cuvette de sang montant dans la nuit. Il voyait des jeunes êtres que plus tard on appelait des hommes venant au monde dans le sang et dans les plaintes, sortant de leur prison, oui, naissant comme sa mère l'avait fait naître.

Il s'endormit finalement plein d'angoisse.

Le lendemain matin, comme il s'attardait plus que de coutume, Quandt étonné alla frapper à sa porte. Croyant la porte verrouillée, il appuya sur la poignée et, à sa surprise, celle-ci céda. Il s'approcha du lit du jeune homme, le secoua et lui dit rudement : « Allons, vous devenez paresseux ».

Gaspard se mit sur son séant et l'instituteur, remarquant que son oreiller était trempé, lui en demanda la raison. Gaspard, après un moment de réflexion, répondit qu'il avait pleuré pendant son sommeil.

— Comment pleuré, pensa Quandt soupçonneux, et pourquoi? Et comment sait-il du reste qu'il a pleuré puisqu'il dormait. Et puis pourquoi a-t-il attendu que je vienne le chercher dans sa chambre. C'est une ruse pour m'émouvoir.

Regardant autour de lui, l'instituteur remarqua un verre d'eau sur la table de nuit. Il le saisit, le souleva : il était à moitié vide.

— Avez-vous bu de l'eau? demanda-t-il.

Gaspard le regarda sans comprendre. Le regard de l'instituteur alla du verre à l'oreiller.

— N'auriez-vous pas, par mégarde, renversé de l'eau? lui dit-il encore. Je dis par mégarde, aussi vous pouvez me l'avouer librement.

Gaspard qui ne comprenait toujours pas, secoua lentement la tête.

Il est têtu et buté pensa Quandt, renonçant à éclaircir l'incident. Lorsque le jeune homme descendit prendre sa leçon dans la salle à manger, l'instituteur lui annonça cérémonieusement « qu'une fille lui avait été donnée ».

— Comment donné? demanda naïvement le jeune homme.

Quandt, vexé de l'indifférence de Gaspard, plissa son front et dit froidement :

— Nous commencerons, comme d'habitude, par l'Histoire Sainte; lisez.

Il s'agissait de Joseph et de ses frères. Un vieillard a beaucoup de fils, mais préfère le plus jeune et lui donne un habit bigarré pour le distinguer. Ses frères le prennent en haine et ne lui adressent plus la parole. Alors, Joseph leur conte un rêve qu'il eut à propos de gerbes de blé.

— Nous étions en train de lier des gerbes dans un champ, dit-il, et la mienne se dressait et restait droite tandis que toutes les vôtres s'inclinaient. Et les frères répondirent :

— Tu veux donc devenir notre roi et régner sur nous ?

Et ils le détestèrent encore plus. Mais Joseph, sans méfiance et loin de soupçonner leur hostilité, leur conte bientôt un autre rêve : le soleil, la lune et onze étoiles s'inclinaient devant lui. L'interprétation en est facile, car ses frères sont onze. Cette fois même, son père se fâche : « Y penses-tu, Joseph, ta mère, tes frères et moi nous inclinant devant toi ! »

Peu de temps après, les frères allèrent dans les champs garder leur troupeau et Joseph alla les rejoindre. En l'apercevant de loin ils se dirent entre eux : « Voilà le rêveur qui arrive ». Et ils décidèrent de le tuer; ils résolurent de le jeter dans une fosse et de prétendre qu'une bête sauvage l'avait dévoré : « On verra bien alors si ces rêves se réalisent, ricanèrent-ils ». Mais un des frères eut pitié et conseilla aux autres de jeter le jeune homme dans la fosse sans le tuer. Et ainsi fut fait; après lui avoir retiré son habit bigarré, ils s'apprêtèrent à le précipiter dans le puits. Mais à ce moment, comme une caravane de marchands étrangers approchait, ils préférèrent le vendre pour de l'argent. Ils trempèrent la robe de Joseph dans le sang d'une bête abattue et dirent à leur père :

« Voici ce que nous avons trouvé; n'est-ce pas la robe de ton plus jeune fils? » Le vieillard déchirant ses vêtements, s'écria : « Je prends le deuil et vais descendre sous terre près de mon enfant ».

A ce moment Gaspard, fut incapable de continuer sa lecture. Il se leva, posa le livre et fut secoué de sanglots. Quandt, surpris, le regarda.

— Allons, Gaspard, dit-il, vous n'allez pas me faire croire que vous êtes à ce point ému par ce récit, que vous connaissez du reste déjà, car autant que je sache vous avez étudié déjà cette partie de l'Ancien Testament chez le professeur Daumer. Vous devriez par conséquent vous souvenir que Joseph a fini par devenir très heureux car il était pur et bon. Je vous en prie, ne vous donnez pas tant de mal pour jouer la comédie devant moi; si vous étiez consciencieux, obéissant et franc, vous me toucheriez bien plus que par vos simagrées déplacées. Je ne crois pas à la sincérité de vos larmes et je vous préviens que vous provoquez en moi le contraire de ce que vous espérez, car je déteste la sentimentalité surtout lorsqu'elle est peu fondée. Il serait grand temps pour vous de prendre la vie sérieusement. Et puisque nous nous expliquons, je vous demanderai instamment de ne pas croire ce que disent tous les imbéciles que vous fréquentez; cela pourrait vous coûter cher. Je vous veux du bien, très sincèrement, et peut-être n'avez-vous pas de meilleur ami que moi. Vous n'en conviendrez évidemment que trop tard. Mais en tout cas, n'essayez jamais de me rouler! Et maintenant, continuons; je ne tiendrai point compte de cet incident.

Au cours de ce sermon, la voix de l'instituteur était devenue douce et bonne et on aurait pu croire qu'il allait même serrer le jeune homme sur son cœur. Mais Gaspard le regarda, hébété, se demandant ce qu'il voulait dire.

Et même plus tard, en y réfléchissant, il ne put comprendre la signification des paroles de Quandt, et en déduisit que l'instituteur était un des êtres les plus énigmatiques qu'il eût connus.

CHAPITRE XIX

Feuerbach ne revint que le Jour des Rois, après une absence de près de quatre semaines. Ses intimes le trouvèrent très changé; il paraissait sombre et taciturne et avait perdu tout intérêt pour les affaires publiques. On remarqua qu'il ne demanda des nouvelles de Gaspard qu'au bout de plusieurs jours et lorsque le Conseiller Hofmann lui demanda s'il avait vu le jeune homme, il ne répondit pas. Un matin, Hickel vint chez lui; il prétendit avoir de l'inquiétude au sujet de la sécurité de Gaspard et proposa qu'une surveillance fût exercée; Feuerbach ne se prononça pas et déclara qu'il réfléchirait. L'après-midi de ce jour, il manda l'instituteur et l'interrogea sur la santé et la conduite de son élève. Quandt resta prudemment dans le vague. Finalement, il tira de sa poche la lettre de Mme Behold et la montra au président. Feuerbach la parcourut, l'air soucieux.

— Ne prenez pas de telles sottises au sérieux, mon cher ami, dit-il sèchement, que deviendrions-nous si nous écoutions les radotages de toutes ces folles. Vous n'avez pas à vous préoccuper du passé de Gaspard Hauser, cela ne vous concerne pas; je vous ai chargé de faire de lui un homme et si, sur ce chapitre, vous avez à vous en plaindre, je vous écouterai, mais épargnez-moi le reste.

Cette réponse, un peu brutale, blessa la susceptibilité de l'instituteur. Il rentra chez lui vexé et bien que le président l'eût prié de lui envoyer Gaspard le dimanche matin, il ne le fit savoir au jeune homme que la veille au soir. Lorsque Gaspard arriva à l'heure fixée chez Feuerbach, on le fit d'abord longtemps attendre; puis la fille du président, Henriette, l'introduisit dans une pièce.

— Je ne sais si mon père pourra vous recevoir aujourd'hui, dit-elle. Et elle lui raconta que la nuit précédente, le bureau de Feuerbach avait été cambriolé. Les malfaiteurs inconnus avaient bouleversé tous les documents sur le bureau et forcé des tiroirs. On pensait qu'ils avaient essayé de mettre la main sur certaines lettres car rien n'avait été dérobé, même pas ce qu'ils recherchaient, car son père avait l'habitude de garder dans une cachette sûre ses papiers importants. En racontant la chose, la jeune fille marchait de long en large, les bras croisés sur sa poitrine, ses traits et sa voix trahissant la colère et l'indignation. Elle ajouta que l'incident avait mis son père hors de lui. Au même moment, la porte s'ouvrit et Feuerbach entra accompagné d'un jeune homme mince, d'une trentaine d'années environ.

— Ah ! Anselme, voilà Gaspard Hauser, dit-il.

Le jeune homme regarda Gaspard avec des yeux distraits et pensifs. Gaspard Hauser fut tout de suite frappé par l'extraordinaire beauté de celui qui était, il devait l'apprendre par la suite, le fils cadet de Feuerbach. Poursuivi par la malchance, ce jeune homme était venu passer quelques jours dans la maison de son père pour y chercher aide et conseil. Gaspard aimait les beaux visages, surtout ceux des hommes lorsqu'ils trahissaient l'intelligence et la mélancolie. Mais il ne devait jamais revoir le fils de Feuerbach. Ce dernier fit entrer Gaspard dans son salon et l'y rejoignit peu après. Gaspard Hauser fut tout de suite attiré par le portrait de Napoléon. Instinctivement, il se redressait comme si le tableau de l'Empereur l'invitait à l'imiter; il fit quelques pas et se sentit à la fois joyeux et effrayé quand il crut s'apercevoir que les yeux sombres et ardents du modèle le suivaient.

Feuerbach entra et s'arrêta sur le seuil. Que ce fût un hasard ou un des insondables enchaînements de la destinée, toujours est-il que Feuerbach vit dans la confrontation du tableau et de l'adolescent une espèce de symbole divin. La mère de Gaspard n'était-elle pas apparentée (si toutefois les hypothèses du président étaient exactes) au héros :

— Savez-vous seulement qui c'est, Gaspard? demanda-t-il d'une voix forte.

Le jeune homme secoua la tête.

— Je vais vous le dire. C'est un homme qui a prouvé à l'humanité qu'avec une grande volonté on arrive à tout. Vous n'aviez donc jamais entendu parler de l'empereur Napoléon? Je l'ai connu, Gaspard, je l'ai vu, je lui ai parlé même lorsque je servais de négociateur entre lui et notre roi Max. C'était une grande époque, dont peu de choses ont survécu.

Feuerbach se détourna tristement. Il sentit tout à coup le poids des années contre lequel il s'était si longtemps défendu. Ce qu'il avait vu dernièrement chez les puissants lui donnait des nausées; une poussée de haine éclata soudain en lui, il grinça des dents et arpenta rapidement la pièce. La vue du jeune homme effrayé le calma quelque peu et il lui demanda s'il était content du régime chez Quandt.

— Je n'ai pas à m'en plaindre, répondit Gaspard.

Feuerbach ne releva pas le double sens de la phrase.

— Et Stanhope, demanda-t-il? Avez-vous de ses nouvelles? Lui écrivez-vous?

— Une fois par semaine.

— Où est-il?

— Il compte aller en Espagne.

— En Espagne? Mais c'est très loin.

— Oui, on dit que c'est loin.

La conversation laconique et banale fut interrompue par l'arrivée d'un agent de police porteur d'un rapport sur le cambriolage nocturne. Gaspard prit congé.

— Où êtes-vous donc resté si longtemps? lui demanda Quandt, désagréable, quand il rentra.

— J'étais chez le Président, vous le saviez.

— Oui, mais ne pas écourter une visite quand on est attendu à un repas dénote un manque de savoir-vivre.

Chez les Quandt, les repas prenaient une grande importance. L'instituteur s'attablait toujours avec un certain attendrissement, et vérifiait chez chacun le degré de piété. Pendant l'énoncé du menu par Mme Quandt, il accompagnait l'énumération de hochements de tête ou de froncements de sourcils. Un mets à son goût augmentait sa bonne humeur. Si, par contre, il ne l'aimait pas, il mâchait chaque bouchée avec une supériorité ironique. Il goûtait particulièrement les cornichons ou la salade de pommes de terre tiède et tout en se délectant, il ne manquait pas de vanter la simplicité de ses besoins. Sa femme faisait du reste de la bonne cuisine et n'était pas insensible, quand elle avait réussi un plat, aux compliments de son mari, bien qu'ils fussent parfois tournés trop précieusement. Après le dîner, venait l'heure confortable des pantoufles, de la robe de chambre, du fauteuil et du journal. Quandt se rendait rarement au café, d'abord à cause des frais et ensuite parce qu'il n'y trouvait pas d'intérêt; il préférait le coin de son poële.

Mais depuis l'arrivée de Gaspard, ces heures avaient

perdu leur charme. Quandt était irrité sans savoir pourquoi. Il ressemblait à un chien intelligent et nerveux qui au cours d'une de ses rondes a avalé un aliment empoisonné et le feu dans les entrailles recherche l'ombre; il finit par croire que ce n'est pas lui qui est empoisonné, mais le monde entier. Ainsi de Quandt; son démon l'attachait au jeune homme et il aurait voulu avant tout « savoir »; il aurait même donné quelques années de sa vie pour « savoir ».

A huit heures, le lieutenant de police vint faire une visite. Il était de méchante humeur, car il avait perdu au jeu la nuit passée et n'avait pu encore rembourser sa dette. Il se montra aimable à l'égard de Gaspard, le questionna sur son entrevue avec Feuerbach, et trouva le compte rendu du jeune homme trop insignifiant pour être vrai.

— Oui, notre garçon est bien discret, dit Quandt; je ne savais même rien du cambriolage chez le président; avez-vous des détails, lieutenant? A-t-on des indices?

Hickel répondit qu'on avait arrêté un chemineau suspect près d'Altenmuhr.

— C'est inouï, s'écria Quandt, quelle insolence de s'attaquer au chef de l'autorité!

Mais en lui-même il pensa : « C'est bien fait; cela apprendra à son Excellence à se croire invulnérable; les filous peuvent parfois donner ainsi une leçon utile aux grands. »

— Je serais surpris, dit Hickel en serrant les lèvres comme il l'avait vu faire à Stanhope, si cette affaire ne se rattache pas d'une façon ou d'une autre à Gaspard Hauser.

Quandt ouvrit de grands yeux et regarda Gaspard qui, effrayé, avait baissé la tête.

— J'ai de bonnes raisons de croire ce que j'avance, continua Hickel, en regardant ses ongles polis et ses mains de paysan, ces mains qui dégoûtaient tant Gaspard, oui, j'ai de bonnes raisons et je les dirai peut-être un jour. Le Président est assez intelligent pour savoir ce qui en est. Mais il ne dira rien, il a peur.

— Peur? lui, que dites-vous? repartit Quandt, tandis qu'un frisson agréable lui parcourait l'échine.

Mme Quandt cessa aussitôt de raccommoder ses bas et s'approcha.

— Mais oui, continuait Hickel en souriant et en découvrant ses dents jaunâtres. On lui a fait comprendre bien des choses à Munich et il ne porte plus sa tête avec la même fierté. N'est-ce pas, Hauser? ajouta-t-il, en regardant avec triomphe Quandt et sa femme.

— Je trouve que vous ne devriez pas parler ainsi de M. de Feuerbach répondit Gaspard avec fermeté.

Hickel pâlit et se mordit les lèvres.

— Regardez-moi ça, regardez-moi ça, répondit-il. Vous l'entendez! Le printemps s'annonce, le crapaud chante déjà.

— Remarque déplacée, Gaspard, approuva Quandt courroucé. Vous devez les mêmes égards au lieutenant qu'à moi-même. Vous n'oseriez jamais parler ainsi au baron d'Imhoff ou au commissaire général. Et un homme à double face, est un homme faux. Je l'écrirai à lord Stanhope.

— Ne vous emballez pas Quandt, coupa Hickel, c'est inutile, il est stupide. J'ai du reste reçu hier une lettre du lord.

Fouillant dans sa poche, il en retira un papier plié et continua :

— Vous aimeriez bien savoir ce qu'elle contient,

Hauser? Elle n'est pas très flatteuse pour vous. Le bon lord nous recommande une sévérité impitoyable à votre égard, si vous n'obéissez pas.

— Il a écrit cela? dit Gaspard d'un air de doute.

Hickel approuva de la tête.

— Il était très mécontent l'autre jour de la cachotterie du journal, renchérit Quandt.

— Je lui expliquerai tout, lorsqu'il reviendra, répondit le jeune homme.

Hickel, qui se frottait le dos au poële, ricana.

— Quand il reviendra! Qui sait seulement s'il reviendra. Il n'en a pas grande envie, ce me semble. Croyez-vous donc, petit niais, qu'un tel homme n'a rien de mieux à faire qu'à perdre son temps ici?

— Il reviendra, lieutenant, dit Gaspard avec un sourire illuminé.

— Oh! Oh! cria Hickel, qu'il est affirmatif! Comment le savez-vous?

— Il me l'a promis, répliqua Gaspard avec émotion, il a juré de revenir dans un an. Il m'avait dit cela le 18 décembre, je n'ai plus que dix mois et seize jours à attendre.

Le lieutenant regarda Quandt, celui-ci regarda sa femme et tous trois partirent d'un grand éclat de rire.

— Il a fait des progrès en arithmétique, fit Hickel froidement.

Puis, passant la main sur la tête de Gaspard, il ajouta :

— On lui a coupé ses belles boucles.

Quandt expliqua que Gaspard l'avait lui-même demandé après qu'on lui eut fait comprendre qu'une telle chevelure ne convenait pas à un adolescent.

— Vous pouvez aller vous coucher, dit-il au jeune homme.

Gaspard serra la main de chacun et se retira. A peine

était-il sorti que Quandt ouvrit doucement la porte et écouta.

— Voyez-vous, lieutenant, chuchota-t-il, s'il sait ou croit qu'on l'entend, il monte tout doucement, mais s'il se croit non observé, il file comme un lièvre et grimpe trois marches à la fois. N'est-ce pas, Josette?

La femme de l'instituteur approuva.

— Et que d'ennuis il nous procure, maugréa-t-elle; depuis six semaines qu'il est dans la maison, il a déjà mis quatorze chemises au sale, il veut toujours être attifé comme une poupée et brosse ses vêtements dès le matin.

Elle offrit au lieutenant un verre de liqueur et passa dans une chambre voisine pour nourrir son enfant qui commençait à crier.

— Oui, c'est le diable avec lui, reprit Quandt; l'autre jour, je lisais à haute voix le *Journal du parlement bavarois*[1], Hauser passe derrière moi et lit à mi-voix le titre du journal comme si le titre le surprenait pour la première fois. Or, ce journal se trouve dans toutes les bonnes maisons, il a pu le voir chaque jour sur notre table, qu'est-ce qui pouvait donc l'étonner? Je lui demande s'il sait ce que c'est qu'un parlement, il me répond d'un air innocent que ce devait être une chambre où on enferme des personnes. Je trouve que cela dépasse tout. Il faudrait pour que je croie de telles balivernes qu'un ange descende du ciel et encore, j'en douterais.

— Que voulez-vous, répondit haineusement le lieutenant, en se balançant sur ses jambes écartées, tout est mensonge, tout.

Ce jugement de l'officier ne se limitait du reste pas à cet incident, mais s'adressait à l'univers entier. Que les

1. Bayrische Deputiertenkammer.

gens se cassent la tête, qu'ils discutent sur le ciel et l'enfer, sur le roi et le pays, qu'ils bâtissent des maisons, qu'ils procréent, qu'ils tuent, qu'ils volent, qu'ils cambriolent, qu'ils accomplissent de nobles actions, tout était toujours pour lui mensonge.

Le baron von Lang, auquel Hickel avait su plaire par ses manières doucereuses, aimait à raconter comment l'officier s'était promené un soir avec son fils, le jeune docteur en philosophie. Ce dernier montrant le ciel étoilé, avait commencé à parler des innombrables univers que représentaient les étoiles, Hickel avait répondu ironiquement :

— Croyez-vous donc sérieusement que ces petites lumières soient autre chose que de petites lumières?

Ce n'était pas seulement de l'ignorance, mais aussi l'expression de ce qu'il croyait être sa supériorité et qu'il traduisait dans la formule : « tout est mensonge ».

On savait partout que Hickel vivait au-dessus de ses moyens. Son idéal était de passer pour chevaleresque, sa passion d'être bien habillé. Lorsqu'il s'était présenté au club des fonctionnaires, on avait longtemps hésité à l'admettre, car il était peu aimé et d'origine assez basse, ses parents étant de pauvres maraîchers de Dombühl. Finalement, il avait eu gain de cause, grâce à sa connaissance de quelques secrets de famille par lesquels il avait su intimider certaines personnalités. Le conseiller Hofmann qui avait été son chef, disait de lui assez justement : « Il ne se découvre jamais ». En effet, on avait toujours l'impression qu'il gardait en réserve un secret dangereux. Il savait à merveille manœuvrer le Président. Il se permettait même de dire à cet homme, si distant en général, des vérités qu'il cachait sous les compliments et qui n'étaient en réalité que des méchancetés. Il racontait fort bien les histoires drôles et connaissait toujours les derniers potins. Cela amusait Feuerbach et le rendait indulgent envers lui.

— C'est curieux, pensait-on, cet engouement du Président pour Hickel.

Le lieutenant trouvait toujours auprès de Feuerbach une oreille bienveillante et encaissait sans sourciller les rebuffades que lui adressait le vieillard au sujet de sa mauvaise conduite. Ce dernier connaissait du reste admirablement les mauvais instincts de l'officier et c'est peut-être justement pour cela qu'il se l'attachait. Il s'était trop familiarisé avec la noirceur de cette âme pour pouvoir encore la repousser.

Hickel sut convaincre le Président qu'on ne pouvait laisser circuler Gaspard aussi librement et on lui adjoignit un gardien, vétéran manchot et à la jambe de bois. Le brave homme prit ses fonctions au sérieux et, à la joie des garnements, suivit Gaspard partout. Le lieutenant avait frappé juste, car cette mesure apparemment sage, paralysait la liberté du jeune homme. Les plaintes affluèrent : de Quandt, de Gaspard, et même de l'invalide auquel Gaspard échappait souvent par ruse.

Le jeune homme se plaignit au pasteur Fuhrmann qui lui apprenait le catéchisme ; le vieillard, qui l'aimait bien, lui conseilla de patienter.

— Patienter ! s'écria Gaspard à quoi bon ? Tout va de mal en pis.

— A quoi bon ? répliqua le pasteur doucement. A quoi cela sert-il à Dieu de regarder nos folies ? Par sa patience, il nous conduit vers le bien.

Cependant le pasteur Fuhrmann en parla à Feuerbach et celui-ci promit de s'occuper de la question sans toutefois intervenir immédiatement. Un voyage d'inspection l'éloigna de la ville pendant trois semaines et dès son retour, il convoqua Hickel dans son bureau.

— Dites-moi, lui dit-il, vous connaissez les environs, n'est-ce pas? Connaissez-vous Falkenhaus?

— Certainement, Excellence, c'est un très ancien château de chasse des margraves dans la forêt de Triesdorf.

— C'est juste. Je m'y intéresse depuis quelque temps. Renseignements pris, voici ce que je sais; le Falkenhaus a été habité jusqu'à il y a environ quatre ans par un forestier qui y a vécu seul pendant dix ans. Cet homme n'a jamais frayé avec personne, n'a jamais été vu au café et achetait lui-même ses provisions dans les localités environnantes. Un jour, brusquement, il disparut et on raconte qu'un gendarme l'a reconnu en la personne de l'administrateur d'un domaine du côté de la Souabe. J'ai suivi cette nouvelle piste et j'ai appris que les affirmations du gendarme étaient justes et que l'homme avait été assassiné une nuit dans son lit en octobre 1830.

— J'ignorais ces détails. Je savais simplement que Falkenhaus est abandonné et inhabité et qu'on colporte de lugubres légendes sur ce lieu sinistre.

— De toute façon, veuillez vous occuper de la question. Envoyez un homme connaissant la contrée pour qu'il m'apporte des renseignements.

— A vos ordres, Excellence, mais puis-je demander à quoi tout ceci se rattache?

— A Gaspard Hauser et à sa détention.

— Ah! fit Hickel en toussotant légèrement et en baissant la tête.

— Je crois pouvoir affirmer que Falkenhaus est le lieu où il fut cruellement enfermé. Dès les premiers récits de Gaspard, lorsqu'il avait parlé de la façon dont l'inconnu l'avait amené, j'avais eu la certitude qu'il fallait chercher l'endroit, en Franconie même, à proximité de Nuremberg ou d'Ansbach.

— Votre Excellence a sans doute besoin de cette certitude pour son livre sur Hauser?

— Exactement.

— Et le livre paraîtra-t-il cette année? Excusez ma curiosité, Excellence, mais cette affaire m'intéresse au plus haut point.

— Vous m'en demandez trop, Hickel, restons-en là. Voici une lettre pour le Conseiller Hofmann; remettez-la à sa domestique. Je compte aller demain en voiture avec le conseiller et Gaspard à Falkenhaus. Que le jeune homme se tienne prêt, mais surtout ne mentionnez pas le but de la sortie.

A l'heure fixée, Gaspard vint et se trouva bientôt, à sa surprise, confortablement installé dans la calèche, face au président et au conseiller aulique. Ils restèrent silencieux tandis que la voiture roulait dans une claire atmosphère de printemps.

Ils furent rapidement à destination. Une visite de la maison forestière et un examen approfondi de ses dépendances n'apportèrent aucune indication. Si jamais il y avait eu un souterrain qui avait servi à cet usage effroyable, le dernier habitant l'avait certainement comblé et le temps avait effacé tous les indices. Cependant, à l'aile droite du bâtiment, l'œil inquisiteur de Feuerbach découvrit une fosse de forme étrange. Tout semblait indiquer qu'autrefois une remise de bois, ou quelque chose d'analogue, s'était élevé là, car le sol environnant était jonché de vestiges de planches pourries et de copeaux desséchés. Sept marches caduques creusées dans le sable menaient à un endroit où la terre étonnamment lisse était couverte d'une mousse jaunâtre. Feuerbach pâlit. Il resta longtemps absorbé, descendit ensuite toucher certaines parties des murs et examina, sombre et muet, un coin du sol. En remontant, il regarda Gaspard fixement. Mais ce dernier ne manifestait aucun trouble et son regard vague se perdait dans les profondeurs de la forêt. « Ne se doute-t-il donc de rien? pensa le Président, ne sent-il pas le souffle du passé? Les arbres ne lui parlent-ils pas? L'air ne lui suggère-t-il donc rien? Et puisqu'il ne réagit pas lui-même, comment pourrais-je prétendre éclaircir moi-même ce douloureux mystère? »

La voiture attendait sur la chaussée à quelque distance de là. Gaspard, fut soudain saisi d'une invincible mélancolie et laissa les deux hommes marcher devant lui. Le conseiller en profita pour s'ouvrir de ses doutes au président.

— J'aimerais savoir, dit-il l'air malin, pourquoi, si ce garçon a réellement langui si longtemps en captivité, on l'a tout à coup relâché et encore dans une grande ville, où il devait soulever inévitablement la curiosité générale et fatalement trahir ses bourreaux. Je ne comprends pas.

— Plusieurs explications sont plausibles, répondit le Président. Peut-être, avait-on assez de le garder, car il devenait difficile et même dangereux de le faire. Peut-être est-il possible que son geôlier ait reçu l'ordre de le tuer et que dans un mouvement de pitié ou de crainte il ait décidé de le faire disparaître d'une autre manière. Quel endroit était plus favorable justement qu'une grande ville? Il escomptait probablement que le capitaine Wessenig le mettrait, suivant les indications de la lettre, dans un régiment; parmi les soldats il y a des masses d'illettrés et d'imbéciles et peut-être ne le remarquerait-on même pas. C'est du moins ce qu'espérait son geôlier qui devait être lui-même un rustre. Mais lorsque les choses prirent une autre tournure, il eut peur et avoua tout à ceux qui l'avaient chargé de la garde du jeune homme et ceux-ci s'efforcèrent de faire disparaître le plus dangereux témoin de ce crime qui ressuscitait à la lumière, plus redoutable pour eux que jamais.

— Subtil, très subtil, murmura le conseiller qui n'était nullement convaincu.

Tard dans l'après-midi, ils regagnèrent la ville. Gaspard quitta les deux hommes pour rentrer chez lui. Sur la Promenade il croisa Mme d'Imhoff. Celle-ci le salua et lui demanda pourquoi il n'était pas venu la voir depuis si longtemps.

— J'ai beaucoup à faire et je n'ai guère de temps, répondit Gaspard d'un air si gêné que son interlocutrice comprit tout de suite qu'il cachait la véritable raison de son absence. Toutefois, elle n'insista pas et changeant de conversation lui demanda s'il se réjouissait de la venue du printemps. Le jeune homme regarda les cimes des ormes, comme si jusque-là il avait ignoré le changement de saison, et secoua la tête. Il aurait voulu dire beaucoup de choses, car son cœur était lourd, mais il ne pouvait exprimer ce qu'il ressentait et se disait que cette femme, quelle que fût son amabilité, ne se souciait au fond guère de lui. « Alors, à quoi bon? » pensa-t-il.

— J'ai à vous transmettre des salutations, dit-elle sur le point de le quitter et après l'avoir invité chez elle pour le dimanche suivant; vous souvenez-vous encore de l'histoire de mon amie que j'ai racontée le soir où lord Stanhope dînait chez nous? Eh bien? Elle vous fait dire bien des choses, ce qui est beaucoup pour elle.

— Quel est son nom demanda Gaspard, exactement comme la première fois, mais cette fois avec indifférence.

Mme d'Imhoff sourit; cette curiosité pour un nom lui parut comique.

— De Kannawurf, elle se nomme Clara de Kannawurf.

— Elle est bien gentille de me faire dire bien des choses songea Gaspard en continuant sa route, mais à quoi cela sert-il? A quoi?

CHAPITRE XX

A peine Gaspard eut-il franchi le seuil de la maison des Quandt qu'il fut frappé par une atmosphère insolite. L'instituteur, assis à sa table, corrigeait les devoirs de ses élèves tandis que sa femme berçait son nourrisson sur ses genoux; suivant l'exemple de son mari, elle ne répondit pas au salut du jeune homme. La lampe n'était pas encore allumée, un ciel pourpre illuminait l'horizon et Gaspard, après avoir accroché son chapeau, retourna dans la cour. Le petit garçon de Quandt, âgé de quatre ans, jouait aux billes; Gaspard s'assit sur un banc de pierre à côté de lui; quelques instants après Quandt sortit et à peine eut-il aperçu qu'ils étaient ensemble, qu'il se précipita, saisit son enfant par la main et l'entraîna comme pour l'éloigner d'un contagieux. Bientôt Gaspard rentra dans la maison. Mais Quandt n'était pas dans le salon, seule sa femme s'y trouvait.

— Que se passe-t-il donc, Madame? demanda-t-il.

— Vous ne savez donc pas, répondit-elle gênée. Mme Behold s'est jetée par la fenêtre. C'est aujourd'hui dans *La Gazette de Nuremberg*.

— Jetée par la fenêtre? murmura le jeune homme ému.

— Oui, du grenier dans la cour, et elle s'est fracassée la tête. Ces derniers temps, elle se conduisait, paraît-il, comme une folle.

Gaspard ne trouva rien à dire; ses yeux se dilatèrent et il soupira.

— Vous n'en paraissez pas autrement ému, dit Quandt qui était rentré doucement dans la pièce au bruit de la conversation.

— C'était une méchante femme, monsieur Quandt, fit le jeune homme en se retournant.

Alors, l'instituteur s'avança vers lui.

— Misérable! cria-t-il. Vous salissez la mémoire d'une morte! nous nous en souviendrons! Vous montrez ainsi la noirceur de votre âme. Pouah! Pouah! Allez-vous-en. Vous ne vous demandez pas si cette femme n'a pas été poussée à cet acte par vous et par le chagrin que lui a causé votre ingratitude. Vous ne sentez pas une telle chose, car un égoïste comme vous ne se préoccupe que de son bien-être personnel et se moque des souffrances d'autrui.

— Quandt, Quandt, calme-toi, intervint sa femme en jetant un regard à la dérobée au jeune homme qui était devenu blême et se tenait immobile, les yeux clos et les mains jointes.

— Oui, tu as raison, répliqua l'instituteur, je gaspille mon indignation pour un sourd; on ne peut améliorer un être qui manque de piété à ce point en face de la mort. Il n'y a rien à en faire.

Gaspard monta dans sa chambre, un dernier embrasement du soleil couchant dorait les collines. Il s'assit à sa fenêtre, prit un des pots de fleurs et le regarda. Les étamines dans les jacinthes frémissaient et il lui semblait entendre un lointain carillon. Il aurait voulu avoir le visage d'une fleur pour ne plus rencontrer aucun regard humain. Ou attendre au fond d'un calice, caché, la fin de cette année dont il espérait tant.

Les jours suivants, il ne fut plus question de Mme Behold et Quandt évita avec soin de la nommer.

Aussi fut-il surpris lorsque Gaspard en parla lui-même. Le samedi à déjeuner il déclara subitement qu'il regrettait d'avoir ainsi parlé de la morte et que son accusation était injuste.

Quandt fut étonné. « Tiens, pensa-t-il, sa conscience se réveille. » Mais il ne répondit rien et se contenta de faire une grimace qui signifiait : « Laissons cela ». Cependant son fiel le tourmentait et pendant qu'ils mangeaient leur soupe, il ne put se contenir.

— Vous devriez être mort de honte, Gaspard, en pensant à la conduite scandaleuse que vous avez eue avec la fille de Mme Behold.

— Quoi? Qu'ai-je fait? demanda le jeune homme stupéfait.

— Vous voulez encore jouer à l'innocent, répliqua l'instituteur, mais Dieu merci, j'ai des preuves écrites de la main propre de la morte. Inutile de nier.

Et comme le jeune homme insistait, Quandt alla à son secrétaire, prit la lettre de Mme Behold et debout, près du jeune homme, lut d'une voix sourde : « On a beaucoup parlé de sa pudeur et de son innocence. Là encore, je connais une petite histoire car j'ai vu de mes propres yeux comme il poursuivait d'assiduités malhonnêtes et sans équivoque ma fillette de treize ans... »

Peu à peu Gaspard comprit. Lentement, il déposa sa cuiller et son pain; il se leva et criant d'une voix tragique : « Les hommes! ah, les hommes! » il s'élança hors de la pièce. Les Quandt se regardèrent. La femme posa lourdement sa main sur la nappe et dit d'une voix forte : « Non, vois-tu, cela je ne puis le croire. Mme Behold a dû se tromper. Il ignore ce que c'est qu'une femme. » L'instituteur lui-même était troublé.

— Il faudrait le prouver, dit-il en secouant la tête, tu

es crédule, ma chérie. Souviens-toi qu'à la naissance de notre fille, il parlait de cela comme un homme et cela m'a frappé. Je considère cependant que Mme Behold a pu exagérer et que j'ai pu moi, me laisser influencer. Mais enfin, il faut que je me rende compte de ses connaissances à ce sujet et, tu le sais, je crois peu à sa naïveté.

— Tu devrais te réconcilier avec lui, tu as été trop loin.

Quandt prit un air soucieux.

— Me réconcilier? Je veux bien, mais alors, il devient si gentil qu'on ne peut plus lui résister, ni avoir de jugement objectif. J'en parlerai demain avec le pasteur Fuhrmann.

Quandt fit ce qu'il avait dit, mais se comporta avec maladresse. Il cacha ce qu'il voulait dire sous une rhétorique fleurie comme si les rapports entre un homme et une femme étaient éthérés. Le pasteur sourit et après un moment de réflexion répondit qu'il n'avait jamais rien remarqué d'anormal dans le caractère de Gaspard. Le jeune homme était encore naïf et l'avait questionné un mois auparavant d'une façon ingénue sur un passage de la Bible. Et comme le pasteur lui donnait l'explication, Gaspard lui avait avoué avec confusion certains troubles qui le tourmentaient et dont il n'avait osé parler à personne. Le vieillard raconta qu'il n'oublierait jamais la façon dont Gaspard s'était confié; le jeune homme semblait reprocher naïvement à la nature de faire de lui quelque chose contre quoi il ne pouvait se défendre. Quandt ne perdait pas une syllabe. Mais il voyait cela avec d'autres yeux et considérait ces indices comme les symptômes d'une imagination pervertie. Toutefois, il ne dit rien au pasteur et rentra chez lui, décidé à en avoir le cœur net.

Le lendemain, Gaspard devait dîner chez les d'Imhoff,

mais il revint bientôt car la baronne, souffrante, s'était alitée. Au dîner, on parla de son indisposition et lorsque Quandt, en exprima ses regrets, Gaspard s'écria :

— Hélas, peut-être ne recouvrera-t-elle plus jamais sa santé !

— Que dites-vous là ? intervint Mme Quandt, une femme aussi jeune et aussi belle !

— Eh oui ! répondit le jeune homme tristement, richesse et beauté ne sont pas tout ; la souffrance l'a usée.

— Mais vous a-t-elle confié son chagrin ? demanda Quandt.

Gaspard ne répondit pas directement à la question, mais se parlant comme à lui-même murmura :

— Elle a tout au monde, mais son mari ne se conduit pas avec elle comme il devrait, il préfère d'autres femmes. Je me demande pourquoi. Il est intelligent. Je crois que même si sa femme mourait, cela ne servirait à rien. Et les gens lui racontent des tas de choses sur lui ; j'ai beau lui dire : les gens qui vous rapportent ces potins ne sont pas de vrais amis.

— Hum ! fit Quandt en souriant dans son assiette Toutefois, il demanda avec une feinte négligence si M. d'Imhoff avait dernièrement causé de nouveaux soucis à sa femme car il croyait savoir qu'au mois de mars dernier ils s'étaient réconciliés.

— Mais naturellement, répondit Gaspard simplement, il vient d'avoir un enfant qui n'est pas d'elle.

« Ça y est ! » pensa Quandt, et il se décida à confesser sérieusement Gaspard sur-le-champ. Il fit un signe à sa femme et la pria d'aller rejoindre les enfants. Lorsqu'elle eut quitté la pièce, l'instituteur, pâle et nerveux, se tourna vers le jeune homme et lui demanda sans préambule s'il avait déjà eu des rapports avec des femmes, car on racontait bien des choses là-dessus mais qu'il pouvait se confier à lui comme à un père. Ces mots furent accueillis par Gaspard avec reconnaissance, il les crut sincères, tout en pressentant vaguement l'élément trouble qui s'y mêlait

— Avec des femmes? Comment cela?

— Ne faites pas l'enfant, ma question est claire.

— Oui, je comprends, se hâta de dire Gaspard qui craignait de gâter la bonne humeur de Quandt, il y a bien eu quelque chose.

— Allez-y! Du courage!

Alors, le jeune homme raconta naïvement ceci :

— Il y a six semaines environ, j'avais été porter mon habit du dimanche chez la couturière de la Uzensgasse. Elle habite, comme vous savez, une petite maison à côté de la boulangerie. La boutique étant fermée je suis montée à l'appartement et j'ai frappé à la porte. Une jeune fille m'a ouvert; elle n'était vêtue que d'une chemise de nuit et j'ai pu voir toute sa poitrine, c'était affreux. Elle a pris mon paquet et m'a dit qu'elle ferait la commission à la couturière.

— Entre donc, dit-elle.

Je suis entré et je lui ai demandé ce qu'elle me voulait. Alors, elle s'est mise à sautiller devant moi, à rire et à me dire des choses bizarres; elle m'a demandé si je voulais être son fiancé et à la fin...

Ici le jeune homme s'arrêta et sourit.

— A la fin, quoi? questionna Quandt en avançant la tête.

— A la fin, elle m'a demandé de l'embrasser.

— Et alors?

— Je lui ai répondu que pour cela il fallait chercher quelqu'un d'autre, car je n'y connaissais rien.

— Et ensuite?

— Ensuite? C'est tout. Je suis parti et elle m'a regardé par la fenêtre.

— Comment le savez-vous?

— Je me suis retourné.

— Ah! Vous vous êtes retourné. Et comment s'appelle cette personne?

— Je l'ignore.

— Vous l'ignorez! Hum! Et... vous n'y êtes pas retourné?

Gaspard fit signe que non.

— C'est du joli! murmura Quandt en levant les yeux au ciel.

Il se renseigna prudemment et apprit qu'effectivement une personne de mœurs douteuses logeait chez la couturière. Le souci de sa réputation l'empêcha de tirer l'affaire plus au clair, mais il avait l'impression que le jeune homme n'avait pas été aussi innocent qu'il le prétendait; car il pensait que seul un homme dévergondé peut provoquer chez une femme une attitude aussi scandaleuse.

— S'il ne mentait pas tant, songeait Quandt, tout irait bien... Mais il ment, il ment sans cesse, c'est ce qu'il y a de terrible. Ne m'a-t-il pas raconté que la duchesse de Courlande lui avait fait cadeau d'une demi-douzaine de mouchoirs brodés. C'est absolument faux. N'a-t-il pas prétendu connaître le conseiller ministériel von Spiess; autre mensonge. N'a-t-il pas dit au musicien Schüler qu'il avait lu les idylles de Gessner et lorsque je l'ai interrogé, il n'en connaissait rien et ignorait même ce qu'était une idylle. Il prétexte toujours des courses urgentes tantôt chez le Président, tantôt chez le conseiller et on apprend par la suite qu'il a été se promener en arborant une cravate neuve. Tout ceci est prouvé et suis-je bête ou injuste d'accorder à ces faits tant d'importance?

L'instituteur raconta au pasteur Fuhrmann tous les méfaits de Gaspard.

— Mon cher Quandt, répliqua le pasteur, ce ne sont là que des peccadilles à peine dignes du nom de mensonge. C'est plutôt une manière de se rendre intéressant, ou un effort touchant et maladroit pour être libre; ou peut-être simplement le plaisir de dire une phrase.

— Mais alors? s'écria Quandt vivement, il faut que je vous raconte cette petite histoire. La semaine dernière, notre servante trouve un matin un bougeoir cassé; il appartenait à Gaspard. La servante le montre à ma femme qui me le présente et je constate que l'anse était simplement fondue; la tige du bougeoir était noircie par la chaleur et par la flamme et dans la soucoupe on pouvait voir que le suif fondu avait été gratté. Plus de trace de la chandelle qu'Hauser avait reçue la veille au soir. Il faut vous dire que je lui avais formellement défendu de travailler ou de lire à la lumière. Ne voulant pas le gronder, je lui fais faire une observation par ma femme. Voilà qu'il nie tout, affirme qu'il n'a pas laissé brûler la chandelle, qu'il ne s'est pas endormi et a le front de déclarer que ce n'est pas son bougeoir, mais celui de la bonne car tous deux se ressemblaient. Hein? Qu'en pensez-vous?

Le pasteur haussa les épaules.

— Il ne faut pas oublier qu'après tout c'est un être spécial, répondit-il. J'ai pu moi-même m'en convaincre. Je possède une petite boîte électrique avec laquelle je fais volontiers des expériences. L'autre jour, en présence de Gaspard, je m'amusais à faire jaillir des étincelles pour charger une bouteille de Leyde. Voilà que le pauvre petit devient de plus en plus pâle, se met à trembler, écarte de sa figure ses doigts crispés, tandis que son corps se convulse comme celui d'un poisson hors de l'eau.

Effrayé, je rangeai vivement la boîte et il reprit son état normal. Il m'avoua avoir ressenti à la suite de cet incident des maux de tête et avoir été couvert de sueur froide lorsqu'il s'était couché; et les objets qu'il touchait le piquaient comme de minuscules aiguilles. Il m'a dit et c'est caractéristique, qu'à chaque orage il ressentait les mêmes symptômes : fourmillements et démangeaisons à en crier.

— Et vous croyez cela? s'écria Quandt.

— Mais oui, pourquoi pas?

— Eh bien, si c'est vrai, je reconnais que je suis bien inférieur à ce garçon, dit l'instituteur.

« C'est toujours la même chose, pensa-t-il, en rentrant chez lui; on commence par l'excuser et quand on apporte aux gens des preuves irréfutables, ils vous sortent des histoires sans queue ni tête, et impossibles à prouver. Quel démon se cache donc dans ce garçon pour qu'il éveille toujours intérêt et affection? Que personne ne veuille voir ses défauts, que des gens viennent de loin pour le connaître et pour lui témoigner une admiration telle qu'on les croirait sous l'influence d'un philtre magique. Mais admettons, continua-t-il amer, que j'aille chez un peuple inconnu et que je prétende être le Saint-Esprit ou son disciple, que je me présente comme un guérisseur, bien vite on me demanderait un miracle et je serais forcé d'avouer ma supercherie. Qu'arriverait-il? On m'internerait dans un asile de fous ou on me bâtonnerait; oui certes, c'est cela qu'on ferait même si je prenais un visage d'ange, et on aurait raison; mais jamais on ne penserait à me couvrir de présents, à m'adorer et à admirer mes beaux yeux et mes mains blanches ou à prendre des mèches de mes cheveux en souvenir comme le fait ici toute une humanité aveuglée. Et puis, continua-t-il, qui était-il avant? D'où vient-il? On devrait le chercher. Comme il a su manœuvrer pour exciter les amateurs de mystère. Mystère? Il n'y a pas de mystère, je rejette les mystères. L'univers est une construction claire; là où le soleil brille, le hibou se cache. Si Dieu m'envoyait un seul indice, je pourrais combattre cette diabolique imposture! On devrait tirer au clair l'histoire de ce journal et de son contenu. Il doit exister, ce journal, malgré qu'il mente tellement! Et c'est peut-être là que se trouve sa confession; il faut mettre la main dessus. »

Le hasard se chargea de venir au secours de Quandt plus vite qu'il n'aurait osé l'espérer.

CHAPITRE XXI

Par une chaude après-midi d'été, Hickel entra en tendant à Gaspard une lettre qui lui était destinée, mais qui avait été adressée au lieutenant de police. Dans cette lettre, lord Stanhope donnait brutalement l'ordre au jeune homme de remettre son journal à Hickel. Gaspard la lut trois fois avant de répondre; puis il refusa.

— Si vous faites des difficultés, mon cher, lui dit le lieutenant, je serai malheureusement obligé de recourir à la force.

Gaspard réfléchit un instant et finit par dire que le seul à qui il remettrait son journal était M. de Feuerbach et que s'il le fallait absolument il le lui porterait le lendemain.

— Parfait, répondit Hickel, je viendrai vous chercher demain matin et nous irons ensemble chez le Président.

En réalité, Hickel voulait gagner du temps, car il n'avait aucune envie de laisser voir le journal à Feuerbach; bien au contraire, il avait reçu ordre d'empêcher cela. Quant à Gaspard, il quitta subrepticement la maison et courut se plaindre à Feuerbach. Ce dernier était absent et Gaspard ne put que se confier à sa fille; celle-ci promit d'en parler à son père. Peu après, on sonna chez les Quandt; c'était Feuerbach. Mais entre temps, Gaspard avait trouvé un moyen de ne pas dévoiler son trésor, même à l'homme qu'il vénérait tant. Aussi, lorsque le

Président parla devant Quandt de l'incident du journal et lui demanda s'il voulait le lui montrer, Gaspard répondit qu'il l'avait brûlé. L'instituteur sursauta et ne put retenir une exclamation de colère.

— Quand l'avez-vous brûlé? demanda froidement le Président

— Aujourd'hui.

— Pourquoi?

— Pour ne pas le montrer.

— Et pourquoi ne voulez-vous pas le montrer?

Le jeune homme se tut et baissa les yeux.

— Mensonge! Excellence, hurla Quandt hors de lui, il ne l'a pas brûlé. Et s'il a vraiment tenu un journal, il l'a détruit depuis longtemps, car depuis Noël j'ai cherché partout dans sa chambre, j'ai fouillé chaque recoin, sans résultat.

Le Président regarda Quandt avec surprise et tristesse.

— Où cachais-tu ton journal? demanda-t-il.

Gaspard répondit en hésitant qu'il le dissimulait tantôt ici, tantôt là; sous les livres, dans une armoire, et vers la fin accroché à un clou derrière la commode. Quandt ne cessait de ricaner en secouant la tête.

— Avez-vous enfoncé le clou vous-même? demanda l'instituteur.

— Oui.

— Qui vous l'a permis?

— Retirez-vous, dit le Président au jeune homme pour mettre fin à cet entretien. Je ne comprends pas, dit-il en s'adressant à Quandt, après le départ de Gaspard, pourquoi lord Stanhope donne tant d'importance à ce journal qui ne contient probablement que des notes anodines. Du reste, on obtiendrait plus de ce garçon par la bonté et la persuasion que par la brutalité.

— Bonté, persuasion ! s'écria Quandt en joignant les mains, comme votre Excellence connaît peu ce jeune homme. La bonté ne fait que déchaîner son égoïsme et la persuasion renforce son entêtement. Oui, il se croit quelqu'un, se cabre, résiste et va même jusqu'à me répondre. Excusez-moi, Excellence, mais je crains qu'il n'y ait plus rien à attendre de la bonté et de la persuasion.

— Allons, allons, fit Feuerbach en s'approchant de la fenêtre et en regardant les branches humides du poirier qui poussaient contre le mur de la cour.

— J'ose même affirmer, poursuivit l'instituteur, qu'il n'a pas brûlé son journal.

Le Président ne répondit rien. Ecarter toutes les mesquineries qu'il rencontrait, avoir la paix, c'était tout ce qu'il désirait. Oui, achever le travail qu'il avait commencé puis, la paix.

A peine Feuerbach était-il parti que Quandt courut dans la chambre de Gaspard, déplaça la commode et vérifia s'il y avait bien eu un clou. Effectivement, il avait été planté dans le bois. Quandt appela la servante.

— Gaspard a-t-il eu le marteau entre les mains récemment et l'avez-vous entendu clouer ? demanda-t-il.

La bonne répondit que la semaine précédente le jeune homme était venu chercher le marteau et des clous et qu'elle l'avait entendu frapper.

Soudain Quandt eut une inspiration : « Nous sommes en été pensa-t-il, et s'il a réellement brûlé son journal, il y aura des cendres dans le poële ». Il courut au poële, s'agenouilla, ouvrit la grille et remua de ses mains tous les vestiges de papier brûlé après les avoir disposés sur le parquet. Presque toutes les cendres provenaient de papiers brûlés. Quandt fit attention à ne pas détériorer les morceaux les plus importants pour pouvoir les déchiffrer. Craignant de les détruire en les touchant de ses doigts, il les dégagea en soufflant dessus; mais il essaya vainement de trouver un indice dans les mots qu'il put lire. Un bruit de pas se fit entendre et Gaspard entra. Il fut stupéfait de trouver l'instituteur dans cette posture, le visage et les mains noirs de suie et transpirant à grosses gouttes. Sans se formaliser, Quandt lui dit :

— Il est impossible que tant de cendres viennent de ce seul journal.

— J'ai brûlé en même temps de vieilles lettres, répondit nonchalamment le jeune homme.

Le ton de cette réponse irrita Quandt; il se leva, marmonna quelque chose entre ses dents et sortit de la chambre en claquant la porte.

— Vous n'irez pas ce soir à la « Ressource » cria-t-il dans l'escalier.

Il y avait ce soir-là, en effet, une fête champêtre, organisée par la Société de Tir à la « Ressource ». Quandt n'avait au fond aucune envie d'y aller, ces divertissements lui coûtaient cher; mais sa femme qui en avait assez de toujours rester à la maison et aimait de temps à autre une distraction s'était déjà depuis huit jours confectionné une robe d'indienne. Aussi Quandt dut-il céder et « payer son tribut à la déraison » comme il disait lui-même.

Gaspard, heureux du silence, resta assis près de la fenêtre ouverte jusqu'à la tombée de la nuit. Puis il alluma et tandis qu'un sourire se dessinait sur ses lèvres il alla vers le mur et décrocha au-dessus du canapé une gravure. Il fit glisser le panneau de bois du cadre, en retira son journal caché, puis s'asseyant à sa table, il le feuilleta d'un air pensif en relisant quelques passages.

Il y avait dans ce cahier toute une évolution de quatre années, évolution vertigineuse. Il contenait dans une forme maladroite les innocents aveux des premières joies et des premières douleurs, les timides interprétations de l'univers, une philosophie enfantine, des révoltes contre les forces naturelles et surnaturelles. Tout cela aurait du reste bien déçu ceux qui guettaient tant ce livre. Mais il n'était pas pour eux; le jeune homme le destinait à sa mère et il était même incapable de concevoir l'idée qu'un autre pût poser ses regards sur ces lignes Peut-être, ce journal avait-il fini par représenter pour lui la seule chose qui lui appartenait réellement, absolument et en qui il pût avoir confiance. Sur une des premières pages on lisait : « L'autre jour, j'ai écrit mon nom avec des graines de cresson, il a poussé, j'en suis ravi. Mais quelqu'un est entré dans le jardin, a volé des poires et a piétiné mon nom, alors j'ai pleuré. M. Daumer m'a conseillé de le refaire, j'ai obéi, mais le lendemain les chats l'ont abîmé ».

Suivaient, dans ce style malhabile, quelques essais sur sa captivité : «*Histoire de Gaspard Hauser.* Je veux raconter moi-même ce que j'ai souffert. Il est vrai que là où j'étais enfermé je me trouvais bien, puisque je ne savais rien du monde et n'avais jamais vu un homme ». Puis quelques passages à tendance littéraire : « Quel être penserait sans attendrissement à l'injuste séquestration dont j'ai été l'objet et à l'isolement dans lequel j'ai passé le meilleur de ma vie; à un moment où d'autres vivent dans les plaisirs dorés, ma nature n'était pas encore éveillée ».

Rêves, espérances, images nostalgiques, récits de promenades et d'entretiens avec des inconnus se suivaient; çà et là des mots qui frappent dénichés dans un livre ou dans une conversation; peu à peu les phrases devenaient plus personnelles, d'un style plus allégorique et obscur. Jamais une douleur, un jugement ou une opinion n'étaient formulés franchement. Une journée importante n'était souvent marquée que par la date et une croix. Les événements étaient cachés par des paraphrases, l'attentat chez les Daumer était brièvement mentionné : « Le mois des moissons a bien failli devenir celui de ma mort ».

De menus incidents de la vie quotidienne étaient relatés : « Hier je fus piqué par une abeille; Mlle de Stichaner a sucé la plaie et m'a dit que celui qui est piqué par l'abeille aura de la chance ». Ou plus loin:« Hier, il y a eu un incendie au-dessus de Dautenwinden; la forêt a brûlé et j'ai passé la moitié de la nuit assis à la fenêtre, pensant que c'était la fin du monde ».

Quelques jugements lapidaires. « M. Quandt sent le moisi, sa femme la laine, le conseiller aulique le papier, le président le tabac, le lieutenant de police l'huile, le pasteur les vieux habits. Presque tout le monde sent mauvais, sauf lord Stanhope qui n'exhale que des odeurs agréables ». De nombreuses pages étaient consacrées à Stanhope; le ton devenait alors poétique, fervent presque. Le lord et le soleil s'associaient dans l'image d'une même puissance; mais depuis son départ de Nuremberg, le nom du lord n'était plus mentionné; seule sa promesse de revenir était notée. Vers la fin du cahier, il y avait un dessin assez habile qui tenait plus de la moitié d'une page et représentait une tête d'homme. C'était un visage étrange, inhumain, douloureux rappelant celui d'une statue. Plus bas, des vers :

Oh grand homme que fais-tu de moi?
Tu me suis et ma trace est aveugle
A l'instant où tu me vois je me transforme.

Le pauvre enfant a fui le cachot.
Il n'a plus ni manteau ni couronne, ni épée
Et le cheval blanc court sans cavalier.

Le dessin avait été exécuté de nuit. Gaspard avait eu cette vision dans un rêve, était sauté du lit et avait dessiné à la clarté de la lune. Les vers s'étaient pressés sur ses lèvres le lendemain à son réveil et il les avait écrits sans chercher à les comprendre. Mais aujourd'hui, en les relisant ils le frappaient et il les répéta tout bas à plusieurs reprises.

L'heure avançait Gaspard allait se lever lorsqu'il entendit le grincement de la porte d'entrée et des pas rapides qui s'approchaient; on frappa à la porte et la voix de Quandt lui commanda d'ouvrir. Effrayé, le jeune homme souffla la lumière; dans l'obscurité il se dirigea vers le canapé, replaça le journal dans sa cachette et réussit à accrocher la gravure tandis que les coups de Quandt redoublaient.

L'instituteur en rentrant par le chemin de l'Hospice avait remarqué de loin la lumière dans la chambre du jeune homme. Saisissant sa femme par le bras :

— Regarde, dit-il, regarde.

— Qu'est-ce qu'il y a encore? maugréa Mme Quandt mécontente de sa soirée gâchée par la mauvaise humeur de son mari.

— Voilà la preuve qu'il est assis près de sa bougie.

On pouvait regagner la maison par une entrée située du côté du jardin. C'est ce que fit Quandt et une fois dans la cour l'idée lui vint de surprendre le jeune homme. Le poirier, le long du mur était tout indiqué. Quandt qui avait de l'adresse et de la vigueur grimpa sur le mur et de là sur une forte branche d'où il pouvait plonger dans la chambre de Gaspard. Ce qu'il vit le renseigna. Peu après, il redescendit et, très agité, confia à sa femme : « Josette, je l'ai découvert ». Puis il se précipita dans sa maison et grimpa l'escalier.

Comme ses coups restaient sans effet, il devint enragé; il frappa à la porte à coups de poing et à coups de talon et, perdant tout contrôle devant l'inutilité de ses efforts, il résolut d'aller chercher une hache. Mais en redescendant dans la cour, il vit que la chambre de Gaspard était de nouveau obscure ce qui acheva de l'exaspérer. Le tapage avait réveillé les enfants et la servante; sa femme essaya de l'arrêter en pleurant lorsqu'il sortit de la cuisine, mais il la repoussa en hurlant : « Il va voir ! » Au premier coup de hache, la porte s'ouvrit et Gaspard parut en chemise sur le seuil. La vue de cette apparition si calme et si inattendue dégrisa l'instituteur. « Faites de la lumière » dit-il au bout de quelques instants. Mais déjà Mme Quandt montait doucement l'escalier en pleurnichant, une bougie à la main. Gaspard aperçut la hache et se mit à trembler violemment. Ceci acheva de décontenancer Quandt. Un peu honteux, il murmura en soupirant : « Vous me faites beaucoup de peine ». Puis il redescendit lentement.

Gaspard ne s'endormit que vers le matin. Au déjeuner, avant sa leçon habituelle, il apprit que Quandt était déjà sorti. L'instituteur demeura silencieux pendant tout le repas de midi et aussitôt la dernière bouchée avalée dit : « Soyez à cinq heures dans votre chambre, le lieutenant de police a à vous parler ».

Gaspard remonta dans sa chambre et s'étendit sur son canapé. C'était une journée d'août accablante. Des nuages d'orage s'amoncelaient dans le ciel et les hirondelles inquiètes passaient devant la fenêtre ouverte en criant; dans la chambre, l'air brûlant frémissait. Fatigué par sa nuit agitée, Gaspard s'assoupit et ne se réveilla qu'en se sentant fortement secoué par l'épaule. Hickel et l'instituteur étaient à côté de lui; il s'assit, frotta ses yeux et regarda en silence les deux hommes. Hickel, boutonnant son dolman, lui dit : « Hauser, je vous ordonne de me remettre votre journal ». Le jeune homme se leva, respira profondément, puis répondit d'une voix ferme : « Lieutenant, je ne vous le remettrai pas ». L'instituteur joignit les mains : « Hauser, Hauser, dit-il d'un ton suppliant, vous poussez trop loin l'insoumission ». Gaspard jeta un regard circulaire aux deux hommes, puis cria d'un ton désespéré : « Mais enfin, suis-je donc la propriété de quelqu'un ? Suis-je une bête de somme ? Que me voulez-vous encore ? J'ai déjà dit que je l'avais brûlé. »

— Oserez-vous nier que vous écriviez cette nuit à la lueur de la bougie ? répliqua Quandt; or, vous n'aviez pas de lettre à écrire et vos devoirs étaient terminés.

Gaspard, troublé, se tut.

— Du reste, poursuivit l'instituteur, un honnête homme n'a rien à redouter de la lecture de son journal; au contraire, il doit la désirer si elle prouve son innocence. Et vous avez, mon cher, moins de raison que tout autre pour que ce journal soit tenu secret.

— Allons-nous encore attendre longtemps ? demanda froidement le lieutenant.

— J'aime mieux mourir que de souffrir ainsi, cria Gaspard en cachant son visage dans ses mains.

— Mais voyons, fit Quandt, nous ne voulons que votre intérêt, le lieutenant et moi.

— Bien entendu, renchérit Hickel. D'ailleurs, mourir maintenant ne serait pas indiqué, car on pourrait lire sur votre tombe : Ci-gît l'imposteur Gaspard Hauser.

— Sans compter que l'idée de suicide est répréhensible, lâche, et immorale, ajouta Quandt.

— Je ne tiens pas à vivre pour être tourmenté continuellement et pour n'être jamais cru, répondit le jeune homme tristement.

Cependant Hickel s'était approché du mur et le tapotait avec ses doigts à certains endroits. Soudain, son attention sembla se concentrer sur la gravure au-dessus du canapé. Il la décrocha en souriant, l'examina et finalement manœuvra la charnière pour retirer la planche du cadre. Gaspard était devenu livide et tremblait comme une feuille. Mais au moment où le lieutenant prenait le cahier bleu, une étrange transformation se fit chez le jeune homme. Il eut l'air de grandir d'une tête; en deux enjambées, il se trouva devant Hickel, son visage était transfiguré et son regard brillait d'une flamme altière. Le lieutenant eut l'impression qu'on le broyait; lentement, comme fasciné, il recula vers la porte. Sa peau se couvrit d'une sueur froide, car Gaspard le suivait pas à pas. Et soudain, brusquement, il étendit le bras, arracha le cahier des doigts crispés de l'officier, le déchira par le milieu puis encore et encore jusqu'à ce qu'il ne fût plus qu'un tas de petits morceaux de papier jonchant le plancher. Dieu sait ce qui se serait passé si une quatrième personne n'était entrée à ce moment. C'était le pasteur Fuhrmann qui était monté en passant pour demander au jeune homme pourquoi il n'était pas venu à sa leçon ce jour-là. En pénétrant dans la pièce, il eut le pressentiment que quelque chose de grave se passait et son regard alla de l'un à l'autre. Quandt qui avait suivi toute cette scène, épouvanté, reprit un peu de contenance et dit : « Gaspard, qu'avez-vous fait? » L'officier traversa la chambre à grands pas, salua militairement le pasteur et sortit. Devant la porte, il se retourna et fit un signe à l'instituteur. Quandt, comprenant ce geste, se baissa pour ramasser les morceaux de papier. Mais Gaspard le devançant, y posa son pied. « Je jetterai tout ceci au feu, Monsieur, dit-il. » Il s'agenouilla, ramassa à deux mains les débris, les porta au poële, en ouvrit la grille, avec son pied et y jeta le tout. Puis, il y mit le feu. Le pasteur n'était qu'un témoin muet de cette scène, Hickel avait disparu et l'instituteur marchait devant le poële avec la régularité d'un factionnaire. Le jeune homme accroupi surveilla la flambée et quand tout fut consumé, il éparpilla les dernières cendres avec le tisonnier.

Peu après le pasteur eut un entretien avec le jeune homme et bien que ce dernier fût si déprimé qu'il pouvait à peine parler, le vieillard résolut de mettre le Président Feuerbach au courant de l'incident.

— Curieux, pensa-t-il, ce Quandt, brave homme par ailleurs; il s'exalte dès qu'il s'agit de Gaspard Hauser. Le calme du jeune homme le rend nerveux, sa douceur brutal, ses silences bavard, sa mélancolie ironique, sa gaieté triste, et sa candeur lui inspire les ruses les plus subtiles. Il prend à contre-pied tout ce que pense et ce que fait Gaspard et dans la bouche de ce dernier, considérerait même la table de multiplication comme un mensonge. Il aimerait, je crois, lui ouvrir la poitrine pour voir ce qu'il y a dedans. Ce que je dis n'est peut-être pas chrétien de ma part, mais je ne puis m'en défendre quand je vois comme on le suspecte. Qu'il s'étonne de quelque chose, ou qu'il la connaisse déjà, qu'il dorme tard ou qu'il se lève de bonne heure, qu'il aime le théâtre et non la musique, qu'il accepte les remontrances, qu'il intervienne pour aplanir les querelles des autres, comme celles entre Quandt et sa femme, toujours, toujours on le soupçonne. Comment cela finira-t-il?

Feuerbach, mis au courant, promit vaguement de demander des explications à Hickel. Il convoqua le lieutenant et lui fit de violents reproches, mais, une fois la colère de Feuerbach tombée, Hickel calme et froid resta maître de la place. Rien ne fut changé si ce n'est que le lieutenant de police, profondément vexé, repartit plus entêté que jamais.

— La tentative de faire mener à ce garçon une vie normale a échoué, dit un jour Feuerbach à sa fille. On le traite en dépit du bon sens et il en souffre.

— C'est possible, mais qu'y faire? répondit Henriette en haussant les épaules.

— Ce qui me console, murmura le Président, c'est que la publication de mon livre entraînera une décision à son égard.

— Ce n'est pas si mauvais pour un jeune homme d'être ballotté par les vagues, poursuivit la jeune fille. Ainsi, il apprend à nager.

— Oui, tu l'as dit : ainsi, il apprend à nager. Et plus tard, il pensera avec reconnaissance aux épreuves subies; une tête couronnée qui a passé par cette rude école, qui a commencé par l'échelon le plus bas pour grimper au sommet doit tenir les promesses qu'on fonde sur elle. Si, ici-bas, les grands ne manquaient pas tant d'expérience, ils considéreraient le peuple autrement que comme une vache à lait. Laissons chauffer le fer et il deviendra dur. Les placards de mon livre sont-ils arrivés?

Henriette répondit que non et quitta la pièce.

Il y a une voix intérieure plus éloquente que les mots. Chaque fois qu'il se trouvait en présence du jeune homme, Feuerbach subissait la puissance de cette voix. Il lui fallait bien reconnaître qu'il y avait en lui quelque chose de plus fort que la raison et l'expérience, quelque chose qui le rendait responsable devant son propre cœur.

Feuerbach envoya vers cette époque les épreuves de son livre à Stanhope, à ce moment à Rome, et à quelques amis. Le comte ne répondit ni ne remercia. Mauvais présage pour Feuerbach qui se souvint de ce qu'un jour il avait dit à l'Anglais : « Si le visage avec lequel vous vous tenez devant moi ment... »

Le vieillard se sentait las et la puissance des ennemis contre lesquels il avait engagé la lutte lui paraissait écrasante. Sans renoncer à mener à bien ses desseins il sentait une obscure inquiétude l'envahir. Il dormait mal depuis le cambriolage nocturne dont il avait été victime et dont les coupables n'avaient jamais pu être découverts. Parfois, il se levait la nuit, et une bougie à la main, parcourait les chambres, les escaliers et les corridors, vérifiant la fermeture des fenêtres, la solidité des serrures, effrayé parfois par sa propre ombre. Ses enfants se désolaient de voir cet homme si grave succomber à de pareilles craintes. Un jour, on trouva inscrits à la craie sur la porte d'entrée :

Anselme, chevalier de Feuerbach
Eteins le feu sous ton toit,
Ne reçois plus le faux ami,
Tire l'épée et frappe,
Sinon ç'en est fait de toi.

Un soir, vers la fin d'octobre, Quandt demanda à parler au Président. Feuerbach le reçut et fut frappé par l'air embarrassé et troublé de l'instituteur qui, oubliant ses paraphrases habituelles, aborda tout de suite le vif du sujet. Il raconta que l'avant-veille Gaspard avait reçu une lettre de Stanhope et que depuis le jeune homme était complètement transformé; il demandait à Feuerbach de bien vouloir venir le voir chez lui. Et comme le

Président lui demandait en quoi consistait cette transformation :

— On dirait qu'il est devenu sourd-muet, répondit l'instituteur. A table, il ne touche pas aux plats, il est inattentif à ses leçons, comme absent, il ne fait pas ses devoirs, ne répond plus aux questions, se traîne comme un moribond et regarde fixement devant lui. Cette nuit, ma femme et moi, l'avons entendu gémir longtemps, puis il a poussé tout à coup un cri affreux.

— Savez-vous ce que contenait cette lettre?

— Je le sais, répondit naïvement l'instituteur, puisque j'ai l'habitude d'ouvrir ses lettres.

Feuerbach sursauta.

— Et alors? demanda-t-il.

— Je ne puis trouver, répondit Quandt, aucun rapport entre le contenu de cette lettre et l'effet produit.

Le président frappa impatiemment du pied :

— C'est possible, dit-il rudement, mais que contenait-elle? Dites-le-moi puisque vous le savez.

— Lord Stanhope écrivait, reprit l'instituteur intimidé, qu'il ne viendrait pas cette année à Ansbach, que des événements imprévus l'obligeaient à remettre à plus tard son voyage. Je sais, certes, que Gaspard comptait fermement sur cette visite, il parlait même d'une date fixée et nous avait traités de sacrilèges pour en avoir douté. Il estimait que c'était le devoir de Stanhope de venir et se cramponnait puérilement à l'idée que le lord l'emmènerait dans ses châteaux en Angleterre. Il ignorait que le lord s'était depuis longtemps désintéressé de lui.

— Comment savez-vous cela? hurla le président, en se levant si brusquement que sa chaise se renversa.

— Votre Excellence m'excusera, bégaya Quandt terrorisé, mais cela me paraît évident.

Avec une grimace de politesse, l'instituteur alla ramasser la chaise et tandis que le Président arpentait nerveusement la chambre, il risqua timidement :

— Malgré tout, l'effet de cette lettre, somme toute correcte, m'inquiète; il y a quelque chose là-dessous que votre Excellence saura peut-être découvrir.

— Je verrai cela, coupa Feuerbach brièvement.

Quandt salua et sortit. Il ne rentra pas directement chez lui et se dirigea vers le faubourg Herried pour aller chercher sa femme chez sa belle-mère. Le temps était abominable, des feuilles et des brindilles tourbillonnaient dans l'air, la pèlerine de Quandt flottait au vent et il devait maintenir des deux mains les bords de son feutre. Tout de suite après le départ de l'instituteur, Gaspard était sorti subrepticement de la maison. Il marchait sans but fixe, mais lorsqu'il se trouva dans la rue, l'idée lui vint d'aller chez Mme d'Imhoff. Malgré la nuit, le mauvais temps et la distance, il en prit le chemin. Mais arrivé à destination, lorsque devant la grille, il vit les fenêtres illuminées, il perdit courage. Il se voyait déjà là-haut, entendant les phrases creuses qu'il connaissait toutes par cœur et qu'il aurait pu réciter. Oui, les paroles des hommes ne lui apportaient plus rien; elles tombaient dans sa tristesse comme de petites gouttes dans la mer. Une ombre passa devant les fenêtres, puis une autre. Ils vivaient dans leur maison, tranquilles, ils allumaient leur lumière, ignorant que quelqu'un se tenait dehors près de leur grille. Dans la bourrasque, le jeune homme entendit comme les sons d'un instrument à cordes qui aurait été accroché dans les nuages. Gaspard ignorait qu'il y avait une harpe éolienne sur le toit du château et crut à une musique irréelle. En repartant, les accords continuèrent encore à frapper quelque temps ses oreilles. Il ne voulait pas rentrer; la même force obscure qui l'avait dirigé vers le château des Imhoff le conduisit devant la maison du commissaire-général, puis devant celle du préfet, puis devant celle de Feuerbach et finalement devant une demeure inhabitée dont les volets fermés avaient toujours excité sa curiosité. Les balcons étaient couverts de mousse et au-dessus de la porte voûtée un œil était gravé avec l'inscription « A l'œil de Dieu ». On prétendait qu'au temps des margraves un alchimiste y avait vécu.

Il eut l'impression d'avoir été l'hôte de toutes ces maisons, d'avoir circulé parmi leurs habitants ou dans les pièces vides et de connaître la vie passée et présente de leurs occupants.

Fatigué et nerveux, il rentra chez l'instituteur. Quandt et sa femme n'étaient pas rentrés, les enfants dormaient, la bonne était absente; la maison était silencieuse, seul le vent hurlait autour des murs, faisant vaciller la veilleuse du corridor. En se dirigeant vers l'escalier, Gaspard entendit une voix menue et prolongée, comme un chant de grillon, qui appelait « Stephan ». Interdit, il s'arrêta et regarda autour de lui. Tout était calme et il crut que c'était un cri dans la rue. Mais à peine avait-il fait trois pas que la voix retentit de nouveau, mais plus forte, plus proche : « Stephan ». Il y avait dans ce cri quelque chose d'extraordinairement émouvant; on eût dit la voix d'un être qui se noie. Pour la troisième fois, la voix, certainement une voix d'homme, cria, comme à travers un sanglot : « Stephan ». Pas de doute, on l'appelait. Il étendit les bras et demanda : « Où es-tu? Où es-tu? » Alors, au-dessus de la porte, il vit un visage blême et immatériel. C'était celui de Stanhope; les yeux et la bouche grands ouverts semblaient convulsés par la frayeur, rendant la face méconnaissable et hideuse. Gaspard resta cloué au sol, pétrifié. Lorsqu'il leva les yeux, une seconde fois le visage avait disparu et il n'entendit plus la voix. Le corridor et l'escalier étaient éclairés, toutes les portes étaient fermées, il n'y avait personne nulle part et pas un bruit dans la maison.

CHAPITRE XXII

Une après-midi de décembre, les voisins surpris virent Quandt s'élancer comme un fou hors de sa maison et se diriger à toutes jambes vers Neustadt où habitait le lieutenant de police. Il entra dans la chambre de l'officier et sans même ôter son chapeau sortit de sa poche un mince fascicule imprimé qu'il présenta sans mot dire à Hickel. C'était la brochure publiée récemment par Feuerbach sur Gaspard Hauser. Quandt venait de la recevoir et l'avait lue tout d'une traite. Hickel prit le volume, l'examina sous toutes ses faces et dit froidement :

— Et alors? Croyez-vous que ce soit nouveau pour moi? Ne vous frappez pas pour si peu, le vieux écrit parce que c'est son métier. Il est plus facile de faire perdre à une poule l'habitude de pondre qu'à un gribouilleur celle d'écrire.

— Qu'on écrive, soupira Quandt, je l'admets encore, mais ceci dépasse la mesure. Permettez.

Il prit le fascicule, ouvrit la première page et lut : « Gaspard Hauser ou illustration d'un crime commis contre la morale humaine ». Voilà qui promet, ajouta-t-il; l'auteur commence par vous jeter de la poudre aux yeux, mais dans l'ensemble ce n'est que du roman et pas du meilleur.

Continuant à feuilleter l'opuscule, il souligna du doigt un passage qu'il lut également sur un ton ironique : « Gaspard Hauser, spécimen de l'humanité ». Mon cher lieutenant, voici qui me dépasse; c'est à peu près comme si l'on proclamait en public que le plus mauvais de mes élèves est un spécimen unique, un grand savant. En ces matières, je crois être mieux renseigné que Votre Excellence. Spécimen rare! c'est inouï. Il suffit de lire les lettres de l'alphabet par le commencement et non par la fin! Et voilà l'œuvre de ce grand criminaliste, de ce sage admiré! Voilà comment apparaît la gloire quand on la regarde de près. Sans parler des fables inventées de toutes pièces sur les hautes origines du jeune homme. Ce serait drôle, si ce n'était pas triste! Seigneur, quelle époque! »

Un sourire à peine perceptible plissa les lèvres de l'officier pendant que l'instituteur s'emportait. Lorsque ce dernier eut fini, il répondit :

— Que voulez-vous? Fidèles serviteurs, nous sommes les témoins des sottises de nos maîtres. Et puis, rassurez-vous; le Président lui-même n'est pas content de son travail; il se plaint d'erreurs de mémoire et affirme qu'il a eu plus de mal à écrire cette histoire qu'à rédiger un « corpus juris ». Il est du reste l'objet dans tout l'Empire de violentes attaques et on prétend que la Commission fédérale va faire confisquer l'écrit.

— Parfait, cria l'instituteur, et j'espère que les princes interviendront aussi.

— Cela ne vous regarde pas et ne vous en mêlez pas, répliqua brusquement l'officier dont le visage s'était assombri. Mais, mon cher, vous vous emballez comme s'il s'agissait de votre propre existence. Je me demande si vous seriez aussi courageux si le Président était en ce moment dans la pièce.

Instinctivement, l'instituteur regarda autour de lui, puis haussant les épaules, il reprit :

— Vous aimez la plaisanterie, lieutenant. C'est déjà suffisant qu'il faille cacher à autrui ses opinions. Ici nous avons tous oublié comment on tient la tête haute; par contre, nous savons obéir comme des chiens; pour moi, j'en ai assez.

— Allons! coupa Hickel, laissons cela, cela sent la démagogie. Dites-moi plutôt si Hauser connaît la brochure?

— Pas que je sache, mais il me sera difficile de l'empêcher de la connaître; il y a assez de sots qui se feront un plaisir de le renseigner. Connaissez-vous le livre d'un nommé Garnier?

Ce nom fit tressaillir l'officier qui répondit au bout d'un moment :

— Garnier? Oui. Un individu qui a quitté le pays. Il raconte dans son pamphlet les mêmes absurdités que le président, mais les pimente de ragots futiles. Ouvrage négligeable.

— Que ferai-je demanda Quandt si d'une façon ou d'une autre Gaspard entre en possession d'une de ces élucubrations?

— Vous n'avez qu'à prendre vos précautions, répondit l'officier en se mordillant les lèvres. D'ailleurs tout cela est le cadet de mes soucis. Nous ferons notre affaire de Gaspard.

L'instituteur soupira :

— Lieutenant, dit-il, je suis bien troublé et je donnerais la moitié de mon salut éternel pour obtenir un instant de sincérité de Gaspard.

— On l'aura pour moins, répliqua l'officier.

— Savez-vous la dernière nouvelle? M. de Feuerbach fait entrer Gaspard à la Cour d'Appel comme greffier. Il commence demain.

— Et qu'en pensera Stanhope?

— On a voulu le prévenir, mais on ignore son adresse. Depuis quatre semaines il n'a écrit qu'une seule fois à Gaspard et celui-ci n'a même pas regardé la lettre. Mais cette mesure doit le satisfaire car le jeune homme est incapable d'exercer un métier au sens étroit de ce mot. Il a malheureusement fréquenté trop longtemps les milieux aisés pour pouvoir accepter de travailler dans un atelier; il est d'autre part impropre à toute profession qui exige une culture car il n'a pas de dispositions pour les études sérieuses. Feuerbach a trouvé une bonne solution et me décharge d'une partie de ma responsabilité. Dans les bureaux de la Cour d'Appel, Gaspard pourra non seulement devenir un excellent employé subalterne, mais avec un peu d'application, il peut arriver à se faire une place dans la comptabilité ou l'enregistrement.

Hickel n'écouta que vaguement les longs discours de l'instituteur. Ils sortirent ensemble et arrivés devant la pharmacie, l'officier quitta Quandt pour se faire préparer par le droguiste une « petite poudre » contre l'insomnie.

Sur le chemin du retour Quandt fut salué aimablement par le Conseiller Hofmann et ceci suffit à chasser complètement sa mauvaise humeur. Au déjeuner, on servit un rôti de veau et du museau de bœuf et il devint gai et se livra avec sa femme à toutes sortes de plaisanteries. Mais comme il est presque toujours d'usage chez les natures graves, sa gaîté devint lourde; à un moment, saisissant un couteau, il le brandit en riant, sous le nez de son épouse. Gaspard, à cette vue, blêmit :

— Pour l'amour de Dieu, monsieur Quandt, dit-il, déposez votre couteau; je ne puis supporter ce jeu.

L'instituteur, subitement repris par sa mauvaise humeur, grogna :

— Sachez, une fois pour toutes, que je déteste l'affectation.

— Vous êtes une chiffe, renchérit Mme Quandt, un homme doit être brave. Que feriez-vous s'il y avait la guerre? Parce qu'alors il s'agit de mourir sans trembler.

— Dieu merci, je n'ai nulle envie de mourir, interrompit le jeune homme.

— En tout cas, vous avez parlé de la mort d'une façon odieuse devant Hickel, observa Quandt.

— Oui, vous êtes un couard, reprit sa femme. D'ailleurs, vous vous êtes conduit comme un poltron avec le cadet de cavalerie Hugenpoet.

— Quelle est cette histoire? demanda Quandt.

— Ils sortaient souvent ensemble et le cadet avait fait croire à Gaspard qu'il devait se faire soldat et qu'en peu d'années il passerait officier. Assez bon métier, lui expliquait-il; les cadets s'amusent et ont rapidement de l'avancement. Cette perspective avait enthousiasmé Gaspard lorsque brusquement leur amitié cessa.

— Pourquoi donc?

— Un soir de septembre, ils se promenaient ensemble sur les bords du Rezat. Il faisait très chaud et ils arrivèrent bientôt à un endroit où beaucoup de garçons et de jeunes gens se baignaient. « Faisons comme eux » propose le cadet. Il se déshabille et pousse Gaspard à l'imiter. Mais à cette proposition, notre futur soldat est pris de frayeur; il refuse et déclare qu'il n'entrera pas dans l'eau. Entendant ces paroles, les baigneurs sortent de la rivière, l'entourent, l'accablent de sarcasmes et veulent le jeter à l'eau. Il se dégage, et en un clin d'œil, mort de peur, le voilà qui s'enfuit poursuivi par les quolibets des garnements. Hugenpoet, trouvant excessive l'attitude de Gaspard, rompit à partir de ce jour toutes relations. Est-ce vrai, Gaspard?

Le jeune homme baissa la tête, tandis que l'instituteur éclatait de rire.

Peu de jours après, Mme d'Imhoff et Mlle de Stichaner vinrent voir Gaspard. Mme Quandt toute fière de recevoir des hôtes aussi distingués demeura là tout le temps de leur visite. Elle eut l'idée, pour les distraire, de répéter en présence de Gaspard l'histoire de la baignade; mais cette fois elle n'eut aucun succès et les deux femmes l'écoutèrent en silence.

— Une pareille poltronnerie, dit Mlle de Stichaner à son amie, en repartant, n'est pas très reluisante.

— Ce n'est pas de la poltronnerie. Il est passionnément attaché à la vie, il l'aime comme l'avare aime son argent. Il m'a confié que chaque nuit il craint que son sommeil ne se transforme en mort et il supplie Dieu de lui donner l'assurance qu'il s'éveillera le lendemain matin. Bien plus que de la poltronnerie, c'est le pressentiment peut-être d'un grand danger et le besoin de rattraper le temps perdu. Regardez comme il s'intéresse aux choses les plus insignifiantes que les autres ne remarquent même pas.

Mme d'Imhoff trouva chez elle une lettre de Mme de Kannawurf. Celle-ci qui résidait alors à Vienne lui annonçait qu'elle viendrait à Ansbach en Avril. Elle parlait beaucoup de Gaspard dans sa lettre. « J'ai lu ces jours-ci la brochure de Feuerbach; je t'avoue que je n'ai jamais été aussi bouleversée par un livre. Je suis obsédée depuis et j'en perds le sommeil. Gaspard connaît-il cette brochure? Comment a-t-il réagi? Qu'en pense-t-il? »

Mme d'Imhoff ne répondit du reste pas à ces questions. Il était difficile de le faire car, ou le jeune homme n'avait pas lu le livre et cette ignorance aurait été pénible, ou il l'avait lu et devait souffrir de sa modeste situation à la Cour d'Appel.

Et puis, comment provoquer une explication? Néanmoins Mme d'Imhoff résolut de sonder prudemment le jeune homme. Elle lui demanda s'il était au courant de l'affaire ou s'il en avait seulement entendu parler. Il connaissait le livre, mais ne désirait pas avoir de précisions. Ceci par crainte. Il devait croire qu'il ne s'agissait dans la brochure de Feuerbach que de racontars qui lui donnaient, comme il le disait, maux de tête et maux de cœur. Ses expériences précédentes lui avaient causé une telle lassitude que finalement tout lui était devenu indifférent, au point que la moindre allusion à son histoire, faite dans une conversation, l'accablait d'ennui. Et si malgré tout il lut l'ouvrage qui lui était consacré, ce fut par un hasard singulier.

Un matin gris de mars, la nouvelle se répandit à la Cour d'Appel que M. de Feuerbach, au cours d'une audience qu'il présidait dans la grande salle du tribunal, était tombé sans connaissance de son fauteuil. En un instant, escaliers et couloirs furent envahis par les employés et Gaspard se joignit à eux. Mais il les quitta rapidement car il ne voulait pas voir emporter le président. Il revint dans son bureau où il passait toutes ses matinées à écrire de huit heures à midi, en face d'un vieux scribe nommé Dillmann. Ce dernier n'était pas rentré et Gaspard troublé et triste s'appuya contre la fenêtre et traça machinalement sur la vitre embuée le nom de Feuerbach. Sur ces entrefaites, le vieux scribe rentra tout bouleversé et se rassit à sa place. Jusqu'à ce jour — et il y avait plus de neuf semaines que Gaspard occupait son emploi — les deux hommes n'avaient pas échangé, en dehors du service, plus d'une douzaine de mots. Dillmann ne se souciait guère de son collègue et ne lui témoignait qu'une indifférence morose. Durant les trente années qu'il avait passées à copier des actes, des décrets, des ordonnances, des jugements, le vieil employé avait acquis une habileté toute spéciale à dormir à son bureau. C'était plaisant de le voir piquer le bec de sa plume dans son papier, faire sa sieste et se remettre à écrire dès qu'il percevait les pas d'un supérieur; il avait en effet minutieusement étudié, et pour ainsi dire appris, la démarche de chacun d'eux. Aussi Gaspard fut-il surpris lorsqu'il vit Dillmann se diriger vers lui et lui dire d'une voix émue :

— Pourvu qu'il n'arrive pas malheur à cet homme incomparable. Pourvu qu'il ne meure pas!

Le jeune homme se retourna, mais garda le silence.

— Et pour vous, continua le vieil homme aigrement, ce serait une perte irréparable car où trouver dans ce monde veule un autre homme qui prendra fait et cause pour son prochain. Je ne serais pas étonné que tout cela finisse mal.

Le jeune homme l'écoutait en silence.

— Un tel homme! reprit Dillmann; depuis que je suis ici, mon cher, j'ai enterré sept présidents et vingt-deux conseillers : aucun n'avait sa valeur! Un géant! Mon cher, un géant! Par amour il décrocherait les étoiles. Observez-le, regardez-le attentivement : son nez busqué est le signe d'une nature exceptionnelle. Et ce front majestueux! Et ce livre qu'il a écrit pour vous! Hein? Quel livre! En le lisant, on trépigne, on grince des dents, on serre les poings.

Le visage du jeune homme s'assombrit.

— Je ne l'ai pas lu, dit-il simplement.

Le vieil employé bondit; on eût cru qu'il allait suffoquer.

— Pas lu ! bégaya-t-il, est-ce possible ? Le diable m'emporte.

Il trottina vers son pupitre, ouvrit un tiroir, fouilla dans quelques dossiers et sortit la brochure. Il la fourra presque de force dans les mains du jeune homme en grognant :

— Lisez-la, sapristi, lisez-la.

Gaspard fit ce qu'avait fait Hickel devant Quandt ; il examina le livre en tous sens et en lut le titre en pâlissant. Cependant, il n'était toujours pas curieux de son contenu et se contenta de le glisser dans sa poche en disant :

— Je le lirai chez moi.

A midi, comme tous les jours, il quitta son bureau et rentra chez lui. Comme si rien ne s'était passé, il se mit à table et écouta la conversation qui roulait sur l'indisposition du président.

— Dimanche dernier, racontait Mme Quandt, en allant à l'église, j'ai vu quatre employés des pompes funèbres croiser le Président. Celui-ci en parut frappé. Et tout de suite j'ai pensé que c'était un mauvais présage.

— Les femmes se mêlent toujours de regarder les cartes de Dieu, répliqua Quandt bourru. On prêche le libéralisme, on croit marcher sur le chemin du progrès et finalement en famille on entend les pires sottises.

Ces paroles firent rire Gaspard, ce qui lui valut un regard mauvais de Mme Quandt.

Ensuite, le jeune homme monta dans sa chambre. A deux heures, il prenait sa leçon car il ne devait retourner à son bureau que vers quatre heures. Ce jour-là après l'avoir attendu plus de dix minutes, Quandt l'appela dans le couloir. Ne recevant aucune réponse il monta et constata que Gaspard n'était pas là. Mais la colère de l'instituteur fit place à de l'effroi lorsqu'en fouillant dans les affaires du jeune homme il tomba sur la brochure de Feuerbach.

— Il l'a malgré tout, murmura-t-il avec amertume.

Prenant le livre, il retourna auprès de sa femme et lui dit :

— Je viens de faire une terrible découverte, Josette, j'ai vu le livre du Président dans la chambre de Gaspard. Les hommes sont sans scrupule ! Qui a pu faire cela ?

Mme Quandt ne semblait pas se rendre compte de l'importance du fait. « Laisse-le tranquille » ou « Dis-le-lui donc » ou « Gronde-le sévèrement »; c'était tout ce qu'elle trouvait à dire à son mari lorsqu'il se plaignait de son pensionnaire.

— Quand est-il sorti ? demanda Quandt à la bonne.

Celle-ci l'ignorait, mais à ce moment précis, le jeune homme entra dans la pièce et s'excusa de son absence.

— Où étiez-vous ?

— Je suis allé chez M. de Feuerbach pour prendre de ses nouvelles.

Quandt refoula son dépit et se contenta de blâmer Gaspard pour être sorti sans autorisation. Cependant, lcrsqu'il se trouva seul avec le jeune homme, après avoir arpenté quelque temps la pièce, il commença :

— J'ai été dans votre chambre et j'y ai fait une trouvaille, laquelle, pour m'exprimer modérément, m'a donné à réfléchir. Je ne vous dirai pas aujourd'hui mon opinion sur la brochure de M. de Feuerbach, bien que tous les hommes sensés soient du même avis. Je ne veux pas en votre présence abaisser un homme de mérite. Je ne chercherai pas davantage qui vous a procuré ce livre, car je n'obtiendrai qu'un mensonge de plus. Non, ce qui m'étonne c'est que, en cette occasion, vous ayez agi en cachette. Pourquoi ne pas venir me demander des explications? Pensez-vous que je vous aurais privé du plaisir de lire la belle fable qu'a écrite un être qui avait de la valeur mais qui est actuellement malade, physiquement et mentalement? Pensez-vous que j'ignore ce qui se passe en vous lorsqu'on parle de votre passé, ce passé que vous connaissez certainement mieux que le pauvre Président? Pourquoi, grand Dieu, ces éternelles cachotteries? N'ai-je pas été un père pour vous? Vous vivez chez moi, vous mangez à ma table, vous jouissez de ma confiance, vous prenez part à mes joies et à mes peines, est-ce que rien au monde ne pourra donc jamais, ne serait-ce qu'une fois, vous déterminer à me parler franchement et sans arrière-pensée?

L'instituteur, ô prodige, en avait les larmes aux yeux. Tirant de sa poche le livre du Président, il le plaça avec affectation devant Gaspard. Celui-ci fixait son maître d'un air lointain. Il y avait dans son regard quelque chose de fixe et d'absent.

— Qu'il a l'air sournois! pensa Quandt. Parlez donc, ajouta-t-il brutalement.

— Il faut de la patience, dit rêveusement le jeune homme en secouant la tête. Il va se passer quelque chose, Monsieur Quandt. Croyez-moi, il va bientôt se passer quelque chose.

Et machinalement, il lui tendit la main. Quandt se détourna avec dégoût :

— Epargnez-moi vos phrases, dit-il froidement, vous êtes un abominable comédien.

Et il sortit de la pièce.

L'instituteur apprit par le directeur des archives Wurm que Gaspard avait effectivement été à l'hôtel de M. de Feuerbach, mais que non content de s'informer de la santé du président, il avait manifesté le désir de lui parler personnellement. On n'avait, naturellement, pas pu accéder à son désir. Il était encore resté une demi-heure devant la porte dans la rue et avant de partir avait fait le tour de la maison en inspectant les fenêtres; on avait remarqué qu'il avait un air égaré.

Il revint le lendemain, le troisième et le quatrième jour formulant chaque fois la même prière et chaque fois éconduit. On prétextait que M. de Feuerbach, bien que son état, après avoir été inquiétant, fût en voie d'amélioration, avait besoin de repos. Le Directeur Wurm en parla au Président et celui-ci, malgré les objurgations de sa fille, donna l'ordre de recevoir le jeune homme la prochaine fois qu'il se présenterait.

La semaine passa sans qu'il reparût. Enfin, une après-midi, assez tard, il revint. Henriette l'accueillit fraîchement et le fit entrer dans la chambre de son père. Feuerbach était assis dans un fauteuil, une pile de dossiers devant lui. Il paraissait vieilli et comme il n'était pas rasé, des poils drus et blancs couvraient ses joues et son menton; son regard était calme mais brillant comme est celui d'un homme qui redoute la mort et l'a vue de près.

— Que désirez-vous de moi? demanda-t-il au jeune homme arrêté près de la porte.

Gaspard s'approcha, trébucha devant le fauteuil, tomba à genoux, baissa la tête et resta dans cette attitude soumise les bras le long du corps. Le visage du vieillard blêmit; il saisit Gaspard par les cheveux, lui releva la tête, mais les yeux de l'adolescent restèrent fermés.

— Qu'avez-vous, mon petit? lui dit le Président d'une voix bourrue.

Alors, le jeune homme rouvrit les yeux et lui dit simplement :

— J'ai lu.

M. de Feuerbach serra les lèvres, fronça les sourcils. Il y eut un long silence.

— Levez-vous, lui ordonna-t-il enfin.

Gaspard obéit. Alors, Feuerbach lui saisit le poignet et d'un ton moitié suppliant, moitié menaçant lui dit :

— Pas un mot, Gaspard, pas un mot, ne bronchez pas, taisez-vous, attendez, il n'y a rien d'autre à faire pour le moment. Vous avez peur, je le sais, continua-t-il, mais moi aussi j'ai peur, nous ne pouvons pas atteindre de notre bras certains sommets; nous n'avons ni les trompettes guerrières de Josué, ni le cor d'Obéron. Les géants sont armés de fléaux qui frappent sans cesse et ne laissent passer aucun rayon lumineux sans le briser. Patience, Gaspard et silence surtout. Je ne puis rien promettre, je ne puis vous donner qu'un espoir et pour le réaliser il faut que je me rétablisse. Assez pour aujourd'hui.

Il lui fit signe que l'entretien était terminé. Gaspard fixa sur le vieillard un regard calme et ferme qui surprit ce dernier et déjà il se dirigeait vers la porte lorsqu'il se retourna et dit :

— Excellence, j'ai une prière à vous faire.

— Une prière?

— Il est ennuyeux pour moi que je sois toujours accompagné de cet invalide qui lorsque je veux sortir arrive si tard que souvent j'y renonce. Je peux aller tout seul à la Cour d'Appel ou chez des amis.

— Je réfléchirai et je déciderai.

En sortant de la pièce Gaspard remarqua une silhouette féminine qui s'éloignait le long du corridor. C'était Henriette. Tremblant pour son père, elle ne redoutait rien tant que le danger qu'il courait en raison de l'intérêt qu'il témoignait à Gaspard. On pourra en juger par la lettre qu'elle écrivait à son frère Anselme alors au Palatinat, lettre où l'on discerne l'atmosphère lourde qui pesait sur l'entourage du Président.

« La santé de notre père s'est, Dieu merci, bien améliorée. Il peut déjà, à l'aide d'une canne, marcher dans sa chambre et prend plaisir à manger un bon rôti quoique son appétit ne soit pas revenu complètement et qu'il se plaigne parfois de l'estomac. En ce qui concerne son moral, il est plus mauvais que jamais, surtout depuis la publication de sa funeste brochure *Gaspard Hauser*. Tu sais l'immense retentissement provoqué dans tout le pays par ce livre. Des milliers de voix se sont prononcées pour ou contre, mais il semble que ces dernières l'emportent. Dans les journaux les plus répandus paraissent des articles qui se ressemblent étrangement et dans lesquels on démolit ironiquement sa thèse que l'on considère comme celle d'un exalté. Après l'épuisement rapide des deux premières éditions, l'éditeur, sous toutes sortes de prétextes, avait refusé la réimpression. Deux autres auxquels on s'adressa firent la même réponse. Il est indéniable que nous sommes en face des plus perfides intrigues venant toutes de la même source. De penser que nous vivons à une pareille époque et qu'un homme comme notre père ne trouve ni aide ni même bienveillance pour réparer une injustice, c'est à s'en mordre les lèvres au sang! Les hommes sont décidément des animaux stupides, bornés, et paresseux sinon ils réagiraient davantage. Tu peux imaginer notre père refoulant son amertume, son mépris et sa douleur. Que n'éprouve-t-il pas lorsque même ses amis les plus intimes n'osent lui témoigner ni approbation, ni reconnaissance, ni affection. Certaines personnes sont allées jusqu'à donner libre cours à leur mécontentement. Dans cet affreux trou, tout fait sensation, ce qui d'ailleurs est normal : le Christ peut bien être le conquérant de Rome, à Jérusalem il n'est qu'un misérable rabbi. Je me fais beaucoup de souci pour notre père, je le connais trop pour ignorer que son calme apparent cache un grand bouleversement. Quelquefois, il reste des heures entières à regarder le mur; si on le dérange, il vous fixe de ses grands yeux silencieusement, et c'est infiniment triste. Dernièrement, à brûle-pourpoint, il m'a dit que la vraie vertu civique consistait non à se retrancher derrière les paperasseries, mais à se vouer tout entier à une cause. La nouvelle qu'une révolution vient d'éclater dans le duché de Bade l'a fortement affecté et de fait, cette affaire touche de près à l'histoire Gaspard Hauser. Il croit qu'un ministre congédié demeurant actuellement quelque part sur les bords du Main est un des principaux responsables du sort affreux de l'orphelin. Eh bien — j'hésite même à l'écrire — il a l'intention d'aller le trouver pour lui arracher des aveux. Le lieutenant de police Hickel, sinistre personnage, en qui je n'ai aucune confiance, vient presque chaque jour à la maison et a de longues conversations avec notre père; autant que je sache, il doit l'accompagner dans son voyage d'ici quelques semaines. Mon unique désir est de faire échouer ce projet! Pour cette malheureuse affaire, notre père va sacrifier les dernières années de tranquillité de sa vieillesse et, serait-il éloquent comme Isaïe, fort comme Samson, brave comme Macchabée, il n'arrivera à rien, à rien, à rien! Décidément, les Feuerbach portent sur leur front le signe de Caïn, celui de l'éternelle inquiétude. Nous gaspillons nos forces et notre fortune et c'est tout juste s'il nous en reste suffisamment pour atteindre les murs du cimetière. Nous sommes incapables d'insouciance et tendus vers le lendemain nous sacrifions tout bonheur présent. Tel il est, tel tu es, telle je suis, tels nous sommes tous. Jamais encore je n'ai respiré une rose sans penser avec tristesse qu'elle serait fanée le lendemain, jamais je n'ai regardé un bel enfant mendiant sans méditer sur l'inégalité des destinées humaines. Adieu, cher frère, puisse le ciel ne pas réaliser mes funestes pressentiments. »

Ainsi se terminait la lettre.

La méfiance contre le lieutenant, dont parlait la jeune fille, ne fit que s'accentuer, au point qu'elle tenta de le brouiller avec son père; mais en vain, car Hickel se tint sur ses gardes et la combla d'amabilités.

Quandt s'étant plaint à l'officier de ce que le Président s'était laissé influencer par Gaspard et l'avait autorisé à se promener sans surveillance dans la ville, Hickel répondit qu'il allait changer cela et qu'il saurait mettre Feuerbach à la raison. Il se présenta chez ce dernier :

— Votre Excellence n'a pas réfléchi à la responsabilité qu'elle va me faire encourir, dit-il; si je ne puis contrôler l'emploi du temps de ce garçon, comment répondre de sa sécurité?

— Sornettes que tout cela! grogna Feuerbach, je ne puis pourtant pas l'enfermer pour vous permettre de passer tranquillement vos après-midi au casino.

Hickel baissa la tête et répondit avec une franchise adroitement feinte :

— Je reconnais mes faiblesses, que votre Excellence réprouve. Mais que voulez-vous, il faut à chacun un petit coin pour se chauffer, surtout quand on est célibataire. Si vous étiez dans ma peau, Excellence, et moi dans la vôtre, je serais plus indulgent pour un fonctionnaire dévoué.

Feuerbach se mit à rire.

— Quelle mouche vous a donc piqué? dit-il, avez-vous des chagrins d'amour? ajouta-t-il car il savait le lieutenant coureur.

— En cela, je suis malheureusement blasé. Il y a pourtant ici en ce moment une belle occasion d'être amoureux.

— Tiens! racontez-moi cela, fit Feuerbach qui avait un faible pour les histoires de femme.

— Une personne en visite chez Mme d'Imhoff.

— C'est juste, la baronne m'en a parlé.

— Elle habitait d'abord à l'hôtel de l'Etoile et plusieurs fois en passant devant son appartement, je l'ai aperçue à sa fenêtre, rêveuse, les yeux au ciel. Chaque fois, je m'arrêtais pour la regarder, mais à peine me remarquait-elle, qu'elle se retirait effarouchée.

— Ah! Ah! fit le Président taquin, vous avez déjà fait des travaux d'approche.

— Hélas non, Excellence; et puis, franchement, l'heure n'est pas aux aventures galantes.

— C'est mon avis, approuva Feuerbach en cessant de sourire.

Puis se levant, il ajouta énergiquement :

— Le moment d'agir est arrivé. Je me mettrai en route le 28 avril. Vous demanderez un congé et vous vous tiendrez à ma disposition.

L'officier s'inclina et jeta à Feuerbach un regard significatif dont celui-ci comprit le sens :

— Ah oui, fit-il, je reconnais qu'il est imprudent de laisser le jeune homme livré à lui-même. D'autre part, il est injuste de le murer. Pour qui aime la vie le manque de liberté est aussi pénible que les chaînes et les menottes.

Il n'arrivait cependant pas à se décider; chaque fois qu'il se trouvait en présence du lieutenant il se sentait gêné et subissait la domination de cet homme fort, jeune, froid et sans scrupule.

— Votre Excellence n'ignore pas les dangers...

— Tant que j'aurai les yeux ouverts, soyez assuré que personne ne touchera à un cheveu de sa tête.

De nouveau, Hickel baissa les yeux.

— Et si un jour, il prend la clé des champs? reprit-il. Il en est capable. Pourquoi ne pas le faire surveiller, au moins le soir et dans ses promenades; pour ses courses en ville il pourrait à la rigueur circuler seul. On pourrait congédier le vieil invalide et le remplacer par mon ordonnance qui se présenterait tous les jours à cinq heures au domicile de Quandt.

— Ce serait une solution. Votre homme est-il sûr?

— Absolument.

— Son nom?

— Schildknecht; c'est le fils d'un boulanger badois.

— Eh bien, entendu.

L'officier était déjà à la porte lorsque le Président le rappela et lui recommanda de garder le silence sur leur prochain voyage. Hickel répondit que c'était là une recommandation superflue.

— Il me serait impossible d'entreprendre seul ce voyage, conclut le Président, j'ai besoin d'un homme averti qui saura profiter de la moindre occasion pour obtenir des renseignements. Mais il faut qu'il soit prudent; n'oubliez pas que je vous donne là une grande marque de confiance.

En prononçant ces dernières paroles, le vieillard fixa sur Hickel un regard perçant et le lieutenant de nouveau baissa la tête. Un instant, une fugitive inquiétude passa sur le visage de Feuerbach.

— Allez, dit-il sèchement.

CHAPITRE XXIII

Le soir même Hickel alla chez l'instituteur et le prévint que désormais le soldat Schildknecht surveillerait Gaspard Hauser. Gaspard n'était pas là et comme l'officier s'informait du motif de son absence, Quandt répondit qu'il était allé au théâtre.

— Encore! s'écria l'officier, c'est la troisième fois en quinze jours, si je ne me trompe.

— Il y a pris goût, presque tout son argent de poche y passe.

— A propos d'argent, il va y avoir un accroc, reprit le lieutenant, car le lord ne m'a envoyé cette fois que la moitié de la pension convenue; évidemment, cela commence à lui coûter trop cher.

— Trop cher! Un lord! Un pair de la couronne d'Angleterre! Une petite somme comme cela serait trop cher!

— Je n'y puis rien, fit brusquement Hickel, c'est ainsi! Je vous montrerai l'avis de la poste qui se trouve chez moi. Stanhope doit savoir ce qu'il fait, allez!

Quand Gaspard revint, Quandt lui demanda s'il s'était amusé :

— Nullement, répondit-il. On parlait beaucoup trop d'amour, c'est insupportable; ils sont là à bavarder, à se lamenter et à vous ennuyer. Pour arriver à quoi? A un mariage. J'aime mieux donner mon argent aux pauvres.

— Le lieutenant Hickel, qui vient de sortir, m'informe que le lord a considérablement diminué vos mensualités. Il vous faudra donc restreindre vos dépenses et, je le crains, renoncer complètement au théâtre.

Le jeune homme, sans un mot, se mit à table. Au bout de quelque temps, il dit :

— C'est dommage, car dans quinze jours on donne *Don Carlos* de Schiller. Il paraît que c'est une excellente pièce et j'aurais voulu la voir.

— Qui vous a dit que c'était une excellente pièce? demanda Quandt avec supériorité.

— Mme d'Imhoff et Mme de Kannawurf que j'ai rencontrées au spectacle.

— Mme Quandt leva la tête :

— Qui est cette Mme de Kannawurf?

— Une amie de Mme d'Imhoff répondit le jeune homme.

Jusqu'à minuit l'instituteur discuta avec sa femme pour savoir comment ils allaient s'arranger désormais étant donné les restrictions du lord. Il fut décidé que dorénavant Gaspard déjeunerait pour dix kreuzer et dînerait pour huit.

— Et si le lieutenant dit vrai, observa la femme, nous en serons encore de notre poche.

— N'oublions pas toutefois qu'il se contente de peu.

— Enfin, c'est toujours une bouche de plus à nourrir. Et on ne me fera cadeau de rien.

Le lendemain dans l'après-midi, Hickel apporta l'argent du mois. Comme ils traversaient le corridor avec Quandt ils aperçurent Gaspard descendant de sa chambre et prêt à sortir. L'instituteur lui ayant demandé où il allait, il répondit gêné qu'il se rendait chez l'horloger pour faire réparer sa montre. Quandt la lui demanda et l'appliqua contre son oreille; il l'examina, constata qu'elle était remontée et déclara :

— Mais il ne manque rien à cette montre.

Le jeune homme rougit et prétendit alors qu'il voulait simplement faire graver son nom sur le couvercle. Mais il mentait bien trop mal pour qu'on le crût; Hickel et Quandt se regardèrent.

— S'il vous reste encore une ombre d'honneur, dit l'instituteur, avouez où vous vouliez aller.

Après une hésitation, Gaspard déclara qu'il voulait aller à l'Orangerie.

— A l'Orangerie? Et pourquoi?

— A cause des fleurs; elles sont si belles au printemps.

Hickel toussota ironiquement.

— Quel poète! des fleurs! Laissez-moi rire...

Puis, prenant une expression énergique, il lui déclara nettement qu'il avait décidé le Président à annuler l'autorisation qu'il lui avait donnée à la légère de circuler librement. Tous les jours, à cinq heures, son ordonnance se présenterait et l'accompagnerait où il voudrait. Gaspard regarda la rue devant lui éclairée par le soleil.

— Il paraît... commença-t-il, puis il se tut, résigné.

— Il paraît que quoi? demanda l'instituteur, allons, parlez, ne restez pas à mi-chemin.

— ...il paraît, acheva le jeune homme, que le Président est toujours de l'avis du dernier qu'il a vu.

Gaspard eût bien voulu rattraper ces paroles amères, lorsqu'il se rendit compte de l'effet produit. Quandt secouait la tête avec indignation et Hickel faisait entendre entre ses lèvres un léger sifflement. Puis l'officier tirant son calepin de sa poche y inscrivit quelque chose tandis que le jeune homme l'observait craintivement.

— M. de Feuerbach sera bien entendu informé de votre

remarque inconvenante, dit sentencieusement l'officier.

Après son départ, Gaspard demanda à l'instituteur de le laisser exceptionnellement sortir seul ce jour-là.

— Je regrette, fit Quandt, mais je dois obéir aux instructions données.

L'ordonnance de Hickel ne vint que vers cinq heures et demie. Escorté par lui, Gaspard se mit en route vers le Hofgarten. Arrivés là, ils trouvèrent l'Orangerie déjà fermée. Schildknecht proposa une promenade le long de l'Onolzbach. Mais le jeune homme refusa et se plaçant devant une des fenêtres ouvertes de la serre, regarda à l'intérieur.

— Vous cherchez quelqu'un? demanda l'ordonnance.

— J'avais rendez-vous avec une femme ici, répondit Gaspard, tant pis, rentrons.

Ils firent demi-tour. Parvenus au Schlossplatz, Gaspard aperçut au milieu de la place Mme de Kannawurf, jetant des miettes de pain aux moineaux. Gaspard resta à l'écart et absorbé dans ses pensées oublia de la saluer. Après que Mme de Kannawurf eut fini la distribution de pain, elle remit son chapeau, qu'elle avait suspendu à son bras par un ruban, et lui dit qu'elle l'avait attendu une heure et demie dans la serre.

— Je ne suis pas libre, je ne puis tenir ce que je promets, répondit simplement le jeune homme.

Ils descendirent la Promenade et, prenant à gauche, se dirigèrent vers les jardins du faubourg toujours suivis de Schildknecht. Le petit homme était pittoresque avec sa figure poupine et son uniforme vert. Le plus grand des trois était Gaspard, car Mme de Kannawurf avait, elle aussi, une taille d'enfant. Après avoir marché longtemps en silence, aux côtés l'un de l'autre, la jeune femme dit:

— En somme, c'est pour vous que je suis venue dans cette ville.

Sa voix légèrement chantante avait un accent étranger. Elle avait l'habitude en parlant de cligner des paupières comme font les personnes dont les yeux sont fatigués.

— Je sais, répondit Gaspard, vous m'avez déjà dit cela au théâtre. Que voulez-vous de moi?

— Je ne vous demande rien au contraire, dit-elle. Mais il est difficile de parler en marchant. Asseyons-nous dans l'herbe là-haut.

Ils gravirent la pente du Nussbaumberg et s'assirent devant une haie. En face d'eux, le soleil s'inclinait vers les cîmes boisées des collines. Gaspard regardait ce spectacle avec recueillement et Mme de Kannawurf laissait errer ses yeux dans le paysage pourpre. Schildknecht, comme s'il comprenait que sa présence était importune, s'était installé un peu au-dessous d'eux sur un tronc d'arbre.

— Je possède une petite propriété en Suisse, dit Mme de Kannawurf, je l'ai acquise il y a deux ans, pour me créer dans ce pays libre un lieu de refuge et de repos. Je vous propose de vous y rendre avec moi, vous y vivrez à votre guise, sans dérangement et sans danger. Moi-même, je ne vous y troublerai pas, car je ne puis demeurer longtemps nulle part : une force me pousse à changer sans cesse. La maison se trouve dans une solitude complète, dans une vallée encaissée entre de hautes montagnes, au bord d'un lac. On ne peut rien imaginer de plus grandiose que la vue que l'on a du jardin sur les neiges éternelles. Mais comme, si je voulais vous emmener publiquement, je me heurterai à d'innombrables difficultés et à de grandes pertes de temps, je vous demande de fuir avec moi. Dites un mot, et tout est prêt.

Elle s'était tournée vers Gaspard; celui-ci détournant son regard ébloui du disque rouge du soleil, la regarda. Il lui eût fallu être insensible pour ne pas être frappé par ce merveilleux visage. Comme s'il ne l'avait pas écoutée, avec élan, il murmura : « Que vous êtes belle ! »

Mme de Kannawurf rougit, sourit malicieusement mais derrière ce sourire perçait quelque chose de douloureux. Gaspard troublé se remit à fixer le soleil.

— Vous ne répondez pas? demanda doucement la jeune femme.

— Il ne m'est pas possible de faire ce que vous me demandez répondit Gaspard en secouant la tête.

— Pas possible? Et pourquoi? dit Mme de Kannawurf en se redressant brusquement.

— Parce que ma place n'est pas là-bas, répondit-il d'une voix ferme.

La jeune femme l'observa. Son visage prit une expression d'enfant attentif et peu à peu devint aussi pâle que le ciel au-dessus d'eux.

— Vous voulez donc vous sacrifier? demanda-t-elle.

— Il faut que j'aille là où est ma place, répéta le jeune homme, les yeux toujours fixés vers l'endroit où le soleil venait de disparaître.

Elle ajouta à voix haute :

— Et que comptez-vous faire?

— Je ne sais pas, fit-il rêveusement.

Elle se leva, descendit en courant la pente et passa devant Schildknecht qui paraissait assoupi. Tout en courant, elle continuait à réfléchir. « Il faut le protéger, autrement il va à sa perte. Bien entendu, il ne sait ce qu'il fera car il est incapable de faire des projets, mais il porte en lui une volonté d'action et rien ne le fera reculer. Ce n'est pas difficile à deviner malgré son silence. »

Elle s'arrêta pour attendre Gaspard.

— Vous courez très bien, dit-il avec admiration en la rejoignant.

— L'air frais m'émoustille, répondit-elle en aspirant profondément.

En passant sous le porche de la Herrieder Tor ils aperçurent tout à coup près d'une guérite vide le lieutenant de police. Malgré eux, ils s'arrêtèrent car il avait un aspect effrayant. Il était appuyé contre la guérite raide comme une statue et, en dépit de l'obscurité, on pouvait remarquer que son visage était livide. A ses côtés, se tenait son chien, un grand dogue gris, immobile comme son maître et qui levait les yeux vers lui. Gaspard salua l'officier d'un coup de chapeau, mais Hickel ne le remarqua même pas. Mme de Kannawurf se retourna encore une fois pour le regarder et dit en frissonnant :

— Qu'est-ce qu'il a donc, c'est terrible!

Fallait-il supposer que le lieutenant, désespéré par de nouvelles pertes de jeu, en était arrivé au point de s'oublier jusqu'à se donner ainsi en spectacle. Pourtant, ce ne sont pas là des réactions de joueur; ils tâchent d'oublier leur malchance dans le sommeil et dès le lendemain recommencent à s'abandonner au perfide hasard.

Cet après-midi-là un inconnu s'était présenté chez Hickel qui venait de rentrer. Il lui avait remis une lettre cachetée et avait disparu sans dire un mot. Pour le regard averti de l'officier, il était visible que l'homme portait une fausse barbe et une perruque. La missive que l'officier se hâta d'ouvrir était chiffrée et malgré qu'il en possédât la clé, il lui fallut le restant de la soirée pour la comprendre. Elle concernait le voyage qu'il devait entreprendre en compagnie du Président. Il avait bien compris à la première lecture, mais machinalement, pour ne pas être obligé de penser, il la relisait. A sept heures, il se leva de sa table de travail, arpenta quelque temps sa chambre, ouvrit un petit buffet, en retira une bouteille de whisky, cadeau de Stanhope, et en remplit un gobelet qu'il vida d'un trait. Il brossa ensuite son uniforme, ceignit son sabre et à sept heures et demie sortit. Il paraissait de bonne humeur, et chantonnait sans interruption en faisant claquer ses doigts. Pourtant, sous le porche de la Herrieder Tor il s'arrêta. Une voiture à bras qui passait le bouscula, il s'avança encore jusqu'à la guérite et c'est là que les deux promeneurs l'avaient aperçu. Ce serait mal connaître le lieutenant que de croire que sa défaillance se prolongea plus longtemps qu'un simple vertige. A huit heures, il était attablé à la Fourchette d'Or devant une soupe au poisson et à neuf heures au casino. De cette heure-là, jusqu'à quatre heures du matin, il ne perçut plus que le glissement monotone des cartes. Il gagna. A l'aube il rentra chez lui, non sans avoir jeté un long regard langoureux vers la fenêtre de l'Hôtel de l'Étoile où il avait aperçu la belle étrangère.

Il se leva tard et ne prêta qu'une oreille distraite au rapport de son ordonnance. Schildknecht était tenu en effet de le renseigner tous les matins sur la façon dont il avait passé l'après-midi de la veille avec Gaspard. Régulièrement c'était : « Nous sommes allés chercher Mme de Kannawurf » ou « Mme de Kannawurf nous a rencontrés et nous nous sommes promenés ensemble » ou, lorsqu'il pleuvait, « nous nous sommes assis sous la tonnelle dans le jardin des Imhoff ». Le soldat parlait de Gaspard avec respect et ayant remarqué que son chef n'accueillait pas sans inquiétude ses rapports sur les rencontres régulières du jeune homme et de Mme de Kannawurf, il savait par son accent lui faire croire que leurs conversations étaient sans importance. Il ajoutait, par exemple « Ils ont parlé du temps » ou alors « Ils se sont entretenus de peinture »; en réalité il inventait ces détails car il se tenait toujours à une distance respectueuse d'eux. L'officier commença à se méfier de son subordonné. Un soir, il le trouva assis à la cuisine, une bougie allumée devant lui, épelant les lignes d'un livre. Quand il se vit surpris, l'homme blêmit. Hickel prit le livre et s'aperçut que c'était la brochure de Feuerbach : « Qui t'a donné cela ? » lui cria-t-il. L'ordonnance répondit qu'il l'avait trouvée dans la bibliothèque de son lieutenant.

« Espèce de malhonnête, si tu recommences, je te ferai chasser et punir. Compris ! » tonna l'officier.

« La moindre histoire de brigand, songea Hickel, au fond, eût autant intéressé ce rustre », et il regretta son emportement. Toutefois, sa méfiance demeura et il décida de se débarrasser de ce gaillard, peu à son goût. L'occasion s'offrit bientôt. Le lendemain, lorsque Schildknecht vint chercher Gaspard, il remarqua que le jeune homme était de mauvaise humeur. Il chercha à le divertir en lui racontant quelques blagues de la vie de caserne. Gaspard l'écouta puis l'interrogea sur son pays natal, et sur ses parents et l'ordonnance, bien que ce chapitre de sa vie ne fût pas très gai, s'efforça de rendre son récit aussi divertissant que possible. Il avait une belle-mère et son père l'avait placé tout jeune chez des étrangers. A peine avait-il quitté la maison qu'un amant de sa belle-mère avait assommé son père au cours d'une querelle. L'amant et sa complice étaient actuellement en prison et les frères de Schildknecht achevaient de gaspiller le patrimoine.

L'ordonnance demanda à Gaspard pourquoi il ne voyait pas son amie aujourd'hui.

— Elle va au théâtre, répondit-il.

— Pourquoi n'y allez-vous pas?

— Je n'ai pas d'argent.

— Pas d'argent? Combien vous faut-il?

— Six groschen.

— J'ai justement cette somme sur moi. Je vous l'avance.

Gaspard le remercia avec effusion. Ce soir-là on donnait précisément *Don Carlos* qu'il se réjouissait tant de voir. A part le rôle de la femme qui cherche à séduire le prince, la pièce l'enthousiasma. Son émotion fut à son comble lorsque le marquis dit au roi :

« C'est en vain que vous avez livré un dur combat à la nature, c'est en vain que vous avez sacrifié une noble et royale existence à des projets destructeurs. L'homme vaut plus que vous ne le pensez. Il brisera les chaînes de son esclavage, il réclamera de nouveau ses droits sacrés ».

Le jeune homme se leva, les yeux étincelants, et réprima difficilement un cri d'admiration. L'obscurité dans la salle fit passer l'incident inaperçu et son voisin, un vieux conseiller grincheux, le tira par la manche pour le faire rasseoir.

Le lendemain, Quandt l'interrogea sur sa longue absence de la veille. Le jeune homme avoua s'être rendu au théâtre. « Avec quel argent? » demanda l'instituteur. Gaspard répondit qu'on lui avait donné un billet de faveur. « Qui cela? » Machinalement, encore sous l'influence de la pièce, il cita un nom quelconque. Quandt se renseigna et découvrit naturellement que le jeune homme avait menti. Il lui demanda raison de sa conduite, et mis au pied du mur, Gaspard confessa la vérité; Quandt en informa sur-le-champ Hickel. Le soir,vers cinq heures, retentit dans la cour sous la fenêtre de Gaspard le coup de sifflet bien connu par lequel Schildknecht avait l'habitude de s'annoncer. Le jeune homme descendit.

— Tout est fini pour nous, dit Schildknecht, le lieutenant m'a renvoyé pour vous avoir prêté de l'argent, et je vais reprendre mon service à la caserne.

— C'est toujours ainsi avec moi, murmura tristement Gaspard en baissant la tête, ils n'aiment pas qu'on m'aide.

Il tendit la main au soldat pour prendre congé.

— Ecoutez, dit rapidement l'ordonnance, lorsque je serai libre, deux ou trois fois par semaine, je viendrai dans la cour et je sifflerai comme d'habitude. Vous aurez peut-être besoin de moi. Sait-on jamais.

Il y avait dans ces paroles tant de bienveillance que le jeune homme regarda fixement le visage ouvert de Schildknecht et lui répondit gravement :

— Oui, sait-on jamais.

— Alors, entendu.

Ils passèrent par le vestibule pour gagner la rue. Devant la porte, un huissier du tribunal envoyé pour chercher le jeune homme de la part de M. de Feuerbach l'aborda. Gaspard demanda de quoi il s'agissait .« M. de Feuerbach doit partir à six heures avec le lieutenant et veut vous voir auparavant ». Le jeune homme se mit en route. A cent pas de la maison de Quandt, il fut arrêté : un tombereau, l'essieu cassé, s'était renversé et barrait la route. Après avoir attendu quelque temps, Gaspard fit un détour par la rue de Würzbourg et par les champs.

Mais lorsqu'il arriva chez Feuerbach celui-ci était déjà parti. Sa fille et le conseiller Hofmann écoutèrent en silence ses excuses. Les yeux de la jeune fille étaient gonflés de larmes. Longtemps, elle regarda la rue par où son père avait disparu, puis, silencieusement, elle revint sur ses pas et rentra dans la maison.

CHAPITRE XXIV

Cette année-là, mai fut très pluvieux. Chaque fois que le temps le permettait Gaspard et Mme de Kannawurf allaient se promener toute l'après-midi dans les environs de la ville. Gaspard avait abandonné son emploi de greffier. Aux remontrances qu'on lui fit, il répondit : « Ces paperasses m'assomment ». Sa conduite fut sévèrement jugée par ses supérieurs.

Hickel avait donné à sa nouvelle ordonnance, en son absence, des instructions sévères; aussi importuna-t-elle tant Mme de Kannawurf que celle-ci se plaignit au conseiller Hofmann. Celui-ci, moins par conviction que pour plaire à une jolie femme, autorisa Gaspard à se promener seul avec elle : « Vous ne me l'enlèverez pas, je l'espère », dit-il avec un sourire narquois. Mais Quandt s'insurgea : « Je m'en tiens aux instructions » répétait-il sans cesse. Aussi, un beau matin, Mme de Kannawurf entra dans le bureau de l'instituteur et lui demanda les raisons de son attitude. Quandt pâlissant et rougissant, lui répondit abasourdi : « Je suis à vos ordres, Madame ». Il avait dit cela sur le ton d'un homme qui, mis à la torture, se résigne à tout ce qu'on exige de lui. La jeune femme inspecta la pièce :

— Quels sont vos sentiments à l'égard de Gaspard? dit-elle brusquement.

— Je voudrais pouvoir l'aimer autant que ses amis pensent qu'il le mérite, répondit-il.

Mme de Kannawurf se leva.

— Que veulent dire ces paroles? s'écria-t-elle avec colère. Alors, vous n'aimez pas ce garçon?

Et elle le regarda fixement. Mais bientôt, elle s'adoucit et détourna la conversation.

La faiblesse qu'il avait témoignée à la visiteuse mit Quandt après son départ de mauvaise humeur. Il se demanda ce que cachaient les entrevues de la jeune femme et de Gaspard. Il lisait tous les billets qu'elle envoyait au jeune homme avant de les lui remettre. Mais il n'en put rien conclure : le contenu en était trop naïf. Il crut alors qu'ils correspondaient par quelque langage secret et confronta certaines phrases qui revenaient souvent dans les lettres avec l'espoir d'y trouver la clé. Gaspard protesta contre ces ingérences, mais Quandt lui répliqua que les éducateurs avaient parfaitement le droit de lire la correspondance de leurs élèves. Finalement, Gaspard pria son amie de ne plus lui écrire. Cette naïveté de leurs lettres, Quandt s'il avait pu les entendre l'eût retrouvée dans leurs conversations. Parfois, ils restaient des heures côte à côte sans rien dire.

— N'est-ce pas que la forêt est belle? demandait la jeune femme d'une voix tendre et douce, avec un petit rire qui ressemblait au gazouillement d'un oiseau.

Ou alors, cueillant une fleur dans une prairie, elle disait :

— Comme elle est jolie, n'est-ce pas?

— Oui, elle est jolie, répondait le jeune homme.

— Mais comme vous êtes froid et sérieux.

— Il n'y a pas beaucoup de temps que j'ai la notion du beau, répondait-il, c'est la dernière qu'on acquiert.

Ce printemps-là, il fut heureux. Effectivement, il

n'avait encore jamais réfléchi à la beauté de l'univers et le monde l'émerveillait. Aussi longtemps que le soleil éclairait le ciel, les yeux du jeune homme brillaient de joie. « Il ressemble à un enfant qu'on conduit pour la première fois au jardin après une longue maladie, songeait Mme de Kannawurf » et son cœur battait plus fort à la pensée qu'elle avait peut-être contribué à ce bonheur. Parfois, elle tressait une couronne de feuilles et en ornait le chapeau du jeune homme qui en paraissait tout fier. Mais il restait toujours renfermé, concentré en lui-même, comme s'il allait prendre une grande décision. Un jour, ils convinrent de s'appeler dorénavant Clara et Gaspard. Et elle s'amusa du sérieux avec lequel il observa cet accord. Elle se divertissait aussi des leçons de morale qu'il lui donnait et de ses blâmes pour ce qu'il appelait « sa féminité ». Il lui recommandait de ne pas courir de tous côtés et de ménager sa santé : et quelquefois en effet, elle avait l'air de vouloir s'épuiser à plaisir. Une des distractions préférées de la jeune femme était de monter en haut des tours. Sur celle de l'église Saint-Jean habitait un vieux sonneur dont la longue solitude avait fait un contemplatif. Elle n'hésitait pas, deux fois par jour, à gravir des centaines de marches pour aller causer avec le vieux sage. Penchée au-dessus du parapet en fer de l'étroite galerie, elle regardait l'horizon. Et le sonneur l'avait tellement prise en affection qu'à certaines heures du soir, il faisait dans la direction du petit château des d'Imhoff des signaux convenus avec sa lanterne. Chaque jour, elle faisait de nouveaux projets de voyage, car elle n'aimait pas Ansbach. Le jeune homme lui ayant demandé pourquoi elle parlait toujours de départ, elle lui répondit :

— Je ne puis m'implanter nulle part; dès que je suis

satisfaite, je deviens malheureuse; il me faut toujours découvrir et chercher des êtres.

Un jour — ce fut d'ailleurs la seule fois qu'il en fut question — elle mentionna la brochure de Feuerbach. Gaspard saisit sa main et la serra fortement comme s'il voulait écraser le mot qu'il venait d'entendre. Elle poussa un léger cri de douleur. C'était le soir, ils marchèrent encore jusqu'à la croisée des routes où ils avaient l'habitude de se séparer. Mme de Kannawurf s'approcha tout près du jeune homme et lui dit avec émotion :

— Ainsi, vous voulez faire cela.

— Quoi? répliqua-t-il.

— Cela.

— Oui, dit-il sourdement, mais je suis seul.

— Oui, vous serez seul, seul comme dans votre cachot, non plus en bas, mais en haut.

Elle cessa de parler, car il avait placé une de ses mains sur la bouche de son interlocutrice, l'autre sur la sienne.

— Je rentre chez moi, dit-il brusquement, et il s'éloigna.

La jeune femme le suivit des yeux et il avait déjà disparu depuis longtemps qu'elle fixait encore de ses grands yeux d'enfant l'endroit où il était parti. Une inquiétude terrible l'étreignait. « C'est le plus courageux des hommes, songea-t-elle, et il ne se rend même pas compte de son courage. Qu'ai-je donc en sa présence, et pourquoi suis-je tourmentée chaque fois que je le quitte? » Elle reprit le chemin du château et mit plus d'une demi-heure pour franchir le court trajet. A l'ouest, telles des artères de feu, les éclairs sillonnaient le ciel.

Gaspard se coucha de bonne heure, mais vers quatre heures du matin, des appels, venant de la rue, l'éveillèrent. Une voix criait : « Quandt! Quandt! »

Quoique encore endormi, Gaspard crut reconnaître la voix d'Hickel. Quelque part, une fenêtre s'ouvrit et l'homme dans la rue prononça quelques paroles que le jeune homme ne comprit point. Peu après, il entendit une porte de la maison qui se refermait, puis tout retomba dans le silence. Gaspard se couchait sur le côté pour se rendormir, lorsqu'on frappa à sa porte.

— Qu'est-ce que c'est? cria-t-il.

— Levez-vous, répondit Quandt.

Gaspard sauta de son lit et tira le verrou. Quandt, complètement habillé, le visage livide dans l'aube matinale, parut sur le seuil.

— M. de Feuerbach est mort, dit-il.

Gaspard pris d'un vertige, dut s'asseoir sur son lit.

— Je me rends à la maison mortuaire, continua l'instituteur à mi-voix, si vous voulez m'accompagner, dépêchez-vous.

Dix minutes plus tard, ils étaient dans la rue. Devant le jardin de l'hôtel Feuerbach, il y avait déjà une foule de gens à peine réveillés et consternés. Un jeune boulanger assis sur une marche de l'escalier, pleurait dans son tablier blanc.

— Croyez-vous qu'on puisse monter? demanda Quandt au greffier Dillmann qui, l'air maussade, le chapeau rabattu sur les yeux, faisait les cent pas.

— Mais le corps n'est pas encore arrivé, fit un vieux militaire à la moustache trempée de pluie.

— Je le sais, répondit Quandt oppressé et il suivit le jeune homme qui pénétrait dans la maison.

Toutes les portes du rez-de-chaussée étaient ouvertes. Dans la cuisine, deux servantes, l'air effaré, étaient assises devant un tas de bois. Gaspard et Quandt entendirent soudain des cris perçants qui se rapprochaient.

Ils virent presqu'aussitôt une jeune femme qui poussait de véritables hurlements de démente en se tordant les bras.

— La malheureuse! dit l'instituteur ému.

C'était Henriette et ses cris ne cessèrent qu'à l'arrivée de quelques amis dont Mme de Stichaner. Quandt s'approcha avec le jeune homme du grand salon. Les femmes s'empressaient autour de la jeune fille, mais celle-ci les repoussait à coups de poing.

— Je le savais bien! criait-elle, ils me l'ont empoisonné! ils me l'ont empoisonné!

Les yeux injectés, elle se précipita dans une autre pièce, sa chemise de nuit flottant autour de son corps, tandis qu'elle criait de plus en plus fort : « Ils l'ont empoisonné! Empoisonné! Empoisonné ».

Gaspard, pendant ce temps, regardait le portrait de Napoléon placé devant lui dans le salon et se demandait si l'Empereur n'était pas fatigué de son attitude perpétuelle et majestueuse.

— Partons, fit Quandt, c'est trop triste.

Dans le vestibule, ils croisèrent le conseiller Mieg qui parlait avec Hickel et ce dernier relatait les détails du drame. A Ochsenfurt, sur le Main, son Excellence s'était plainte d'une légère indisposition et s'était alitée. Pris de fièvre pendant la nuit, il avait mandé le médecin qui l'avait saigné en déclarant que la maladie était bénigne. Le lendemain matin, il était mort subitement.

— Et d'après le médecin, quelle est la cause du décès? demanda le conseiller, en s'inclinant en même temps devant Mme de Kannawurf et Mme d'Imhoff qui arrivaient, cette dernière en larmes.

— Il prétend que c'est une défaillance du cœur, répliqua l'officier en haussant les épaules.

Malgré l'heure matinale la ville entière était sur pied et sur le toit de la Cour d'Appel flottaient deux drapeaux en berne.

Ce jour-là Gaspard ne quitta pas sa chambre et ne fut du reste pas dérangé. Couché sur son divan, les mains derrière la tête, il regardait fixement devant lui. Dans la soirée, ayant faim, il descendit. Quandt était sorti, mais sa femme lui dit :

— Le corps est arrivé à quatre heures; vous devriez aller le voir une dernière fois avant la mise en bière.

Le jeune homme fit un effort pour avaler son pain et acquiesça.

— Vous voyez que j'avais raison, à propos de ma rencontre des employés des pompes funèbres, reprit Mme Quandt. Mais les hommes se figurent toujours que tout se fait d'après leurs calculs.

Une foule remplissait le vestibule de l'hôtel Feuerbach. Gaspard, sans être remarqué, se glissa dans un coin et attendit. Il tremblait comme une feuille et l'odeur particulière répandue dans la maison l'étourdissait. Quelqu'un lui prit la main; il leva les yeux et vit Mme d'Imhoff. Elle lui fit signe de la suivre et le conduisit dans une grande pièce au milieu de laquelle le défunt reposait sur un lit de parade. Les trois fils du président étaient assis aux côtés du lit et Henriette s'était jetée sur le corps de son père. A part le conseiller Hofmann et le directeur Wurm, il n'y avait personne d'autre dans la pièce.

Le visage de Feuerbach était jaune citron; les coins de la bouche étaient crispés. La chevelure gris ardoise ressemblait à la peau d'une bête au poil ras. Rien dans ce visage ne rappelait la grandeur d'autrefois; on n'y lisait que douleur et angoisse. C'était la première fois que le jeune homme voyait un mort. Son visage prit une expression douloureuse, ses yeux se révulsèrent et il serra convulsivement de ses doigts son menton et sa bouche. Enfin, il éclata en sanglots.

Henriette de Feuerbach leva la tête. A la vue du jeune homme, son visage se crispa.

— C'est à cause de toi qu'il est mort, hurla-t-elle.

Gaspard, la bouche ouverte, le buste penché en avant, regardait la jeune fille à demi-démente. Deux fois, il se frappa la poitrine et un sourire sembla errer sur ses lèvres. Brusquement, avec un cri étouffé, il perdit connaissance et tomba sur le parquet. Tout le monde fut stupéfait. Les fils du président s'étaient levés et regardaient avec inquiétude le jeune homme inanimé. Le directeur Wurm, reprenant son sang-froid, allait courir chercher un médecin, mais le conseiller l'arrêta en lui disant qu'il fallait éviter tout scandale. Mme d'Imhoff, agenouillée à côté de Gaspard, humectait ses tempes d'eau de Cologne. Lentement, il revint à lui, mais ce ne fut qu'après une demi-heure qu'il put se lever et marcher. Elle l'emmena et, pour ne pas fendre la foule des curieux, elle le conduisit dans le jardin par un escalier dérobé et proposa de le ramener chez lui. « Non, dit-il d'une voix sourde, je désire rentrer seul ». S'arrachant aux consolations affectueuses de la jeune femme, il se dirigea vers l'allée principale du jardin tout en aspirant l'air pur. Devant les grilles, il croisa le lieutenant.

— Alors, Gaspard, lui cria ce dernier.

Gaspard s'arrêta.

— Vous avez raison d'être triste, reprit Hickel, l'air sombre, car qui vous protégera jamais aussi puissamment que M. de Feuerbach?

Le jeune homme ne répondit rien, mais lança au lieutenant de police un long regard comme s'il le perçait à jour.

— Bonsoir, cria une voix claire qui lui fit du bien.

C'était Mme de Kannawurf; elle s'approcha d'eux. Hickel blêmit.

— Madame, dit-il galamment, puis-je profiter de cette occasion pour mettre à vos pieds mes hommages dévoués?

Involontairement, la jeune femme fit un pas en arrière. Avec l'air d'un homme qui se jette à l'eau, brusquement l'officier s'inclina et avant qu'elle ait pu faire un geste, il lui prit la main et la baisa goulûment. Lorsqu'il se redressa, ses lèvres étaient encore entr'ouvertes. Puis, sans un mot, il s'éloigna rapidement. La jeune femme, stupéfaite, le regarda partir.

— Il me fait horreur, murmura-t-elle.

Pendant toute cette scène, le jeune homme était resté indifférent. Accompagné de Mme de Kannawurf, il rentra chez lui, sans avoir prononcé un mot. Une fois dans sa chambre, ses yeux prirent un éclat étrange et luirent dans la lumière crépusculaire comme deux vers luisants. Il se plaça au milieu de la chambre et frémissant des pieds à la tête prononça l'exhortation suivante. « Si je te connais, je te nomme. Si tu es ma mère écoute-moi. Je vais vers toi, il le faut. Je t'envoie un messager. Si tu es ma mère, pourquoi me fais-tu attendre si longtemps. Il est temps d'agir et je n'ai pas peur. Ils m'appellent Gaspard Hauser, mais toi tu m'appelles autrement. Mon messager est fidèle, Dieu le conduira et l'éclairera de son soleil. Parle-lui; et par lui renseigne-moi. »

Puis il redevint très calme, s'assit à sa table de travail, prit une feuille de papier et, malgré l'obscurité, y écrivit ce qu'il venait de dire. Il ferma la lettre, et n'ayant pas de cire, fit couler le suif d'une chandelle allumée sur le papier et y imprima son cachet qui représentait un cheval et portait la légende : « Fier, mais bon ».

Une demi-heure passa. Il restait assis, immobile, les yeux clos et souriait. Parfois, il semblait prier car ses lèvres remuaient. Il pensait à Schildknecht et souhaitait de toutes ses forces qu'il vînt.

Et comme si son désir pouvait créer la réalité, à ce même moment, le coup de sifflet familier retentit dans la cour. Le jeune homme alla à la fenêtre et l'ouvrit : c'était bien le soldat. « Je descends tout de suite », cria le jeune homme. Arrivé en bas, il le prit par la manche de son habit et l'amena dans une ruelle déserte. De temps en temps, il s'arrêtait et se retournait. Ainsi, ils passèrent devant la maison du douanier et arrivèrent à une grande pelouse. Dans le sentier, il y avait une carriole. Gaspard s'assit sur le timon, attira Schildknecht près de lui et lui murmura à l'oreille :

— A présent, j'ai besoin de toi.

Le soldat inclina la tête.

— Tout est en jeu, continua Gaspard.

Une seconde fois, Schildknecht inclina la tête.

— Voici une lettre, il faut qu'elle parvienne à ma mère.

Une fois encore, Schildknecht inclina la tête, mais cette fois avec respect.

— Je sais, dit-il, la princesse Stephanie.

— Comment le sais-tu?

— Je l'ai lu dans la brochure de Feuerbach.

— Et sais-tu aussi où tu devras aller?

— Oui, c'est dans mon pays.

— Lui donneras-tu la lettre?

— Oui.

— Et peux-tu me jurer sur ton salut éternel que tu la

lui remettras toi-même? Que s'il le faut, tu iras au château, à l'église si elle s'y trouve, que tu arrêteras son carrosse si elle se promène?

— Un serment est inutile; rien ne m'arrêtera.

— Je ne puis m'en charger moi-même, reprit le jeune homme, je n'atteindrais pas le village le plus proche : on me rattraperait et on m'emprisonnerait.

— Je le sais.

— Comment procéderas-tu?

— Je mettrai des habits de paysan, je dormirai le jour dans les bois, je courrai la nuit.

— Où dissimuleras-tu la lettre?

— Dans mon bas, sous la plante de mon pied.

— Quand partiras-tu?

— Quand il vous plaira : demain, aujourd'hui; tout de suite. C'est une désertion, mais qu'importe.

— Oui, qu'importe, si tu réussis. As-tu de l'argent?

— Pas un écu, mais tant pis.

— Si, il t'en faudra. Il t'en faudra beaucoup. Viens, je vais t'en chercher.

Gaspard sauta à terre et marcha dans la direction des d'Imhoff suivi de son ami. Arrivés devant la grille, il ordonna au soldat de l'attendre, entra et demanda à parler à Mme de Kannawurf. Le vieux domestique courut la chercher. Elle arriva aussitôt et le conduisit dans un petit salon qui n'était pas éclairé et où une grande glace allait de la plinthe à la frise et brillait à la clarté lunaire. Le domestique alluma les bougies et se retira.

— Ne me demandez rien, dit le jeune homme ému, j'ai besoin de dix ducats; voulez-vous me les donner?

Elle le regarda inquiète :

— Attendez-moi, répondit-elle à voix basse, et elle sortit.

Son absence sembla durer un siècle au jeune homme. Accoudé à la fenêtre, il passait sans cesse une main sur sa joue. Enfin, elle revint. Elle lui tendit un petit rouleau. Il le prit, lui serra la main en balbutiant quelque chose. Le visage de Mme de Kannawurf frémit et ses yeux se voilèrent. Comprit-elle? Peut-être; en tout cas, elle ne lui demanda rien. Un sourire mélancolique passa sur ses lèvres tandis qu'elle raccompagnait le jeune homme; sourire qui la rendit à cet instant d'une émouvante, beauté.

Schildknecht l'attendait, appuyé contre les grilles et regardant la lune. Ils repartirent vers la ville. Après avoir fait cent pas, le jeune homme s'arrêta et remit au soldat la lettre ainsi que le rouleau d'argent. Schildknecht les prit d'un air indifférent sans mot dire.

Arrivés devant le Kronacher Buck, le soldat fit observer à son compagnon qu'il était préférable qu'on ne les vît pas ensemble. Ils se serrèrent la main et se séparèrent. Schildknecht se retourna encore une fois et d'une voix qu'il voulait rendre enjouée lui cria : « Au revoir! »

Gaspard resta quelque temps à la même place. Comme halluciné, il avait envie de se jeter dans l'herbe, d'enfouir ses mains dans la terre pour laquelle il éprouvait de la reconnaissance.

Il rentra tard, mais personne ne le remarqua, car Quandt avait été convoqué par le conseiller Hofmann. Il en rapporta une nouvelle sensationnelle.

— Il paraît, Josette, dit-il, que pendant son voyage avec le lieutenant, Feuerbach s'était complètement récusé quant à l'affaire Gaspard Hauser. Il devait même déclarer publiquement que son opuscule en faveur du jeune homme était une erreur.

— Qui dit cela, demanda sa femme?

— Hickel, le conseiller Hofmann, tout le monde du reste.

— On prétend que Feuerbach a été empoisonné.

— Ragots stupides s'emporta Quandt. Ne répands pas de pareils bruits. Le lieutenant a menacé les propagateurs de semblables propos de les faire emprisonner et traduire en justice. Où est Gaspard?

— Au lit, je crois. Cet après-midi, il est venu dans la cuisine se plaindre des mouches qui envahissaient sa chambre.

— Voilà de quoi il s'occupe! C'est tout lui.

— Je lui ai dit qu'il n'avait qu'à les chasser. « C'est ce que je fais » répondit-il, « mais il en vient vingt autres aussitôt ».

— Vingt, fit Quandt, pourquoi vingt? Il les a comptées!

Et ils allèrent se coucher.

Le jour des obsèques de Feuerbach, Daumer et le baron de Tucher, venant de Nuremberg descendirent à l'hôtel de l'Etoile. Daumer se rendit aussitôt chez Quandt. Gaspard se montra très simple avec son ancien protecteur, mais celui-ci eut la pénible impression que le jeune homme ne le voyait ni ne l'écoutait. Il le trouva pâli, grandi, silencieux et serein.

Dans une lettre à sa sœur, Daumer disait entre autres : « Je mentirais en affirmant que j'ai été content de revoir le jeune homme. C'est le contraire. Et si tu m'en demandes la raison je te répondrai comme le cancre à son maître : je ne sais pas. D'ailleurs, il vit ici dans une paix profonde, et terminera ses jours, ce qui est assez triste, dans un bureau obscur ou dans quelque emploi subalterne. »

Quant au baron de Tucher, il repartait le même jour

sans avoir vu Gaspard. Daumer passa trois jours dans la ville, ayant à faire. Il ne vit pas Gaspard à l'enterrement de Feuerbach et sut que M^{me}d'Imhoff l'avait empêché de s'y rendre. Il comprit en outre, que le jeune homme l'évitait à dessein, ce qui le blessa. Une heure avant son départ, il eut une conversation avec Quandt.

— Comment! Un homme intelligent comme vous ne peut-il expliquer sa conduite? lui dit l'instituteur. Il est cependant clair que voyant l'indifférence croître chaque jour autour de lui il ne tienne pas à revoir ses anciens amis de Nuremberg, amis d'une époque où on le considérait et où il avait toute sorte de faveurs. Nous sommes en train de le percer à jour, et vous connaîtrez sous peu de curieuses révélations.

Il est probable que Daumer rentra à Nuremberg déçu. Il aurait volontiers crié comme il l'avait fait un soir lorsqu'il avait pressé Gaspard contre son cœur : « O homme! O homme! » Mais les circonstances n'étaient plus les mêmes. De pénibles pensées le traversaient, une espèce de remords naissait en lui, le poussant, mais trop tard, à agir. Le premier pressentiment de la vérité naquit en lui.

CHAPITRE XXV

Les semaines qui suivirent, les racontars allèrent bon train à Ansbach. On prétendait que la mort de Feuerbach était le résultat d'un complot. Mais ces accusations restaient dans le vague et les colporteurs de ces nouvelles se tenaient sur leurs gardes. On alla jusqu'à prétendre que Stanhope faisait partie lui aussi du complot et on annonça même qu'il allait faire un procès à Gaspard et qu'il s'était assuré le concours d'un avocat célèbre. Bientôt, l'enthousiasme qu'on avait jadis professé pour Feuerbach s'atténua et le souvenir qu'il avait laissé fit place à la prudence. Là-dessus, les amis de Gaspard s'inquiétèrent et Mme d'Imhoff alla voir Hickel. Celui-ci répondit sèchement qu'il était obligé de confirmer que l'opinion générale avait changé.

— Le vent a tourné, dit-il, et même lord Stanhope ne considère plus Gaspard que comme un imposteur.

Mme d'Imhoff lui tourna le dos.

— Ah ! Ah ! ricana l'officier après son départ, les bonnes âmes commencent à avoir peur.

Hickel avait loué un nouvel appartement sur la Promenade et y vivait en grand seigneur. Les gens se demandaient bien d'où il pouvait tirer son argent. On pensait qu'il avait de la chance aux cartes, quoique d'autres prétendissent qu'il perdait régulièrement de lourdes sommes.

Un autre bruit commença à courir : pendant l'été, un soldat avait disparu de façon mystérieuse de son régiment. En d'autres temps, un pareil incident eût passé inaperçu, mais on broda sur cette affaire; on affirma que le soldat chargé de la surveillance de Gaspard avait eu connaissance de certains secrets et qu'on s'était débarrassé de lui. Alors un souffle de crainte et de suspicion passa sur la ville. Mme de Kannawurf, quoique inattaquable, ne fut pas épargnée. On lui reprocha d'éviter les gens de son monde et de fréquenter le peuple, de passer de longues heures avec les femmes des paysans et des ouvriers. Parfois, elle montait chez le vieux sonneur ou se joignait aux enfants qui rentraient de l'école. Et à la grande stupéfaction des bourgeois, on la rencontrait souriante, déambulant par les rues de la ville au milieu d'une bande de garçons et de filles. « C'est une démagogue » disait-on. Aussi les gens bien pensants interdirent-ils à leurs enfants de l'accompagner. Et même les autorités trouvaient sa conduite scandaleuse, car on avait remarqué que le lieutenant de police était resté pendant deux heures un soir au pied d'un arbre devant le château des d'Imhoff.

Un soir d'août cette étrange personne entra dans la chambre de son amie Mme d'Imhoff et se jeta sur un sofa. Essoufflée par une longue course elle resta quelque temps sans parler.

— Qu'est-ce que tu as encore, Clara? lui demanda Mme d'Imhoff. Cela ne s'appelle plus vivre, mais brûler sa vie.

— Rien à faire, répondit la jeune femme, je dois voyager.

Mme d'Imhoff fit d'amicaux reproches à son amie. Depuis trois mois elle entendait souvent ces paroles :

— Enfin, tu resteras bien jusqu'à notre tête de famille, lui dit-elle.

Après un silence, Mme de Kannawurf se tourna vers son amie et lui dit :

— Pourquoi ne prendrais-tu pas Gaspard chez toi? demanda-t-elle. Il ne peut ni ne doit rester plus longtemps chez Quandt. Personnellement, je ne puis franchir le seuil de cette maison. Sa situation est terrible, Bettina. Pourquoi te dis-je tout cela? Tu le sais et nous le savons tous. Vous êtes là à vous lamenter, mais personne ne bouge, personne n'a le courage de faire quoi que ce soit.

Mme d'Imhoff surprise, gardait les yeux fixés sur la tapisserie qu'elle tenait à la main.

— Je ne suis ni assez heureuse, ni assez malheureuse pour sacrifier mon sort à celui d'un étranger, répliqua-t-elle enfin.

Clara posa sa tête sur la main de son amie.

— Un beau livre, un drame et l'on est bouleversé par des souffrances imaginaires. Un air mélancolique t'arrache des larmes, Bettina; souviens-toi que tu as pleuré lorsque Mlle de Stichaner a chanté dans *Le Voyageur* de Schubert la strophe « Le Bonheur est là où tu n'es plus ». Tu n'as pas dormi de la nuit lorsqu'on t'a dit qu'à Weinberge une mère avait laissé son enfant mourir de faim. Pourquoi prodigues-tu toujours ton intérêt à l'irréel et au lointain. Pourquoi es-tu émue par le mot, le son, l'image et non par l'être vivant dont la détresse est vraie. Je ne te comprends pas, non, je ne te comprends pas.

Mme d'Imhoff restait silencieuse. Finalement, elle se leva, caressa le front de son amie et lui dit :

— Tu peux lui dire que s'il vient chez moi, je me chargerai de lui.

Clara reconnaissante étreignit son amie.

Ce n'était qu'à contre-cœur que Mme d'Imhoff avait pris cette décision; aussi fut-elle soulagée lorsqu'elle apprit le lendemain que contre toute attente Gaspard refusait de quitter la maison de l'instituteur. Tout d'abord il n'avait pas donné de raison, mais devant l'air désolé de Mme de Kannawurf il s'était expliqué : « C'est ici qu'on m'a mené, c'est ici que je resterai. Je ne veux pas qu'on dise que, mécontent de l'hospitalité des Quandt, j'ai été recueilli par pitié chez les d'Imhoff. J'ai ici mon pain et mon lit : je n'ai besoin de rien d'autre. Et après tout, le lit est encore la meilleure chose ». Rien n'ébranla son entêtement. « Vous pouvez, conclut-il, disposer de moi comme vous l'entendez, mais il ne sera pas dit que j'aurai quitté volontairement les Quandt. Et puis du reste, je n'en ai plus pour longtemps ici ». Cette dernière phrase était révélatrice. Elle expliquait pourquoi il restait des heures entières penché à la fenêtre, surveillant la rue, pourquoi il écoutait lorsqu'il voyait deux individus se parler tout bas, pourquoi chaque jour il guettait l'arrivée de la diligence et demandait au facteur s'il y avait quelque chose pour lui. Il attendait et attendrait aussi longtemps qu'il le fallait, le temps n'avait point d'importance. Mme de Kannawurf essayait de l'arracher à cette obsession qui le séparait du reste du monde et le privait de tous les plaisirs. Elle aurait voulu le distraire. La fête de famille dont lui avait parlé Mme d'Imhoff fut pour elle une bonne occasion. Cette fête avait été organisée par M. d'Imhoff pour les noces d'or de ses parents et fixée au douze septembre. Un ami de la maison, le jeune docteur Lang, avait écrit une comédie en vers que devaient interpréter quelques intimes. Pendant les répétitions qui avaient lieu dans un salon de l'étage supérieur on dut remplacer l'un des figurants qui jouait mal le rôle d'un berger muet. Mme de Kannawurf qui tenait elle-même un rôle eut alors l'idée, approuvée par tous, de demander à Gaspard. Celui-ci accepta. Il pensait qu'il se tirerait facilement de ce rôle de personnage muet et cela satisfaisait son goût inné du théâtre. Il assistait assidûment aux répétitions et ne s'y ennuyait pas quoique le ton ampoulé de la comédie ne lui plût qu'à moitié.

Cette pièce anodine devait se rapporter dans la pensée de l'auteur à un événement qui était arrivé autrefois dans la famille des d'Imhoff et que le public devinerait facilement. Un des frères du baron avait été compromis au début du XIXe siècle dans une émeute d'étudiants. Maudit par son père, poursuivi par les autorités, il s'était réfugié en Amérique. Amnistié, il avait abjuré ses idées libérales et avait reconquis la faveur paternelle.

Cet événement banal avait inspiré l'auteur dans la composition de sa pièce. Un roi offre à un de ses anciens compagnons d'armes en séjour chez lui un banquet. A cette occasion, il se glorifie de sa puissance, de la paix dont jouissent ses états, et des vertus de ses sujets. Les courtisans à sa table, par leurs flatteries, le confirment dans cette illusion. Seul l'hôte se permet de lui dire hardiment qu'il a remarqué une tache sur la pourpre du maître. Le roi vexé relève vertement ces paroles. Pendant ce temps, des moissonneurs et des moissonneuses s'assemblent dans la cour du château pour fêter par des rires et des chants la fête de la moisson. Mais subitement, tous s'arrêtent. Lorsque le roi demande la raison de ce silence on lui dit que le berger noir, disparu depuis de longues années, est revenu et se trouve mêlé à la foule. L'hôte demandant qui est ce personnage, on lui explique

que cet homme a l'étonnant pouvoir d'éveiller chez quiconque, par un simple regard, le souvenir de sa plus lourde faute. Comme pour confirmer ces paroles, des gémissements et des pleurs partent de la foule. Le roi donne l'ordre d'éloigner l'étranger, mais la reine, sur les prières de l'hôte, fait avancer le berger. Il regarde le roi qui cache son visage. Ensuite il regarde la reine et celle-ci émue apprend aux spectateurs que son fils aîné, déshérité pour avoir fomenté une conspiration, a disparu sans laisser de trace. Tout à coup elle se lève et s'avance les bras tendus vers le berger qui n'est autre que le fils repentant. On le reconnaît, on l'embrasse, le roi s'attendrit et tout se termine dans la joie.

Gaspard ne se montra pas maladroit. Au cours des répétitions il s'identifia tellement avec son personnage qu'il en fut transformé. Et Mme de Kannawurf, dans le rôle de la reine, en fit de même. Elle se donna à sa tâche avec tant de conviction qu'elle fit prendre un relief inouï à son personnage et éclipsa ses partenaires. Tous deux semblaient vivre dans un monde à part.

Par une très chaude journée de septembre, vers six heures du soir, les invités arrivèrent, une cinquantaine de personnes environ. Les femmes étaient en grande toilette, les hommes en habit et en uniforme brodé. Une estrade avait été dressée d'un côté de la salle et le directeur du Schloss-Theater avait mis à la disposition du baron des accessoires et des figurants. Dans une pièce contiguë se trouvaient le buffet et l'orchestre, car on devait danser après le souper.

A sept heures, une cloche retentit et chacun gagna sa place. Le rideau se leva et le roi se mit à déclamer sa tirade. L'hôte, dont le rôle était tenu par l'auteur, répliqua respectueusement. Puis, vint l'intermède des moissonneurs et tout se déroula normalement jusqu'à l'entrée de Gaspard. Il portait un costume noir qui lui allait admirablement et faisait ressortir la pâleur de son teint. Dès son apparition les toussotements et chuchotements cessèrent et un silence absolu régna dans la salle. C'était un spectacle saisissant de le voir s'avancer vers le roi et vers la reine en souriant comme dans un rêve. Quelques-uns remarquèrent qu'il tremblait et que ses doigts étaient crispés. Puis vint le monologue de la reine. Celle-ci, à un moment s'approchant du jeune homme, lui passa les bras autour du cou.

A cet instant, du fond de la salle, un homme s'élança vers la rampe et cria : « Arrêtez! » Les acteurs furent saisis et les spectateurs émus se levèrent. « Qu'est-ce que c'est? Que se passe-t-il? » On se poussait, on se bousculait, des femmes affolées crièrent, des chaises furent renversées et le baron n'évita qu'à grand'peine la panique.

Pendant ce temps, l'auteur de ce tumulte se tenait toujours immobile au pied de l'estrade : c'était Hickel. Pâle, l'air méchant, il fixait la scène et ne semblait rien voir d'autre que Gaspard et Mme de Kannawurf qui serrés l'un contre l'autre regardaient la salle d'un air craintif. Le premier qui parla fut le Dr Lang. Il s'avança jusqu'à la rampe et l'air furieux, demanda à l'officier la raison de son intervention déplacée.

— Je présente mes plus sincères excuses à l'honorable société, dit le lieutenant d'une voix forte, et comme j'étais moi-même parmi les invités je pense qu'on me croira lorsque j'affirme qu'il m'a été pénible de provoquer un tel incident. Mais je ne puis supporter que ce garçon s'amuse à l'heure même où je viens d'apprendre une nouvelle terrible, surtout pour lui, et qui aura de graves conséquences.

— Mais c'est stupide, répondit le Dr Lang irrité. Quel que soit le malheur que vous ayez à annoncer, votre façon de procéder est inadmissible. Vous n'aviez qu'à attendre la fin de la représentation, surtout si la nouvelle est fâcheuse. C'est insensé et contraire aux convenances.

— Bravo! Très bien! crièrent quelques personnes.

Hickel baissa la tête.

— Enfin, de quoi s'agit-il? dit M. d'Imhoff en s'avançant.

— Le comte Stanhope s'est suicidé, répondit l'officier d'une voix sourde.

Il y eut un silence. Presque tous les regards se tournèrent vers Gaspard qui, appuyé contre un portant, avait fermé les yeux.

— Avec une arme à feu? demanda le baron.

— Non, répondit Hickel, il s'est pendu.

Un frémissement d'horreur passa dans la salle.

— Connaissez-vous d'autres détails? demanda le baron en se mordant les lèvres.

— Non, je ne connais que vaguement ce qui est arrivé. Il était en séjour chez un ami sur la côte de Normandie. Le quatre septembre au matin on l'a trouvé mort dans sa chambre, pendu par un cordon de soie.

— Nous regretterons tous la mort du comte, reprit le baron en fixant Hickel, personne ici, je crois, ne l'oubliera. Mais, il faudra que nous reparlions, lieutenant, de votre étrange conduite.

La maîtresse de maison, aidée de quelques amis, s'efforça de ramener la gaieté, mais au moment où les domestiques allumaient les bougies, on vint lui annoncer que sa belle-mère, celle justement pour laquelle on donnait la fête, s'était trouvée indisposée à la suite de cette émotion et était montée dans sa chambre. Ce fut le signal du départ. Le président du gouvernement et le commissaire général prirent congé les premiers et finalement il ne resta que des amis très proches.

— Ce brave Stanhope, fit d'Imhoff, j'ai toujours pensé qu'un jour il nous ferait une terrible surprise.

— Et que va devenir le pauvre Gaspard? fit remarquer quelqu'un.

Pendant le départ précipité des invités, le jeune homme s'était réfugié dans un petit cabinet de toilette réservé aux acteurs. Les jeunes gens partirent après s'être changés. Quelque temps après un domestique venu pour éteindre les lumières découvrit Gaspard. Mme de Kannawurf lui demanda s'il voulait rentrer et il répondit que oui. Arrivés à la porte, elle remarqua qu'il pleuvait et décida d'attendre, mais bientôt l'averse augmenta et les gouttes résonnèrent pressées sur les arbres et sur le sol desséchés. Un vent froid et humide s'éleva et Mme de Kannawurf proposa au jeune homme de l'accompagner dans sa chambre.

Elle alluma une chandelle et regarda rêveusement la flamme. Ses épaules frissonnaient de froid. Gaspard s'était assis sur un divan. Il était tellement fatigué qu'il se laissa tomber en arrière. La jeune femme s'approcha de lui et lui prit la main, mais il la retira. Il ferma les yeux et sembla perdre connaissance. Mme de Kannawurf poussa un cri d'inquiétude et tomba à genoux à ses côtés. Puis elle appela une femme de chambre, se fit apporter de l'eau, en remplit un verre qu'elle lui tendit. Il en but quelques gorgées. « Comment te sens-tu? » murmura-t-elle, en le tutoyant pour la première fois. « Tu es comme une sœur », répondit-il avec un sourire reconnaissant et en posant ses doigts sur cette tête penchée vers lui.

Clara voulut le presser contre elle comme pour le réchauffer, mais il se déroba craintivement. Elle voulut alors se relever quoiqu'il continuât à lui caresser le bras, « Clara » dit-il avec une telle expression de douleur, qu'elle crut défaillir et ne bougea pas.

Les heures s'écoulèrent ainsi et ils restèrent silencieux immobiles et émus, étendus l'un à côté de l'autre. Lorsque minuit sonna à l'horloge du château, Clara tressaillit, se leva et dit : « Jamais, non jamais ! ». Puis elle alla à la fenêtre et l'ouvrit. La pluie avait cessé depuis longtemps, le ciel limpide était parsemé d'étoiles.

Elle proposa au jeune homme de passer la nuit au château, mais il refusa. Alors, elle se rendit dans la chambre de Mme d'Imhoff longeant la salle à manger où les derniers invités buvaient en devisant. La baronne n'était pas couchée. Clara lui apprit qu'elle avait passé tout ce temps seule avec Gaspard. Mme d'Imhoff la regarda étonnée : « Demain matin, je ferai mes malles » continua Mme de Kannawurf d'un ton décidé. Mme d'Imhoff se leva et s'approcha d'elle. Et subitement elles tombèrent dans les bras l'une de l'autre en pleurant : toute parole était superflue, elles s'étaient comprises.

Puis Mme d'Imhoff dit qu'elle voulait reconduire Gaspard chez lui : « Mais c'est impossible, lui dit son amie, ou alors je vais te faire accompagner par un domestique ».

— Oh non, tu sais bien que je n'ai jamais peur, et que je déteste que l'on s'inquiète de moi. J'aime la nuit et je me réjouis de pouvoir rentrer toute seule.

Un quart d'heure plus tard, elle accompagnait Gaspard sur la route encore détrempée qui menait à la ville. Comme dans la chambre, ils gardèrent le silence. Arrivés devant la maison de l'instituteur, ils se tendirent la main :

— Tu vas me quitter pour toujours maintenant, dit le jeune homme avec émotion.

Elle le regarda, surprise.

— Oui, je pars, dit-elle enfin.

— Pourtant, près de toi, je me sentais bien.

— Mais je reviendrai, dit-elle avec un enjouement forcé, et du reste, nous nous écrirons; pour Noël, je reviendrai.

— Je reviendrai... je connais ces mots, fit Gaspard tristement. Noël, c'est bien long. T'écrire? A quoi bon! Ce n'est jamais que du papier. Pars. Adieu.

— Il le faut, murmura la jeune femme en regardant les étoiles. Regarde Gaspard, l'éternel est là-haut. Non, nous n'oublierons pas. La méchanceté des hommes vient de ce qu'ils oublient. Nous, nous aurons les étoiles et lorsque tu les regarderas, je serai près de toi.

— Adieu, murmura faiblement le jeune homme en secouant la tête.

Une fenêtre s'ouvrit au rez-de-chaussée et l'instituteur parut coiffé d'un bonnet de nuit, et rentra précipitamment.

Clara repartit par les rues désertes de la ville. « Je lui suis funeste en restant, songeait-elle et le plus terrible des malheurs me menace. Comme j'ai été heureuse lorsqu'il m'a appelée sa sœur. J'ai cru avoir retrouvé mon frère perdu. Mais je n'ai pas le droit d'être plus pour lui qu'une sœur. Le toucher! troubler son sommeil! l'embrasser! je serais une meurtrière si je l'avais fait. Non, il vaut mieux que je fuie, un bon génie le protégera ».

Comme elle ne cessait de regarder le ciel et de suivre surtout la constellation de la Grande Ourse, elle ne remarqua pas un individu appuyé au portail du château.

Lorsqu'il lui barra le passage, elle recula brusquement :

— Grand Dieu ! pensa-t-elle, c'est cet homme affreux.

Hickel s'inclina devant la jeune femme.

— Pardon, Madame, pardon, dit-il, non seulement pour la frayeur que je vous cause, mais encore pour tout le reste. Vous êtes belle, Madame, et je voudrais que vous sachiez que votre beauté m'obsède et joue avec moi comme un gamin avec sa toupie.

Clara recula d'un pas, croisa ses bras sur sa poitrine et lui dit d'un ton sec :

— Je vous prie de me laisser passer.

— Bien des choses dépendent de vous à cette heure, reprit l'officier. Je n'ai jamais été un mendiant et cependant de vous je mendie une faveur. Avec votre visage d'ange, vous ne pouvez rien me refuser.

Il fit un pas de côté et Mme de Kannawurf sans un mot passa devant lui, sonna et le portier qui l'avait attendue ouvrit aussitôt. Lorsqu'elle se trouva dans le château, elle ressentit comme une déchirure dans la tête et s'arrêta dans l'escalier. Quelque chose la poussait à revenir sur ses pas et à parler encore une fois à cet homme.

Lorsque le lendemain Gaspard vint voir Mme d'Imhoff, il apprit que Mme de Kannawurf était partie. Il demanda alors à Mme d'Imhoff de lui montrer le portrait de Clara qu'il n'avait pas revu depuis la première soirée où on l'avait fait voir aux invités. Elle le conduisit dans une pièce où le tableau était accroché entre deux autres, représentant des ancêtres de la famille.

Sans un mot, il le regarda longtemps. Quand il partit, Mme d'Imhoff promit de lui en faire exécuter une copie. Il était tellement absorbé qu'il en oublia de la remercier.

CHAPITRE XXVI

Pendant quelque temps on parla d'un déplacement disciplinaire d'Hickel, mais rien ne se produisit et bientôt l'affaire parut enterrée. Sans nul doute, des influences occultes étaient intervenues en faveur du lieutenant. « On ne peut rien contre lui, disaient les gens, il est dangereux, car il en sait trop long ». Hickel, du reste, assurait bien son service et était redouté de ses inférieurs. Sa vie devint plus mystérieuse que jamais et en dehors du casino et du service, il ne parlait à personne. Il passait ses nuits au poste de police uniquement pour tyranniser ses soldats.

Quandt lui-même avait appris à le craindre. Une après-midi d'octobre que l'instituteur était en train de prendre son café avec Gaspard et sa femme, Hickel était entré brusquement dans la pièce en traînant son sabre. Sans saluer personne, il interpella le jeune homme d'un ton tranchant.

— Dites donc, sauriez-vous par hasard ce qu'est devenu le soldat Schildknecht?

Gaspard devint livide. Hickel le regarda fixement et au bout d'un moment, agacé par son silence, hurla : « Savez-vous quelque chose, oui ou non! Parlez, ou, aussi vrai que Dieu m'assiste, je vous fais jeter en prison. »

Le jeune homme voulut se lever, mais un bouton de sa

veste se prit dans les franges de la nappe et lorsqu'il recula la cafetière se renversa et le liquide se répandit. L'institutrice poussa un cri et Quandt, mécontent du ton hautain de l'officier et de son attitude, demanda sèchement : « Que lui voulez-vous encore? »

— Cela me regarde, cria Hickel.

— Dites-moi, lieutenant, vous pourriez être plus aimable quand vous êtes chez moi.

— Vous, vous n'êtes qu'une chiffe. Comment, voilà deux ans que ce gaillard loge chez vous et vous n'en savez pas plus sur lui que le premier jour. Si c'est tout dont vous êtes capable, ce n'est pas fameux.

Le coup porta. Quandt rentra sa colère et se tut.

— J'en ai assez, continua Hickel; je vais en parler au conseiller et désormais je vais prendre Hauser en charge.

— Vous m'obligeriez beaucoup, fit Quandt sèchement en quittant la pièce.

Mme Quandt resta assise, tandis que l'officier arpentait nerveusement la pièce en s'essuyant le front avec la manche de son uniforme. « Qu'est-ce que j'ai? Qu'est-ce que j'ai donc » répétait-il. Puis brusquement, il se tourna vers Hauser :

— Vous êtes un misérable! lui dit-il et possédé par le diable. Votre complice est arrêté, il va être extradé et conduit à la Plassenburg.

— C'est inexact, fit Gaspard tout bas. Il sourit en disant ces paroles et soudain éclata de rire. Hickel étonné se mordillait les lèvres en le regardant. Brusquement, il prit son képi et après un dernier et mauvais coup d'œil au jeune homme sortit.

Quandt n'oublia pas l'affront du lieutenant. Il s'en plaignit au Conseiller mais celui-ci ne montra que peu d'empressement à intervenir. L'instituteur profita de sa visite pour régler une autre affaire.

Depuis la mort de Feuerbach, le Conseiller avait la haute main sur la personne de Gaspard. Il n'y avait plus à compter sur une aide comme celle de Stanhope. On avait bien fait des démarches auprès du bourgmestre Enders pour obtenir une subvention de la ville, mais rien n'avait été décidé. Gaspard avait obtenu du tribunal une légère augmentation de traitement qu'il versait intégralement à l'instituteur, ce qui ne lui laissait rien pour ses dépenses personnelles. Au début d'octobre, il fut confirmé, et il comptait sur le Taggeld, indemnité spéciale qui lui avait été promise par la ville pour ce jour-là. Comme l'affaire traînait en longueur, il s'en plaignit au pasteur Fuhrmann qui lui conseilla de demander à Quandt d'aller recevoir la somme à la mairie.

— Je ne ferai pas une pareille démarche, dit Quandt, je n'irai pas quémander, ce n'est pas dans ma nature.

— Alors, avancez-lui la somme de votre poche, dit le conseiller, on vous les rendra.

— Gaspard n'offre aucune garantie, répondit l'instituteur, je dépense du reste assez comme cela, la situation ne peut pas durer.

— Mais il a pourtant des amis riches qui pourraient l'aider.

— Parlons-en, soupira Quandt, on le trouve trop intéressant pour penser à ses besoins d'argent.

— Enfin, je viendrai chez vous demain et je demanderai à Gaspard pourquoi il insiste tant pour avoir cet argent.

Ce soir-là, Gaspard entra dans le bureau de Quandt et les mains jointes, le supplia de ne pas le laisser partir. Il promit de faire tout ce qu'on voudrait pourvu qu'on ne le confiât pas à Hickel. L'instituteur le calma comme il put et ajouta que pour le moment il ne pouvait en être question et que le lieutenant avait seulement voulu l'effrayer.

— Non, dit Gaspard, aujourd'hui Mayer en a parlé au tribunal.

— Allons, Gaspard, vous, un homme, vous vous conduisez comme un enfant, répliqua Quandt. Je ne puis vous prendre au sérieux. Et puis, le lieutenant ne vous mangerait pas quoiqu'il soit, je le reconnais, parfois brusque. Enfin, vous êtes aujourd'hui un chrétien dans toute l'acception du mot et vous devez vous souvenir de cette belle maxime : « Fais du bien à tes ennemis et tu amasseras des charbons ardents sur leurs têtes ».

— Cette parole est commentée dans les *Grains de blé* de Dittmar, répondit-il.

— C'est juste, continua Quandt, nous l'avons expliqué ensemble. Eh bien, pour que vous vous souveniez de cette belle parole, je vous propose de développer les pensées qu'elle vous inspirera. Ce sera votre devoir et vous pourrez y consacrer toute l'après-midi de demain.

Gaspard parut accepter.

Le Conseiller ne vint pas le lendemain comme il l'avait promis, mais le surlendemain seulement. En entrant dans la chambre du jeune homme, il vit Quandt qui le grondait fortement, et comme il s'informait, il lui dit : « Il me donne vraiment trop de mal. Avant-hier, je lui donne un sujet de dissertation, il me promet de la faire; or, je viens de lui réclamer le cahier et comme vous pourrez vous en assurer par vous-même, il n'a pas écrit une ligne : c'est inadmissible. »

Ce disant, l'instituteur montrait au Conseiller le cahier. Au haut de la page se trouvait le titre du devoir : « Fais du bien à tes ennemis afin d'amasser des charbons ardents sur leur tête ». Le reste de la page était blanc.

— Pourquoi n'avez-vous pas travaillé? demanda sèchement le Conseiller.

— Je ne puis, répondit le jeune homme.

— Vous devriez pouvoir, cria Quandt, vous m'avez dit avant-hier que le sujet était traité dans votre livre de lecture, ce n'aurait donc pas été difficile de trouver quelques pensées, si vous aviez voulu.

— Essayez encore une fois, dit le conseiller doucement. N'écrivez que quelques lignes. En attendant, M. Quandt et moi nous passerons dans la chambre à côté et, à notre retour vous nous présenterez votre essai pour nous prouver au moins votre bonne volonté.

Les deux hommes sortirent et le Conseiller remit à l'instituteur deux ducats d'or, cadeau de Mme d'Imhoff, à qui il avait dépeint la gêne de Gaspard. Celle-ci s'excusait de ne pouvoir faire plus, mais elle n'avait pas la libre disposition de sa fortune.

— D'autre part, continua le Conseiller, le jeune homme est venu chez moi pour me prier de m'opposer à ce qu'on le confiât à Hickel.

— C'est insensé; il ennuie tout le monde avec ses récriminations puériles, il m'a demandé la même chose.

— Il paraît avoir une sacrée peur du lieutenant.

— Oui, concéda Quandt, l'officier est extrêmement sévère avec lui.

— Je lui ai répondu, reprit le Conseiller, que de mon côté il n'avait rien à craindre et que s'il faisait son devoir, personne ne l'importunerait.

— Parfaitement juste.

— Nous avons abordé la question d'argent, mais je n'ai rien pu tirer de lui. J'ai promis de lui donner pour son anniversaire cinq écus et lui en ai demandé la date; il m'a avoué tristement qu'il ne la connaissait pas, ce qui, je l'avoue, m'a ému. Je reconnais pourtant que ses manières sournoises et obséquieuses m'ont déplu.

— Ah, obséquieux, vous pouvez le dire, surtout lorsqu'il veut arriver à ses fins.

Après cette conversation, ils allèrent retrouver le jeune homme; ce dernier était assis à sa table de travail, la tête appuyée sur sa main. « Alors, qu'avez-vous fait? » cria le Conseiller d'un ton jovial. Prenant le cahier il constata avec surprise qu'une seule phrase était écrite : « S'ils t'ont brutalisé, rends-leur le bien ».

— C'est tout? fit le conseiller.

— Curieux, murmura Quandt.

Le Conseiller se plaça devant le jeune homme et sans préambule lui dit : « Dites donc, Gaspard Hauser, parmi tous ceux que vous avez connus, quel est celui pour lequel vous éprouvez le plus d'affection? » Le visage du vieillard prit une expression rusée, car il avait gardé l'habitude, de ses fonctions de magistrat, de poser les questions, même les plus insignifiantes, avec ironie.

— Levez-vous quand le Conseiller vous parle, souffla Quandt à l'oreille du jeune homme.

Gaspard se leva; flairant un piège, il regardait perplexe autour de lui. Brusquement il se dit que peut-être l'instituteur lui en voulait de n'avoir pas fait sa composition et croyait qu'il le considérait comme son ennemi. Aussi ses yeux se portèrent sur Quandt et il dit : « C'est vous, monsieur, que j'aime le plus ».

Le Conseiller échangea avec l'instituteurun signe d'intelligence et toussota.

« Oui, pensa Quandt, il veut me corrompre »; et il était tout fier de ne pas en être dupe.

La vie de Gaspard devint de plus en plus monotone et solitaire. Il n'avait personne à qui parler. Mme de Kannawurf ne donnait pas de ses nouvelles et quoiqu'il eût prétendu qu'il ne tenait pas aux lettres, ce silence le tourmentait. Vivait-elle encore? Où était-elle? Souvent, il n'avait même plus le goût de sortir : toutes les promenades lui étaient odieuses; aucun travail ne l'intéressait. En outre, le temps était mauvais et il y eut en novembre de violentes tempêtes. Il passait alors des heures assis dans sa chambre, regardant la ligne des coteaux à l'horizon, et le ciel nuageux, pour retomber ensuite dans ses rêveries. Il attendait, il attendait toujours. Un jour, à l'insu de tous, il alla à la caserne et s'informa prudemment si l'on avait des nouvelles de Schildknecht. On ne savait rien et cela ranima ses espoirs. Les jours suivants il se sentit malade et eut de la peine à quitter son lit Quelques étrangers vinrent le voir mais il se montrait désagréable et taciturne. L'engageait-on à se rendre à quelque soirée, il répondait tristement : « A quoi bon ». Passant un soir sur la place du château et levant les yeux vers l'imposante façade aux fenêtres toujours closes, il lui sembla apercevoir dans les salons qu'il croyait vides de gigantesques silhouettes qui l'observaient d'un air hostile. Elles étaient toutes vêtues de pourpre et portaient au cou des chaînes d'or. Une immense douleur le saisit et il fut sur le point de se jeter à terre et de hurler comme un chien.

Il se sentait toujours transi et malheureux. Une nuit, il rêva d'une coupe d'or posée sur un bloc de pierre verte. Elle contenait cinq cœurs d'où s'échappaient des parfums bizarres. Ce n'étaient pas des cœurs ordinaires, mais ils avaient la forme que donnent les fabricants de pain d'épice aux leurs. Devant la coupe se tenait Gaspard lui-même qui disait à voix haute : « Voici le cœur de mon père, celui de ma mère, ceux de mon frère et de ma sœur ; voici le mien ». Ce dernier était placé au-dessus des autres et avait des yeux vivants et tristes.

Il éprouvait souvent le sentiment que de loin une personne qui lui était chère agissait pour lui; elle parlait, et souffrait pour lui, mais un monde les séparait et quoi qu'elle entreprît, rien ne pourrait diminuer la distance. Il prévoyait de sinistres événements et souvent il s'arrêtait, écoutant comme s'il cherchait à saisir une conversation. Les mains croisées sous son menton, il souriait craintivement.

Il eût fallu que Quandt fût aveugle pour ne pas s'apercevoir de quelque chose. Il groupa ses observations sous un même titre : la lutte contre la conscience coupable. « Depuis que j'ai vu avec quelle indifférence il a accueilli la mort de Stanhope, pensait Quandt, je n'ai plus de bienveillance pour lui. Pour moi, perdre Stanhope, ce fût presque perdre un frère, lui n'a même pas daigné simuler la tristesse. Il a un cœur de pierre et il est d'une basse ingratitude ».

Un jeudi, au début de décembre, après le dîner, Quandt lui demanda s'il avait fini la version qu'il devait remettre le lendemain. Gaspard répondit très nettement, mais avec une amabilité feinte, du moins Quandt le pensa, qu'il l'avait terminée. L'instituteur prit le livre, lui indiqua la totalité du texte à traduire et lui demanda une seconde fois si vraiment il avait tout traduit.

— Parfaitement, et j'ai même fait un paragraphe en plus, dit Gaspard.

Quandt ne le crut pas; le devoir contenait en effet des difficultés dont Gaspard ne pouvait se tirer sans se faire aider. Pourtant, il ne fit aucune remarque devant sa femme et le laissa remonter dans sa chambre.

Cinq minutes après, Quandt, le livre à la main, montait retrouver le jeune homme. Ce dernier avait déjà fermé sa porte à clé et demanda à l'instituteur ce qu'il désirait. « Ouvrez », ordonna Quandt sèchement. Lorsqu'il fut dans la chambre, il se mit à lire quelques phrases prises au hasard et le pria d'indiquer comment il les avait traduites. Gaspard se tut un instant puis répondit que jusqu'ici il n'avait fait que préparer son devoir et qu'il allait se mettre à la traduction. « Ah, vraiment ! » fit l'instituteur froidement, puis il lui dit bonsoir et se retira.

Il redescendit, rapporta l'affaire à sa femme et tous deux furent d'accord pour ne voir dans la conduite de Gaspard qu'un entêtement puéril. Le lendemain, il en informa le Conseiller et celui-ci écrivit une petite lettre à Gaspard qu'il remit à l'instituteur. Gaspard lut le billet en présence de Quandt et le lui tendit d'un air gêné. Dans la lettre, le Conseiller mettait le jeune homme en garde contre certains défauts, marques de natures vulgaires et qui malheureusement « ne paraissent pas étrangères à notre Gaspard ».

Ce même soir, après dîner, Quandt montrant un cahier à Gaspard, lui dit.

— On a arraché une feuille de ce cahier ; je vous l'avais pourtant bien défendu.

— Il y avait une tache sur cette feuille et je ne voulais pas qu'elle restât ainsi.

Pour toute réponse, l'instituteur ordonna au jeune homme de le suivre dans son bureau. Il fit allumer une bougie par sa femme, la prit et le précéda. Arrivé dans son cabinet, il ferma soigneusement la porte et commença :

— Vous ne supposez pourtant pas que je crois à votre excuse.

— Quelle excuse? murmura le jeune homme.
— Celle de la tache.
— Pourquoi ne pas y croire?
— Connaissez-vous le proverbe : le mensonge n'est bon à rien car il ne sert qu'une fois. Vous, mon ami, vous avez menti plus d'une fois.
— Non, je ne mens pas, murmura le jeune homme.
— Et vous osez me soutenir cela en face?
— J'ignore si je mens.
— Et vous chicanez par-dessus le marché, fit l'instituteur amer. Si je ne relève pas tous vos mensonges, c'est que j'ai la certitude que le mal est sans remède. Vous niez toujours jusqu'à l'évidence. Et alors même, vous n'avouez pas.
— Dois-je dire oui quand c'est non. Prouvez-moi donc que j'ai menti, fit Gaspard en lançant à l'instituteur un de ces regards que celui-ci qualifiait de sournois.
— Gaspard, vous me peinez beaucoup. Je ne suis pas embarrassé pour trouver des preuves; j'en ai plus qu'il ne m'en faut. Ainsi souvenez-vous de l'histoire du chandelier. Vous souteniez que la poignée s'était cassée et il a été démontré que la chaleur l'avait fait fondre.
— Cela s'est passé comme je l'ai dit.
— Je ne vous crois pas. D'ailleurs, je vous assure que j'ai soigneusement noté le fait par écrit afin de fournir le cas échéant un rapport complet sur votre conduite.
Gaspard, l'air triste, se taisait.
— Continuons, dit Quandt. Prenons un fait récent. Que vous n'ayez pas fini hier votre traduction ou que vous n'ayez voulu la faire que dans votre chambre, cela n'avait aucune importance, mais pourquoi prétendre alors que vous l'aviez terminée puisque vous n'en aviez pas écrit un seul mot?

— Je pensais que vous me demandiez si je l'avais préparée.

— C'est risible et vous dénaturez simplement mes paroles. J'ai demandé distinctement : avez-vous fait votre version? Ma femme qui était présente peut en témoigner.

— Alors j'ai mal compris.

— Mensonge : vous n'aviez du reste même rien préparé. Vous ne pouvez en faire accroire qu'à celui qui ne vous connaît pas. Mais moi, je vous perce à jour comme pas mal d'autres. Il n'y a plus que quelques familles qui vous tiennent pour un jeune homme aimable et franc; la plupart savent que vous n'avez qu'une imagination vulgaire et un sot orgueil, que vous êtes indifférent ou arrogant avec vos inférieurs, surtout lorsque vous êtes avec des gens d'un rang plus élevé. Vos mensonges, je m'offre à vous les prouver publiquement. Ainsi, on parlait à dîner chez moi du Conseiller Fliessen. Ma femme disait que ce bon vieillard était peiné de ne pouvoir se trouver au milieu des siens à Worms. Là-dessus j'ai expliqué qu'il avait beaucoup de parents et de petits enfants dans le Palatinat. Il en a onze, avez-vous déclaré, on l'a dit chez le commissaire général. Je répondis que contrairement à ce que vous assuriez, j'avais entendu parler de dix-neuf. Sans être absolument positif, j'avais le sentiment que vous lanciez ce chiffre au hasard pour nous prouver que vous connaissiez très bien la famille du commissaire général et ses familiers. Voyons, n'ai-je pas raison?

— Je suis sûr qu'on a parlé de onze petits-enfants.

— Croyez-vous?

— J'en suis sûr.

— Mais n'avez-vous pas honte d'insister ainsi. C'est

stupide, pour ne pas dire plus. L'affaire en soi importe peu, mais votre effronterie révèle votre caractère. Elle prouve que vous ne convenez jamais d'une faute et que vous ne consentez jamais à avouer une faiblesse. A la première occasion, je demanderai moi-même au conseiller le nombre de ses petits-enfants. Si vraiment il en a onze, vous recevrez toutes les excuses qui vous sont dues, mais dans le cas contraire, je vous confondrai de façon que vous vous souveniez de moi.

Résigné, Gaspard baissa la tête.

— Il me reste mon cher à vous dire le principal grief que j'ai contre vous, reprit Quandt après un silence pendant lequel on entendit le vent mugir contre les fenêtres et siffler dans la cheminée. Le moment est venu pour vous de parler franchement. Vous croyez encore que le monde entier est assez crédule pour accueillir naïvement la légende de votre mystérieux emprisonnement et de votre haute naissance. Mon cher, vous vous trompez lourdement. Au début, je le reconnais, on s'est occupé de cela comme d'une énigme; mais peu à peu les gens raisonnables sont devenus convaincus que vous êtes devenu la victime — laissez-moi taire de quels défauts vous êtes la victime. Je crois même, Gaspard, qu'à l'origine, vous ne comptiez pas pousser aussi loin votre machination. L'hiver dernier, au moment de la publication du livre du Président, vous paraissiez effrayé des conséquences de votre mystification et vous me faisiez penser à un enfant qui, jouant avec le feu, s'aperçoit soudain que la maison est en flamme. Vous craigniez de perdre la bonne place que vos ruses vous avaient procurée. Regardez en vous-même, Gaspard et vous verrez que j'ai raison.

Le jeune homme fixa l'instituteur d'un regard éteint.

— Parfait; je ne veux pas vous forcer à me répondre, continua Quandt avec une profonde satisfaction. Aujourd'hui, le silence s'est fait autour de vous; votre cas n'intéresse plus personne. Il en était de même à l'époque qui a précédé la prétendue tentative de meurtre dans la maison du professeur Daumer. Parmi les milliers d'habitants de Nuremberg, on n'a trouvé personne de suspect. Vos amis, naturellement, crurent à ce fantôme masqué, comme ils croyaient au romanesque geôlier qui, dit-on, vous a enseigné à lire et à écrire; puis, le professeur Daumer vous a congédié, il avait ses raisons. Vos protecteurs les plus influents, M. de Feuerbach, lord Stanhope, Mme Behold sont morts; n'est-ce pas un signe du ciel? Vous n'avez pas de raison de continuer à jouer cette comédie. A présent, vous êtes un homme et vous devez penser à devenir un membre utile de la société humaine. Confiez-vous à moi, Gaspard, avouez-moi tout, sincèrement.

— Que faut-il que je dise? demanda le jeune homme d'une voix lente et sourde.

L'instituteur s'approcha de lui et prit cette main lourde et glacée.

— La vérité, s'écria-t-il d'un ton suppliant. C'est lamentable de voir dans vos yeux le spectre de votre conscience coupable, de votre âme accablée. Redressez cette poitrine tourmentée, laissez-y pénétrer les rayons du soleil. Courage, dites-moi la vérité. Ayez confiance.

Saisissant le jeune homme par le collet de son habit, Quandt semblait vouloir lui arracher son secret.

— Mais vous dire quoi, quoi? fit Gaspard tandis que son regard douloureux errait autour de la pièce.

— Je vais vous aider, reprit Quandt. Prenons comme point de départ quelque chose de réel. A votre arrivée à Nuremberg, vous avez montré une lettre et vous portiez dans les poches de votre vêtement plusieurs livres écrits par des moines; l'un d'eux portait comme titre : *L'art de rattraper le temps perdu.* Dites-moi qui a écrit cette lettre et vous a donné ces livres?

— Qui? Mais celui chez qui j'étais.

— Naturellement, répliqua nerveusement l'instituteur. Mais comment s'appelait celui chez qui vous étiez? Vous ne me tenez pas pour assez bête pour croire que vous l'ignorez. C'était votre père, votre oncle ou votre frère peut-être, un de vos compagnons de jeu, n'importe qui. Enfin, représentez-vous que vous êtes en présence de Dieu et qu'il vous dise : d'où viens-tu? Où est ton pays? L'endroit où tu es né? Qui t'a affublé d'un faux nom? Comment t'appelais-tu dans ton berceau? Qui t'a appris à tromper les hommes? Que répondriez-vous alors dans votre détresse si Dieu dans sa majesté vous sommait de vous justifier, d'expier les mensonges commis.

Gaspard regarda l'instituteur. Il lui sembla que le sang s'arrêtait de couler dans ses veines et qu'autour de lui tout tournait.

— Enfin, que répondriez-vous? répéta Quandt sur un ton où la crainte se mêlait à l'espoir, car il croyait que la porte fermée allait s'ouvrir brusquement.

Le jeune homme se leva lourdement et la bouche frémissante dit : « Je répondrais : si tu me poses de pareilles questions, tu n'es pas Dieu ».

Quandt fit un pas en arrière.

— Blasphémateur! hurla-t-il; va-t'en monstre d'impiété! continua-t-il en le désignant du doigt. Hors d'ici infâme! Ne souille pas plus longtemps l'air que je respire!

Gaspard se dirigea vers la porte et au moment où il

l'ouvrait, dominant le bruit du vent, la pendule sonna dix heures.

Quandt dormit mal. Il ne cessa de gémir et de se rouler dans ses draps. Il dut regretter son emportement car le lendemain il chercha à se rapprocher du jeune homme. Mais celui-ci resta froid et fermé. Le soir, Quandt amena la conversation sur la famille du conseiller Fliessen. Il déclara qu'il s'était informé et lança à Gaspard sur un ton plaisant.

— Dix-huit petits-enfants, Gaspard, il en a dix-huit. Vous voyez que j'ai eu raison.

Le jeune homme ne répondit rien.

— Vous ne mangez plus rien du tout, observa Mme Quandt.

— Je n'ai pas d'appétit, murmura Gaspard.

Le onze décembre, Quandt rentra très en retard, pour déjeuner, l'air troublé. Il s'était querellé violemment avec un charretier. Ce dernier rouait son cheval de coups parce que celui-ci n'arrivait pas à tirer une lourde voiture dans une rue escarpée qui mène au marché. Quandt avait interpellé la brute et pris quelques passants à témoin de cette cruauté. Le conducteur furieux, s'était avancé vers lui en brandissant le manche de son fouet, en l'insultant grossièrement.

— Dieu merci, je connais le nom de ce gaillard et je ferai un rapport à Hickel. Il ne se lassait pas de décrire, comment la pauvre bête tirait vainement sur ses traits, au point que le sang avait jailli de ses flancs.

— Le misérable saura ce qu'il lui en coûte de maltraiter un animal.

Quand Gaspard fut allé se coucher, Mme Quandt demanda à son mari si le silence du jeune homme pendant tout ce récit ne l'avait pas surpris.

— Oui, il n'a pas ouvert la bouche; j'en ai été très étonné, fit Quandt.

Une demi-heure après, il monta dans la chambre de Gaspard et demanda à celui-ci de déposer chez Hickel un rapport écrit qu'il avait rédigé sur l'incident. A trois heures, le jeune homme revint et lui apprit que le lieutenant ayant pris une permission de plusieurs jours était parti en voyage.

CHAPITRE XXVII

Le surlendemain, un vendredi, au moment où à midi, il se disposait à quitter le Palais de Justice, Gaspard fut abordé par un étranger. C'était un homme d'allure distinguée, à la taille mince et élancée, les joues et le menton cachés par une barbe noire. Il lui demanda quelques instants d'entretien. Gaspard fut saisi car il y avait dans la voix de l'homme quelque chose d'à la fois très pressant et très respectueux. Ils se dirigèrent à quelques pas de l'escalier à un endroit où ils étaient sûrs de ne pas être dérangés. Remarquant la timidité de Gaspard, l'étranger lui sourit d'un air encourageant et lui dit avec déférence : « Vous êtes bien Gaspard Hauser, ou du moins, vous l'avez été jusqu'ici, car dès demain vous quitterez ce nom. Le premier regard que j'ai jeté sur votre visage m'a bouleversé. Prince, mon prince, permettez-moi de vous baiser la main. »

Ce disant, il se baissa rapidement et respectueusement posa ses lèvres sur la main du jeune homme. Celui-ci ne proféra pas un son; il lui semblait que son cœur s'était arrêté.

— Je viens de la Cour en qualité de messager de votre mère, et je viens vous chercher, reprit l'étranger du même ton hâtif et déférent. Je suppose que depuis longtemps vous vous y attendiez, mais nous devons être sur nos gardes car de graves dangers nous menacent. Il vous faut fuir avec moi; tout est prêt. Il faut seulement que je sache si vous êtes disposé à vous confier à moi sans réserve et si je puis compter sur votre discrétion absolue.

Incapable de répondre, Gaspard considérait le visage de cet homme, visage qui lui paraissait extraordinaire et fabuleux, dont le nez et les joues cependant étaient marqués de petite vérole.

— Votre silence est éloquent, reprit l'inconnu en s'inclinant. Mon plan est le suivant. Demain, dans l'après-midi trouvez-vous dans le square de la cour à côté de l'allée des Tilleuls en venant de l'hôtel Freiberg. De là on vous conduira à une voiture qui vous attendra. L'obscurité naissante favorisera notre fuite. Venez sans manteau, tel que vous êtes. Je vous donnerai les vêtements dus à votre rang. Au premier relais, à la frontière que nous pouvons atteindre en trois heures, vous changerez d'habits. Pour vous, je suis un inconnu en qui vous ne pouvez avoir entièrement confiance, aussi avant de monter en voiture je vous remettrai un signe qui vous fera reconnaître sans doute possible que votre mère m'a donné plein pouvoir pour cette mission.

Le jeune homme ne broncha pas. Son corps vacillait légèrement comme si le vent allait le renverser.

— Puis-je considérer que vous acceptez? demanda l'étranger.

Il dut répéter sa question. Enfin, le jeune homme inclina lentement la tête et il lui sembla que sa gorge se serrait.

— Vous trouverez-vous, mon prince, à l'endroit convenu, à l'heure fixée?

Mon prince! Gaspard devint livide. De nouveau il regarda ce visage troué de petite vérole, de nouveau il inclina la tête d'un air condescendant.

L'étranger leva son chapeau et s'inclina profondément.

Puis il s'éloigna et disparut dans la direction de la rue du Cygne. Pendant toute cette scène qui avait duré environ cinq à dix minutes, le jeune homme n'avait pas prononcé un mot. Peut-être était-ce de la joie qu'il éprouvait, mais était-ce bien de la joie, ce frisson qui le glaçait jusqu'à la moëlle des os, comme une douche froide?

Il repartit s'arrêtant tous les cinq ou six pas, croyant que la terre allait s'entr'ouvrir sous ses pieds. Il considérait sa main et, plongé dans ses réflexions, touchait de l'extrémité de son doigt la place que l'étranger avait effleurée de ses lèvres.

Il faisait bon savoir qu'à chaque pas, à chaque regard, à chaque pensée le temps s'écoulait car, ce qui seul importait maintenant, c'est que le temps s'écoulât.

Rentré chez lui, il fit prévenir qu'il ne mangerait pas et monta dans sa chambre. Il alla à la fenêtre et murmura, tandis que les larmes coulaient sur son visage : « Dukatus est arrivé ». Ses pensées ressemblaient assez au vol nocturne des oiseaux sauvages. « Jusqu'ici, pensait-il, j'ai été Gaspard, demain, je serai l'autre. Mais que suis-je à présent? Hier, j'étais un pauvre scribe, demain je porterai peut-être un manteau bleu orné de galons d'or. Dukatus m'apportera une épée longue, mince et droite comme un jonc. Mais tout cela est-il vrai? Tout cela est-il possible? Oui, puisque cela doit être. »

Il n'alluma sa lampe que lorsque la nuit fut complète. Mme Quandt lui fit demander s'il ne désirait rien manger et il répondit qu'il prendrait volontiers un morceau de pain avec un verre de lait; on les lui monta. Puis il commença à vider ses tiroirs, jeta au feu des liasses de papiers et de lettres, rangea avec soin ses cahiers et ses livres. Ouvrant un coffre, il en retira, enfoui sous un monceau d'autres objets, le petit cheval de bois qu'il avait toujours gardé.

Il le considéra longtemps : il était blanc avec des taches noires et sa queue retombait jusque sur la planchette. « Mon cher petit cheval, dit-il, toi qui m'accompagnes depuis tant d'années, que vas-tu devenir maintenant? Mais je reviendrai te chercher et je te construirai une écurie en argent ». Puis il déposa avec précaution le jouet sur une encoignure à côté de la fenêtre.

Il pourra sembler étrange qu'une nature aussi lucide que la sienne ait fait preuve d'une telle crédulité à l'instant de ce soi-disant changement de destinée, qu'aucun doute, qu'aucune crainte, qu'aucun étonnement ne soit même venu l'effleurer. Un événement aussi peu banal aurait certes éveillé la méfiance d'un enfant ou même d'un imbécile. Mais lui, qui avait connu tant de visages faux et qui les avait démasqués, lui, pour qui le monde n'était pas autre chose que n'est pour l'hirondelle le nid détruit en son absence par des mains criminelles, il saisit avec confiance cette main inconnue qui se tendait vers lui, cette main rigide, froide et muette.

A neuf heures, il se coucha et dormit d'abord profondément. Plus tard, il entendit sonner tous les quarts aux clochers des églises. De temps à autre, il se redressait et regardait dans les ténèbres. Puis il rêva. Il se tenait devant un miroir et disait : « C'est bizarre, j'ai la nette sensation que cette glace est brillante et pourtant je rêve ». Il se réveilla ou crut se réveiller, quitta son lit ou crut le faire, marcha dans sa chambre, se recoucha, s'endormit de nouveau, se réveilla et pensa : « Ai-je rêvé ou non cette histoire de miroir? » Il alla au miroir de nouveau, se regarda, se trouva un air étrange qui l'effraya et recouvrit la glace d'un linge bleu orné de galon d'or. Puis il se recoucha et se réveilla vraiment; il dut reconnaître qu'il avait rêvé, car rien ne cachait le miroir.

Le lendemain matin, il alla comme de coutume au tribunal. Ses yeux paraissaient brouillés et il travailla difficilement. A onze heures, il ferma son encrier, rangea soigneusement ses affaires et sortit sans dire un mot. Quandt, qui assistait à une conférence d'instituteur, n'était pas là. Gaspard déjeuna seul avec sa femme qui ne parla que du temps. « La tempête a démoli la cheminée de notre toit, racontait-elle, et notre voisin le tailleur Wust a failli être assommé par une tuile ».

Gaspard ne parlait pas; il regardait par la fenêtre mais la pluie et la neige mêlées tourbillonnaient dans la rue avec une telle violence qu'il entrevoyait à peine la maison en face.

Il ne prit que de la soupe et remonta dans sa chambre dès qu'on servit la viande. A trois heures, il descendit sans manteau, vêtu de son vieil habit brun. De sa cuisine, Mme Quandt l'interpella :

— Où allez-vous, Gaspard?

— Chez le Commissaire Général, pour y chercher quelque chose répondit-il avec calme.

— Par ce froid, sans manteau? fit la jeune femme étonnée en s'avançant sur le seuil.

— Adieu, Madame, dit-il, en regardant distraitement son habit, et en s'éloignant.

Avant de fermer la porte de la rue, il jeta un dernier regard sur le vestibule, sur la rampe festonnée de l'escalier, sur la vieille armoire brune aux ferrures de cuivre placée entre la porte de la cuisine et celle du salon, sur la boîte à ordures pleine d'épluchures de pommes de terre, de croûtes de fromage, d'éclats de verre, d'os et de copeaux et autour de laquelle rôdait toujours le chat gourmand. Il lui sembla, malgré son rapide examen, qu'il n'avait jamais vu les objets aussi nettement.

Lorsque le loquet fut retombé, le poids presque insupportable qu'il avait sur la poitrine s'allégea et ses lèvres se contractèrent en un pâle sourire. « J'écrirai à l'instituteur, se dit-il, ou plutôt je viendrai le voir moi-même en voiture à la fin de l'hiver. Je m'arrangerai pour que ce soit dans l'après-midi, à l'heure où il est chez lui. Il s'avancera jusqu'à la porte cochère, je ne lui tendrai pas la main et je feindrai d'être un autre car dans mon beau costume il ne me reconnaîtra pas. Il me fera une profonde révérence : « Votre Seigneurie daignera-t-elle entrer dans ma maison? » dira-t-il. Et une fois dans la chambre, je me présenterai : « A présent, me reconnaissez-vous? » lui dirai-je. Il tombera à genoux, alors je lui tendrai la main et lui dirai « Comprenez-vous maintenant que vous avez été coupable envers moi? » Il me reconnaîtra. « Maintenant, continuerai-je, amenez-moi vos enfants, et faites chercher le lieutenant Hickel ». Je donnerai des cadeaux aux enfants, quant à l'officier, sans un mot, je le regarderai... Oui, je le regarderai...

La demie de trois heures sonna à l'église Saint Gumbertus. Comme il était très en avance, il fit le tour des maisons sur la place du marché. Devant le presbytère il s'arrêta un instant; le feu intérieur qui le consumait lui faisait ignorer le froid. Il ne remarqua que quelques personnes qui se pressaient de rentrer, comme fouettées par le vent.

A quatre heures moins le quart, il s'avança dans le passage du château. A ce moment on l'appela, il leva les yeux et vit l'étranger à ses côtés. Celui-ci portait un manteau à plusieurs collets surmonté d'un col de fourrure. Il s'inclina en murmurant quelques mots que Gaspard ne comprit pas car le vent soufflait avec une telle violence qu'il eût fallu crier pour se faire entendre.

D'un geste, l'étranger lui fit comprendre qu'il l'accompagnerait au lieu du rendez-vous.

Quelques pas seulement les séparaient du parc du château, l'étranger ouvrit la petite grille et s'effaça devant le jeune homme. Celui-ci passa devant comme s'il devait en être ainsi. Son visage avait une expression d'orgueil et de crainte : l'instant était grave... Dans le temps qu'il lui fallut pour aller de la petite grille aux premiers arbres de l'allée des Tilleuls, par la place de l'Orangerie couverte de neige, plusieurs événements de sa vie passée lui revinrent sans lien à la mémoire; ainsi les psychologues prétendent qu'un homme tombant d'une tour revoit durant sa chute toute son existence. Gaspard se souvint du merle étendu mort sur la table, les ailes écartées, de la cruche d'eau qui contenait sa boisson dans sa prison, de la belle chaîne d'or que le lord lui avait présentée de cette main fine et blanche qui était la sienne; il revit aussi le salon du château de Nuremberg où l'avait conduit Daumer et la forme harmonieuse de la fenêtre gothique où son regard s'arrêtait maintenant avec un ravissement qu'il n'avait pas ressenti alors.

Arrivé au carrefour, l'étranger courut en avant et fit un geste mystérieux. Gaspard remarqua derrière les buissons deux autres individus dont les cols relevés dissimulaient complètement les visages.

— Qui sont ces personnes? demanda-t-il avec hésitation.

Il chercha des yeux la voiture, mais la tourmente de neige empêchait que l'on vît à plus de dix pas devant soi.

— Où est la voiture? demanda-t-il.

Ne recevant pas de réponse, il tourna les yeux vers les deux hommes cachés dans les buissons. Ceux-ci, autant qu'il en put juger, s'approchèrent. Ils crièrent quelque chose à l'étranger qui accompagnait le jeune homme, puis coururent se poster de l'autre côté du chemin.

L'étranger porta la main à la poche de son manteau en retira une petite bourse violette et dit : « Ouvrez-la; vous trouverez le signe que votre mère vous a remis ». Le jeune homme prit la bourse et tandis qu'il s'efforçait de défaire le cordon qui la nouait, l'étranger leva sa main qui tenait un objet long et brillant et l'abattit contre la poitrine du jeune homme.

— Qu'est-ce cela? fit Gaspard stupéfait.

En même temps, il sentit quelque chose de froid qui pénétrait profondément dans sa chair.

— Grands dieux, mais je souffre! pensa-t-il en chancelant et en lâchant la bourse.

Terrifié, il tenta de se retenir à l'un des petits arbustes et voulut crier, mais en vain. Brusquement, la nuit se fit devant ses yeux et il tomba à genoux. Il aurait voulu prier l'étranger de l'aider, mais les pieds de cet homme qui était encore là une seconde avant, avaient disparu. L'obscurité se dissipa devant ses yeux, il regarda autour de lui : il était seul; il n'y avait plus personne derrière les buissons. S'aidant de ses pieds et de ses mains, il se traîna le long des arbustes, baissant la tête pour se protéger contre la poussière de neige que le vent lui lançait à la figure. Il fit quelques mouvements instinctifs avec son corps, comme s'il cherchait un trou pour s'y terrer, puis cessant de ramper il s'assit. Il se sentait glacé et il lui semblait qu'un liquide coulait au-dedans de lui. « J'aimerais savoir ce que renfermait la bourse, songeait-il en claquant des dents ». Mais il avait tellement peur qu'il n'osait plus regarder la place où l'avait amené l'étranger. « Si seulement, je connaissais un mot qui pût me soulager, songeait-il » et il murmura deux fois « Dukatus ». Et, soudain, il parut retrouver ses forces et songea à se lever et à rentrer chez lui. Il se redressa et put marcher d'abord en chancelant, mais bientôt il se mit à courir. Son corps paraissait avoir perdu toute pesanteur et il continua sa course jusqu'à la grille du jardin, puis il franchit la place du château passa devant l'église jusqu'au Kronachen Buck et ne s'arrêta que dans le vestibule des Quandt.

Trempé de sueur, haletant, il s'appuya contre le mur. La première qui le vit fut la servante et épouvantée par son aspect, elle poussa des cris. Quandt sortit de son bureau, suivi de sa femme. Gaspard les regarda l'air hébété et sans dire un mot se contenta de leur montrer sa poitrine.

— Qu'y a-t-il? demanda sèchement l'instituteur.

—... Parc du château... frappé... poignard... balbutia l'infortuné.

Quandt sourit, oui, il sourit. On aura beau nous supplier de dire l'exacte vérité, nous ne pourrons répondre rien d'autre que : Quandt sourit.

— Où êtes-vous blessé? mon cher, demanda-t-il.

Le jeune homme désigna sa poitrine et Quandt déboutonna la veste, le gilet et la chemise pour examiner la blessure. Effectivement, il y avait une plaie de la taille d'une noisette, mais pas la moindre trace de sang.

— Alors, on vous a poignardé? fit Quandt. Eh bien, retournons sur-le-champ à l'endroit où cela s'est passé. Et d'abord que faisiez-vous à cette heure et par ce temps à cet endroit. Allons, partons, nous allons vérifier cela tout de suite.

Le jeune homme ne protesta pas. Il suivit l'instituteur dans la rue. Celui-ci le prit par le bras et l'entraîna comme un infirme. Longtemps ils marchèrent sans rien dire; enfin, Quandt lui dit d'un ton désagréable : « Voilà la plus stupide plaisanterie que vous ayez trouvée jusqu'à présent. Cette fois, vous ne vous en tirerez pas à votre honneur, comme chez le professeur Daumer, c'est moi qui vous le dis.

Gaspard regarda le ciel et fit :

— Dieu... Savoir...

— Allons, trêve de simagrées, cria Quandt, je sais ce que je sais. Vous pouvez appeler Dieu, au fond, vous n'êtes qu'un impie. Si j'ai un conseil à vous donner, avouez sur-le-champ et ne jouez pas plus longtemps la *Muette de Portici*. Vous vouliez nous faire peur et monter les gens les uns contre les autres. Poignardé? Pourquoi faire? Pour vous voler vos malheureux sous, peut-être? Absurde. Et puis, marchez plus vite, je suis pressé.

— La bourse... Je veux la trouver, balbutia le jeune homme.

— Quelle bourse?

— Celle... que l'homme m'a donnée.

— Quel homme?

— Celui qui m'a frappé.

— Mais Hauser, c'est inouï. Vous figurez-vous par hasard que je crois à l'existence de cet homme? Pensez-vous que j'ignore le véritable auteur de cette blessure? Mais avouez donc, avouez que c'est vous qui vous êtes légèrement blessé. Et alors, je ferai silence sur cette affaire et je vous pardonnerai.

Alors Gaspard pleura.

Arrivés près du parc, brusquement, et à la consternation de Quandt, il s'écroula. L'instituteur avisa quelques passants et leur demanda de reconduire le jeune homme chez lui pendant qu'il irait prévenir la police. Les passants durent attendre assez longtemps que le jeune homme eût repris quelque force mais même alors, il fut difficile de le faire avancer.

Plus tard les médecins déclarèrent incompréhensible que Gaspard, aussi gravement atteint, ait pu faire le trajet du jardin à la maison des Quandt, de la maison des Quandt à la place du château, enfin de la place du château à la maison de l'instituteur; la première fois en courant, la seconde fois au bras de Quandt, la troisième fois soutenu par des passants; en tout, plus de seize cents pas.

Lorsque Quandt arriva à l'Hôtel de Ville, la nuit était complète, l'employé de service lui déclara qu'on ne pouvait enregistrer sa déposition sans l'ordre formel du bourgmestre qui se trouvait à l'Auberge du Bain. Au bout de quelques instants d'entretien avec le fonctionnaire, il repartit de fort mauvaise humeur, vers l'auberge, située à un quart de lieue de la ville et où le bourgmestre buvait de la bière au milieu d'un cercle d'amis. Quandt raconta son histoire. Les discussions commencèrent, un procès-verbal en règle fut rédigé et remis pour plus amples informations au tribunal civil de la ville.

En rentrant chez lui, Quandt trouva rassemblée devant sa maison une foule de gens de toutes les conditions, que le mauvais temps n'avait pas arrêtés et dont le recueillement déconcerta l'instituteur. Il monta dans la chambre du jeune homme qu'on avait couché et dont la blessure avait déjà été examinée par le docteur Horlacher.

— Comment va-t-il?

— Son état n'inspire pour le moment point d'inquiétude sérieuse, répondit le médecin.

— C'est bien ce que je pensais, fit Quandt.

Le Conseiller Hofmann entra, tenant à la main la bourse violette qu'un agent de police avait trouvée sur le lieu de l'attentat.

— Connaissez-vous ceci ? demanda-t-il.

Le jeune homme, les yeux brillants de fièvre, suivait les gestes du Conseiller qui venait d'ouvrir le réticule et qui en tirait un papier paraissant couvert d'hiéroglyphes.

— C'est étrange, fit Mme Quandt à son mari, Gaspard plie ses lettres exactement comme cela.

L'instituteur s'approcha du conseiller qui examinait attentivement le papier.

— Mais c'est une écriture renversée, fit-il.

— Oui, répondit le conseiller, curieux enfantillage.

Plaçant le billet en face d'un miroir, il lut : « Gaspard Hauser pourra vous donner des renseignements exacts sur ma physionomie et sur ma personne. Pour lui en épargner la peine, car il se pourrait qu'il fût obligé de se taire, je le ferai moi-même. Je viens de la frontière bavaroise, des bords du fleuve. Je vous révèlerai même mon nom : M. L. O. »

— On se moque de nous, dit le conseiller surpris, tandis que Quandt acquiesçait en silence.

En entendant la lecture du billet, le jeune homme laissa lourdement retomber sa tête sur l'oreiller, un désespoir immense se peignit sur ses traits et sa bouche se contracta avec une expression qui signifiait nettement qu'il ne parlerait plus.

Quandt, le papier à la main, arpentait nerveusement la pièce : « C'est du joli, cria-t-il. Ce garçon joue sur la pitié de son siècle. Une volée ! Voilà ce qu'il mériterait. »

— Allons du calme, répliqua le conseiller en fronçant les sourcils, je vous dispense de commentaires.

Avant de partir, il promit d'envoyer le lendemain le médecin du district, ce qui indiquait que lui non plus ne croyait pas à un danger imminent. Sur les instances de Mme d'Imhoff cependant, le médecin du district, le professeur Albert, vint le soir même. Il examina attentivement Gaspard et lorsqu'il eut fini, son visage était soucieux. Quandt, que cette attitude agaçait, lui dit presque grossièrement :

— Voyons, la blessure ne saigne pas.

— Oui, mais le sang s'écoule à l'intérieur, répondit le docteur sans même le regarder.

Il appliqua un cataplasme sinapisé sur le cœur et recommanda un repos absolu.

— Est-ce que par hasard, dit Quandt à sa femme, en se prenant le front dans les mains, le gaillard se serait blessé sérieusement ?

Et comme sa femme ne répondait pas, il continua :

— J'en doute fort, car regarde-le, lui si douillet d'habitude, il ne se plaint pas.

— Et il ne répond pas aux questions qu'on lui pose, ajouta Mme Quandt.

A neuf heures, le jeune homme se mit à délirer, mais comme Quandt était résolu à ne pas croire à son délire, lorsque Gaspard voulut sortir de son lit il lui cria : « Je vous dispense de cette comédie. Recouchez-vous immédiatement. » A ce moment, le pasteur Fuhrmann entrait dans la chambre :

— Quandt ! Quandt, dit-il indigné, un peu de douceur, au nom de notre religion.

— La douceur serait déplacée, répliqua Quandt. A Nuremberg, il a joué le même délire; il paraît qu'il a fallu deux hommes pour le maintenir. Mais ici, je ne tolérerai pas pareille chose.

Une infirmière de l'hôpital, envoyée par Mme d'Imhoff passa toute la nuit au chevet du blessé qui ne dormit que deux ou trois heures. Le lendemain matin, de bonne heure, lorsqu'une commission judiciaire se présenta, il avait toute sa lucidité. Il raconta qu'un étranger lui avait donné rendez-vous près du puits artésien dans le parc.

— Dans quel but?

— Je l'ignore.

— Il ne vous a rien dit?

— Si. Il voulait que nous examinions ensemble les différentes espèces d'argile du puits.

— Et là-dessus, vous l'avez suivi? Quel est son signalement?

Gaspard fit péniblement une courte et incohérente description de l'étranger, ainsi que de la manière dont il l'avait frappé. On n'en put rien tirer d'autre.

On chercha des témoins, on en trouva, mais trop tard pour espérer atteindre le meurtrier. Déjà, les premiers indices avaient été négligés par la faute de Quandt. Lorsqu'on voulut rechercher sur le lieu de l'attentat les traces de sang, elles avaient disparu. La neige ayant été foulée par tous les curieux il fallut y renoncer. Les témoins se présentèrent nombreux. Une hôtelière de la Rosengasse déclara qu'un homme inconnu était entré chez elle et lui avait demandé à quelle heure était le courrier pour Nördlingen. Il pouvait avoir trente-cinq ans, était de taille moyenne, de teint basané et son visage était troué de petite vérole. Il était revêtu d'un manteau bleu à col de fourrure, coiffé d'un chapeau rond noir et portait une culotte verte et des bottes à éperons dorés. Il tenait à la main une cravache. Il ne s'était arrêté que cinq minutes, avait à peine ouvert la bouche et avait refusé de dire où il habitait. L'assesseur Donner donna le signalement correspondant d'un homme qu'il aurait vu à trois heures près de l'Allée des Tilleuls, en compagnie de deux autres qu'il n'avait pas regardés. Un ouvrier miroitier nommé Leich, se rendant vers quatre heures à la Promenade, par la rue des Postes, avait traversé la place du château et avait remarqué deux hommes se dirigeant vers le parc du château. L'un des deux était Gaspard Hauser. Arrivés au réverbère, Gaspard s'était retourné, avait regardé la place du château de telle sorte que l'ouvrier l'avait parfaitement reconnu. Parvenus à la grille du parc, l'étranger s'était effacé pour laisser passer le jeune homme. L'ouvrier s'était même demandé comment on pouvait se promener par un si mauvais temps. Trois quarts d'heure plus tard, en repassant, il trouva un rassemblement de gens qui racontaient comment le jeune homme venait d'être assailli. Enfin, un aide-jardinier qui travaillait à l'Orangerie entendit vers quatre heures un bruit de voix ; regardant par la fenêtre, il aperçut un homme qui passait en courant de toutes ses forces. Les voix entendues devaient provenir de la place de l'Orangerie ; il y en avait deux, une voix basse et une voix haute. Près du Moulin au Saule habitait une couturière dont la fenêtre donnait sur le parc du château. Sa vue s'étendait jusqu'aux deux allées qui mènent au Temple en bois. Elle avait aperçu, à la tombée du jour, l'inconnu au manteau franchissant la grille du square et descendant vers le talus qui longe la rivière Rezat. Les eaux gonflées du fleuve avaient semblé l'arrêter ; il avait fait demi-tour, s'était dirigé vers le Moulin, avait franchi la passerelle de la rue Eber et avait disparu. La femme n'avait remarqué de son visage que sa barbe noire. Le scribe Dillmann voulut lui aussi faire sa déposition. Il raconta qu'il ne manquait jamais de faire chaque après-midi, par n'importe quel temps, une promenade de deux heures dans le parc. Il affirma avoir vu Gaspard et l'étranger, mais prétendit que le jeune homme ne précédait pas l'inconnu, mais marchait derrière lui. « Comme l'agneau suit le boucher à l'abattoir ». Il était évidemment trop tard. Les signalements et les recherches de la police arrivaient trop tard. Inutile de songer à découvrir dans le lit de la Rezat le poignard que l'inconnu avait dû jeter dans sa fuite.

Et puis qu'importait le poignard, qu'importaient les témoins, les interrogatoires, les indices derrière lesquels une lente justice cachait sa nullité? On raconta que les recherches se faisaient sans plan et sans méthode et aussi qu'une main mystérieuse s'ingéniait à brouiller les pistes et à égarer la police. L'auteur de ces rumeurs ne fut pas découvert, car l'opinion publique, cette chose aussi lâche qu'insaisissable, ne prononce ses oracles qu'en toute sécurité. Puis les bruits cessèrent; et la calomnie, la méchanceté, la fausseté, la sottise et l'hypocrisie des hommes achevèrent de broyer, comme entre les meules d'un moulin, cette belle et misérable vie humaine. Bientôt, il ne devait en rester qu'une pauvre légende que l'on contera autour de l'âtre pendant les froides veillées d'hiver.

Le dimanche après-midi, Quandt rencontra dans la rue un fils de Feuerbach.

— Comment va Gaspard? demanda le jeune homme.

— Il est hors de danger; merci de l'intérêt que vous lui portez, répondit l'instituteur. Une jaunisse s'est déclarée, mais il paraît que c'est souvent la conséquence d'émotions violentes et je suis persuadé qu'il pourra se lever dans quelques jours.

Ils parlèrent encore de choses et d'autres, surtout de la nouvelle ligne de chemin de fer qu'on allait établir entre Nuremberg et Fürth, ce qui donna à Quandt l'occasion d'exalter son scepticisme. Après quoi, souriant d'un air satisfait, il rentra chez lui. Devant sa porte, il rencontra Hickel.

— Tiens, déjà de retour de permission, dit-il aimablement.

Puis il se rappela subitement qu'il en voulait encore à l'officier. Les deux hommes montèrent ensemble chez Gaspard. Celui-ci était assis dans son lit, le torse nu, calé contre des oreillers, immobile comme une statue, le teint du visage gris, le reste du corps d'une blancheur inquiétante. Le médecin venait de lui enlever son pansement et lavait la blessure. Outre le docteur, il y avait dans la pièce un greffier assis à la table et rédigeant un rapport qui commençait par ces mots : « La victime s'en tient à ses dépositions précédentes ». Dès que l'officier entra dans la chambre, Gaspard releva la tête qu'il inclinait sur son épaule comme une fleur brisée et regarda l'officier avec des yeux terrifiés. Celui-ci, sans un mot, leva son index d'un air menaçant. Ce geste sembla achever de terroriser le jeune homme qui joignit ses mains et murmura plaintivement :

— N'approchez pas, ce n'est pas moi qui me suis blessé.

— Qu'est-ce qui vous prend? cria Hickel, je n'ai fait que vous menacer pour être allé sans autorisation dans le parc. Vous ne le nierez pourtant pas?

— Je vous dispense de vos questions, fit sèchement le médecin, en achevant son pansement.

Puis, prenant Quandt à part il lui dit d'une voix basse et grave : « Je ne puis vous cacher que Gaspard Hauser ne passera probablement pas la nuit. » Quandt, bouche bée, le regarda tandis que ses genoux devenaient flasques comme une cire molle.

— Comment? Est-ce possible, dit-il.

Il regarda lentement les personnes présentes avec l'air d'un homme qui, au moment de s'asseoir à table, voit subitement disparaître comme par enchantement plats, assiettes, couverts, et même la table.

— Voulez-vous me suivre, Quandt, dit Hickel de sa voix rauque.

— Est-ce possible, répétait Quandt, est-ce possible!

Arrivé au haut de l'escalier, il regarda Hickel et dit d'un ton déclamatoire.

— Nous aurons toujours fait loyalement notre devoir, nos soins assidus ne lui auront jamais fait défaut.

— Cessez vos discours, coupa le lieutenant, et dites-moi plutôt s'il a parlé dans son délire.

— Il n'a dit que des absurdités, répondit l'instituteur tristement.

Pendant ce temps, dans la chambre du jeune homme, le greffier avait repris l'interrogatoire pour savoir si un tiers avait assisté à l'entretien qu'il avait eu avec l'étranger.

— Je suis fatigué, répondit Gaspard, très fatigué.

— Comment vous sentez-vous? lui demanda l'infirmière.

— Fatigué, répéta-t-il, je vais quitter bientôt cette terre maudite.

Pendant un instant, il délira, puis il se tut. Il voyait une lumière qui s'éteignait lentement. Il percevait des sons qui paraissaient sortir de son oreille et résonnaient comme une cloche frappée par un marteau. Devant lui s'étendait une vaste plaine solitaire à peine éclairée; une silhouette la traversait en courant, c'était Schildknecht : « Pourquoi te dépêches-tu ainsi, Schildknecht? — Je suis très pressé »répond-il. Soudain, Schildknecht se transforme en une araignée qui, par un fil brillant grimpe après les branches d'un arbre immense. Gaspard pleure de frayeur.

Puis il a l'étrange vision d'un dôme colossal surmontant un étrange bâtiment sans portes ni fenêtres; mais Gaspard peut voler et volant au-dessus de l'édifice il regarde par une ouverture circulaire l'intérieur rempli d'une atmosphère bleutée. Sur les dalles de marbre, se tient une femme; un homme dont la figure est indistincte s'approche d'elle et lui annonce que Gaspard est mort. La femme jette les bras au ciel et pousse un hurlement de douleur qui fait trembler les vitres. Puis le sol s'entr'ouvre et il en sort un long cortège d'hommes qui sanglotent. Gaspard s'aperçoit que leurs cœurs frémissent comme les poissons vivants dans la main du pêcheur. L'un d'eux, revêtu d'une armure et portant une épée sort des rangs et prononce des paroles prodigieuses qui dévoilent tout le mystère de la vie de Gaspard. Tous les autres se bouchent les oreilles, ferment les yeux et tombent sur le sol. Alors, tout se transforme. Gaspard se sent animé de forces surnaturelles : les métaux dans la terre l'attiraient ainsi que les pierres aux veines d'airain. Au milieu de ces pierres, d'innombrables semences germent, et leurs racines d'où s'élèvent des tiges frémissantes, poussent. Des sources, hautes comme des cascades jaillissent du sol et à leur sommet brille le soleil bienfaisant. Au centre de l'univers se dresse un arbre à la vaste cime et aux multiples rameaux. Des baies rouges sortent des branches et prennent la forme d'un cœur. A l'intérieur coule du sang et partout où l'écorce est fendue, suintent des gouttes écarlates.

Au milieu de toutes ces visions de désespoir et de ravissement morbide, il semblait à Gaspard qu'on le portait dans une autre pièce où il ne pouvait plus respirer.

Sur la route, la diligence de Nuremberg passa et le postillon joua du cor.

Beaucoup de personnes vinrent jusqu'au soir s'informer de l'état du malade. Mme d'Imhoff resta longtemps assise à son chevet.

Vers huit heures, l'infirmière fit prévenir le pasteur Fuhrmann qui accourut. Il posa sa main sur le front de Gaspard dont les yeux angoissés regardaient autour de lui, et dont les épaules tremblaient. Pendant quelques instants, l'agonisant fit avec son index des mouvements sur ses couvertures comme s'il voulait écrire; puis il cessa.

— Un jour, mon cher petit, commença le pasteur, vous m'avez dit que vous aviez confiance en Dieu et que son secours vous suffirait à affronter n'importe quel combat.

— Ai-je dit cela? murmura Gaspard.

— Avez-vous déjà prié Dieu de vous aider?

Gaspard inclina la tête.

— Et vous en êtes-vous senti réconforté?

Le jeune homme se tut.

— Voulez-vous prier avec moi?

— Je suis trop las, je ne puis fixer ma pensée.

Après un instant, il ajouta comme pour lui-même : «Ma pauvre tête a besoin de repos. »

— Eh bien, je réciterai une prière, reprit le pasteur; et tout bas vous vous unirez à moi : « Père, que votre volonté...

— Soit faite et non la mienne, acheva le jeune homme comme dans un souffle.

— Qui a prié ainsi? demanda encore le pasteur.

— Le Sauveur.

— Et quand a-t-il dit cela?

— Avant sa mort.

En prononçant ces paroles, le corps de Gaspard se contracta, son visage se crispa douloureusement et il cria par trois fois : « Où suis-je? »

— Vous êtes dans votre lit, lui dit l'instituteur pour le calmer et se tournant vers le pasteur,il crut bon d'ajouter que très souvent les malades ne savent plus où ils sont.

— Donnez-lui à boire, dit le pasteur.

Mme Quandt tendit au mourant un verre d'eau fraîche qu'il but. Quandt lui essuya le front baigné de sueur et, tremblant de tous ses membres, il se pencha vers le jeune homme et lui demanda : « Hauser, Hauser, n'avez-vous rien à me dire? Regardez-moi encore une fois et dites-moi que vous n'avez rien à m'avouer. »

Le mourant saisit la main de l'instituteur et prononça d'une voix désespérée ces paroles :

— Mon Dieu! Mon Dieu! Devoir partir ainsi dans la honte et dans la suspicion!

Ce furent ses dernières paroles. Il se retourna vers le mur et peu à peu ses membres s'immobilisèrent.

Par une après-midi où le ciel était immuablement bleu, on l'enterra. Toute la ville était sur pied et un chroniqueur de l'époque, celui qui devait donner à Gaspard son surnom « d'Orphelin de l'Europe » raconta qu'à la même heure le soleil et la lune s'étaient montrés dans le ciel, l'un à l'est, l'autre à l'ouest, et que les deux astres avaient jeté la même lumière blafarde.

. . . .

Une semaine et demie plus tard, trois jours avant Noël, un soir que Quandt et sa femme allaient se coucher, on frappa des coups violents à la porte d'entrée. Quandt effrayé, hésita un instant, mais les coups se répétant, il prit la lumière et alla ouvrir : c'était Mme de Kannawurf.

—Conduisez-moi dans la chambre de Gaspard, dit-elle.

— A cette heure? En pleine nuit?

— Immédiatement, dit la jeune femme.

Son attitude intimida l'instituteur qui s'effaça pour la laisser passer et la suivit avec la lumière.

Dans la chambre du jeune homme, peu de choses rappelaient le disparu : tout avait été déplacé et rangé, sauf le petit cheval de bois qui se trouvait encore sur l'encoignure près de la fenêtre.

— Je vous prie de me laisser seule, dit Mme de Kannawurf.

Quandt plaça le chandelier sur un meuble et redescendit auprès de sa femme en maugréant : « Je suis bien bon de tolérer pareille intrusion. »

Pendant ce temps, Mme de Kannawurf, les bras croisés, arpentait la chambre. Elle vit sur la table la copie du rapport d'autopsie d'où il ressortait que la paroi latérale du cœur de la victime avait été transpercée. Clara prit le papier et le froissa entre ses mains. Mais à quoi bon les douleurs et les regrets. On ne rend pas une existence au disparu, on n'arrache pas sa proie à la terre. Une demi-heure plus tard, elle redescendit. Se plantant en face de l'instituteur, elle le regarda fixement et la voix tremblante lui dit : « Assassin. »

A ce mot, il sembla à Quandt qu'on lui plaçait sous le nez un tison de soufre enflammé. Le brave homme dans sa robe de chambre, en pantoufles, et sa calotte brodée sur la tête ne s'attendait guère à pareil incident. Il avait attendu patiemment que l'étrangère voulût bien redescendre et voilà qu'elle l'insultait.

— Elle est folle. J'exigerai une explication, pesta-t-il en se couchant.

Mme de Kannawurf logeait chez les d'Imhoff. En rentrant, elle trouva son amie encore levée. Celle-ci lui apprit que le lendemain on devait ériger une croix sur la tombe de Gaspard. Et comme le silence de Mme de Kannawurf la glaçait, elle continua à parler, de Gaspard et des gens avec qui il avait vécu. Elle lui apprit que Quandt avait décidé d'écrire un livre où il démontrerait que Gaspard Hauser avait été un imposteur; elle lui apprit également qu'Hickel avait quitté le service, et était parti d'Ansbach sans destination connue; enfin, que tous les efforts pour découvrir le criminel étaient restés vains.

Pendant qu'elle parlait, Mme de Kannawurf n'avait pas prononcé une parole et restait figée comme une statue. Au moment de se séparer, elle dit tout bas à son amie : « Toi aussi, tu es une meurtrière. »

Mme d'Imhoff épouvantée fit un pas en arrière. Cependant, Clara continuait : « Tu savais qui il était, mais tu t'es cachée devant la vérité comme Caïn devant l'appel de Dieu. Crois-tu que le monde se taira toujours, comme il se tait à présent? Gaspard ressuscitera, il nous demandera raison de notre conduite, couvrira vos noms de honte et empoisonnera la conscience de vos enfants; mort, il sera aussi puissant qu'il a été impuissant vivant. Le soleil éclairera tout ». Puis, tranquillement, elle sortit de la pièce. Le lendemain, elle quitta la maison de bonne heure et alla voir le vieux sonneur dans la cour de l'église Saint-Jean; longtemps, elle resta assise, là-haut, sur le banc de pierre de l'étroite galerie, laissant errer ses yeux sur la morne plaine glacée. Elle ne voyait pas la neige, mais le sang répandu, elle ne voyait pas le paysage, mais un cœur percé par un poignard.

Puis elle alla au cimetière et se fit conduire à la tombe par le fossoyeur. Deux ouvriers venaient d'apporter la croix et l'avait appuyée au tronc d'un saule pleureur.

Quelques instants plus tard, arrivait le pasteur Fuhrmann et reconnaissant Clara, il la salua gravement. La jeune femme ne le remercia pas, son regard se posa sur le tertre funéraire que recouvrait une neige souillée et sur les ouvriers qui enfonçaient maintenant la croix à la tête de la tombe.

Au centre de la croix, il y avait un grand écusson en forme de cœur portant en lettres blanches, cette inscription :

Hic jacet
Gasparus Hauser
Aenigma
Sui temporis
Ignota nativitas
Occulta mors.

Elle lut l'inscription, se cacha la figure dans les mains, et poussa un éclat de rire strident. Puis, brusquement, elle se tourna vers le pasteur et lui cria : « Assassin ». A ce moment, arrivaient par l'allée principale les personnes qui désiraient assister à l'érection de la croix : les d'Imhoff, M. de Stichaner, le professeur Albert, le conseiller Hofmann, les Quandt. Chacun remarqua la pâleur et le trouble du pasteur et eut l'impression qu'un fâcheux incident était arrivé. Mme d'Imhoff, pressentant un malheur, courut vers son amie et l'étreignit. Mais Clara se dégagea violemment et se précipitant à la rencontre des arrivants, hurla : « Meurtriers ! Vous êtes tous des meurtriers ! des meurtriers ! » Puis, toujours hurlant, elle se dirigea vers la route où elle fut aussitôt entourée d'une foule de gens. Enfin, quelques assistants la maîtrisèrent et l'emmenèrent.

Une fois de plus, Quandt avait « eu raison » : elle était devenue folle. Le soir même, on la conduisit dans un asile; avec le temps, elle s'apaisa, mais ne retrouva jamais complètement ses facultés intellectuelles.

La scène de la tombe avait bouleversé le pasteur. On eut beau lui dire que celle qui l'avait traité d'assassin était une folle, il ne pouvait se remettre. Peu de temps avant sa mort, il disait encore à Mme d'Imhoff venue le voir :

— Je ne trouve plus de plaisir à la vie. Et pourquoi m'a-t-elle accusé, moi, qui justement aimait bien Gaspard?

— Pauvre femme, répondit Mme d'Imhoff, elle aurait voulu faire plus que de l'aimer.

— Pourtant, je ne suis pas coupable, reprit le vieillard, du moins pas plus coupable qu'aucun autre, car ici-bas, nous sommes tous des pécheurs et le péché même fait germer la vie, autrement notre premier père n'eût pas commis au Paradis la faute originelle. Dieu seul, est innocent. Qu'il vienne en aide à mon âme, ainsi qu'à celle du noble Gaspard Hauser.

Dans la collection Les Cahiers Rouges

Joseph d'Arbaud	42	*La Bête du Vaccarès*
Marguerite Audoux	79	*L'Atelier de Marie-Claire*
Marguerite Audoux	78	*Marie-Claire*
Marcel Aymé	23	*Clérambard*
Béatrix Beck	92	*La Décharge*
Béatrix Beck	93	*Josée dite Nancy*
Julien Benda	127	*La Trahison des clercs*
Emmanuel Berl	80	*Rachel et autres grâces*
Princesse Bibesco	115	*Catherine Paris*
Ambrose Bierce	47	*Histoires impossibles*
Ambrose Bierce	68	*Morts violentes*
André Breton, Lise Deharme, Julien Gracq, Jean Tardieu	52	*Farouche à quatre feuilles*
Charles Bukowski	108	*L'amour est un chien de l'enfer t.1*
Charles Bukowski	121	*L'amour est un chien de l'enfer t.2*
Charles Bukowski	60	*Le Postier*
Erskine Caldwell	17	*Une lampe, le soir...*
Ferreira de Castro	95	*Forêt vierge*
Blaise Cendrars	01	*Moravagine*
Blaise Cendrars	120	*Rhum*
Blaise Cendrars	72	*La Vie dangereuse*
André Chamson	61	*L'Auberge de l'abîme*
Jacques Chardonne	18	*Claire*
Jacques Chardonne	39	*Lettres à Roger Nimier*
Jacques Chardonne	101	*Les Varais*
Jacques Chardonne	32	*Vivre à Madère*
Alphonse de Châteaubriant	49	*La Brière*
Bruce Chatwin	77	*En Patagonie*
Hugo Claus	74	*La Chasse aux canards*
Jean Cocteau	88	*La Corrida du 1er Mai*
Jean Cocteau	116	*Les Enfants terribles*
Jean Cocteau	09	*Journal d'un inconnu*
Jean Cocteau	114	*Lettre aux Américains*
Jean Cocteau	33	*Portraits-souvenir*
Vincenzo Consolo	125	*Le Sourire du marin inconnu*
Salvador Dali	107	*Les Cocus du vieil art moderne*
Léon Daudet	29	*Les Morticoles*
Joseph Delteil	15	*Choléra*

Joseph Delteil	69	*Les Poilus*
Joseph Delteil	16	*Sur le fleuve Amour*
André Dhôtel	27	*Le Ciel du faubourg*
Charles Dickens	145	*De grandes espérances*
Carlo Emilio Gadda	140	*Le Château d'Udine*
Gabriel García Márquez	132	*Des feuilles dans la bourrasque*
Gabriel García Márquez	137	*Des yeux de chien bleu*
Gabriel García Márquez	123	*Les Funérailles de la Grande Mémé*
Gabriel García Márquez	124	*L'Incroyable et triste histoire de la candide Erendira*
Gabriel García Márquez	138	*La Mala Hora*
Gabriel García Márquez	130	*Pas de lettre pour le colonel*
Gauguin	156	*Lettres à sa femme et à ses amis*
Maurice Genevoix	02	*La Boîte à pêche*
Nathalia Ginzburg	139	*Les Mots de la tribu*
Jean Giono	34	*Mort d'un personnage*
Jean Giono	71	*Naissance de l'Odyssée*
Jean Giono	155	*Regain*
Jean Giraudoux	46	*Bella*
Jean Giraudoux	103	*Siegfried et le Limousin*
Ernst Glaeser	62	*Le Dernier Civil*
William Goyen	142	*Savannah*
Jean Guéhenno	117	*Changer la vie*
Louis Guilloux	134	*Angélina*
Louis Guilloux	76	*Dossier confidentiel*
Louis Guilloux	05	*La Maison du peuple*
Kléber Haedens	35	*Adios*
Kléber Haedens	89	*L'été finit sous les tilleuls*
Kléber Haedens	97	*Une histoire de la littérature française*
Knut Hamsun	53	*Vagabonds*
Joseph Heller	44	*Catch 22*
Louis Hémon	19	*Battling Malone*
Louis Hémon	55	*Monsieur Ripois et la Némésis*
Hermann Hesse	82	*Siddhartha*
Panaït Istrati	30	*Les Chardons du Baragan*
Pascal Jardin	102	*La Guerre à neuf ans*
Ernst Jünger	157	*Le Contemplateur solitaire*
Franz Kafka	10	*Tentation au village*
Jacques Laurent	41	*Le Petit Canard*
Le Golif	59	*Cahiers de Le Golif, dit Borgnefesse*
Paul Léautaud	126	*Bestiaire*
G. Lenotre	99	*La Révolution par ceux qui l'ont vue*
G. Lenotre	100	*Sous le bonnet rouge*
Primo Levi	85	*La Trêve*
Suzanne Lilar	131	*Le Couple*
Pierre Mac Orlan	11	*Marguerite de la nuit*

Vladimir Maïakovski 112 *Théâtre*
Norman Mailer 81 *Pourquoi sommes-nous au Vietnam ?*
Norman Mailer 36 *Un rêve américain*
André Malraux 28 *La Tentation de l'Occident*
Thomas Mann 03 *Altesse royale*
Heinrich Mann 13 *Professeur Unrat (l'Ange bleu)*
Thomas Mann 25 *Sang réservé*
François Mauriac 37 *Les Anges noirs*
François Mauriac 38 *La Pharisienne*
Paul Morand 90 *Air indien*
Paul Morand 83 *Bouddha vivant*
Paul Morand 113 *Champions du monde*
Paul Morand 48 *L'Europe galante*
Paul Morand 04 *Lewis et Irène*
Paul Morand 67 *Magie noire*
Vladimir Nabokov 06 *Chambre obscure*
Irène Némirovsky 122 *L'Affaire Courilof*
Irène Némirovsky 51 *Le Bal*
Irène Némirovsky 63 *David Golder*
Irène Némirovsky 87 *Les Mouches d'automne*
Paul Nizan 50 *Antoine Bloyé*
François Nourissier 07 *Un petit bourgeois*
René de Obaldia 08 *Le Centenaire*
René de Obaldia 151 *Innocentines*
Joseph Peyré 40 *L'Escadron blanc*
Joseph Peyré 98 *Sang et Lumières*
Charles-Louis Philippe 57 *Bubu de Montparnasse*
André Pieyre de Mandiargues 118 *Le Belvédère*
André Pieyre de Mandiargues 119 *Deuxième Belvédère*
André Pieyre de Mandiargues 26 *Feu de Braise*
Henry Poulaille 65 *Le Pain quotidien*
John Cowper Powys 96 *Camp retranché*
Charles-Ferdinand Ramuz 66 *Aline*
Charles-Ferdinand Ramuz 43 *Derborence*
Charles-Ferdinand Ramuz 104 *La Grande Peur dans la montagne*
Jean François Revel 75 *Sur Proust*
André de Richaud 22 *La Barette rouge*
André de Richaud 86 *La Douleur*
André de Richaud 20 *L'Étrange Visiteur*
Rainer-Maria Rilke 24 *Lettres à un jeune poète*
Marthe Robert 94 *L'Ancien et le Nouveau*
Mark Rutherford 111 *L'Autobiographie de Mark Rutherford*
Maurice Sachs 73 *Au temps du Boeuf sur le toit*
Vita Sackville-West 141 *Au temps du roi Edouard*
Leonardo Sciascia 128 *L'Affaire Moro*

Leonardo Sciascia	110	*Du côté des infidèles*
Leonardo Sciascia	109	*Pirandello et la Sicile*
Jorge Semprun	144	*Quel beau dimanche*
Victor Serge	58	*S'il est minuit dans le siècle*
Friedrich Sieburg	135	*Dieu est-il Français?*
Ignazio Silone	21	*Une poignée de mûres*
Philippe Soupault	70	*Poèmes et poésies*
Roger Vailland	147	*Les Mauvais coups*
Vincent Van Gogh	105	*Lettres à son frère Théo*
Vincent Van Gogh	148	*Lettres à Van Rappard*
Vercors	158	*Sylva*
Paul Verlaine	146	*Choix de poésies*
Jakob Wassermann	160	*Gaspard Hauser*
Mary Webb	54	*Sarn*
Kenneth White	56	*Lettres de Gourgounel*
Walt Whitman	106	*Feuilles d'herbe*
Zola, Maupassant, Huysmans, Céard, Hennique, Alexis	129	*Les soirées de Médan*
Stefan Zweig	64	*Brûlant secret*
Stefan Zweig	12	*Le Chandelier enterré*
Stefan Zweig	91	*Érasme*
Stefan Zweig	31	*La Peur*
Stefan Zweig	14	*La Pitié dangereuse*

Cet ouvrage a été reproduit
par procédé photomécanique
et réalisé
par la SOCIÉTÉ NOUVELLE FIRMIN-DIDOT
Mesnil-sur-l'Estrée
pour le compte des Éditions Grasset
en mai 1992

Imprimé en France
Dépôt légal : mai 1992
ISBN 2-246-46082-4
ISSN 0756-7170
N° d'édition : 8802